BETWS A'R BYD

BETWS A'R BYD

ELFYN LLWYD

Argraffiad cyntaf: 2020

Dymuna'r cyhoeddwyr gydnabod cymorth ariannol
Cyngor Llyfrau Cymru

Llun y clawr blaen: Geraint Thomas
Llun y clawr ôl: Arwyn Roberts
Cynllun y clawr: Y Lolfa

Rhif Llyfr Rhyngwladol: 978 1 78461 952 7

Cyhoeddwyd, rhwymwyd ac argraffwyd yng Nghymru gan
Y Lolfa Cyf., Talybont, Ceredigion SY24 5HE
gwefan www.ylolfa.com
e-bost ylolfa@ylolfa.com
ffôn 01970 832 304
ffacs 832 782

Rhagair

ELENI OEDD PEDWAR ugain mlwyddiant y digwyddiad melltigedig hwnnw pan orfododd y Swyddfa Ryfel dros hanner cant o ddeuluoedd i adael eu ffermydd ar Fynydd Epynt. Dros nos gwthiwyd tiriogaeth y Gymraeg ddeng milltir i'r gorllewin. Parodd hynny i lawer ddod i'r casgliad bod Epynt yn fwy niweidiol i'r iaith na Thryweryn. Er na ellir gwawdio'r farn honno mae hunangofiant Elfyn Llwyd yn brawf digamsyniol mai Tryweryn oedd catalydd yr ymchwydd mewn cenedlaetholdeb a gychwynnodd yn chwedegau'r ganrif ddiwethaf. Does dim angen imi ymhelaethu na dechrau rhestru enwau'r Cymry a gysegrodd eu bywydau i sicrhau na fyddai'n gwlad yn dioddef y fath sen byth eto. Prawf o bwysigrwydd ac arwyddocâd boddi Capel Celyn yw'r ffaith bod y gyfrol ddadlennol a darllenadwy hon yn agor efo ymweliad hunllefus Elfyn, ac yntau'n ddim ond yn dair ar ddeg oed, â safle adeiladu cronfa ddŵr Tryweryn. Ei dad, Meirion, plismon, englynwr a chenedlaetholwr, oedd wedi mynd ag Elfyn a'i chwaer, Angharad, yno yn ei gar: 'Yn y man trodd fy nhad atom a dagrau yn ei lygaid wrth iddo ddweud wrthon ni, "Blant, beth bynnag wnewch chi mewn bywyd, peidiwch byth ag anghofio hyn..." Mae fy atgofion am ddigwyddiadau'r diwrnod hwnnw yn 1963 yn parhau yn glir yn y cof a thybiaf y bydda i'n ufuddhau i'r cais hwnnw o'r galon gan fy nhad tra bydda i.'

Os na wyddoch chi hynny'n barod fe fyddwch chi'n gwybod i sicrwydd ymhell cyn ichi orffen darllen y gyfrol hon bod Elfyn Llwyd wedi cadw ei air, i'w dad ac i'w genedl.

Cyhoeddiad Dafydd Elis-Thomas, a oedd wedi cynrychioli Meirionnydd (wedyn Meirionnydd Nant Conwy) yn ddi-dor yn y Senedd ers iddo ennill y sedd gyntaf i Blaid Cymru yn 1974, na fyddai'n sefyll eto roddodd y cyfle i Elfyn roi cynnig ar fod yn aelod seneddol yn etholiad cyffredinol 1992. Wrth sôn am y penderfyniad mae o'n ddigon gonest i ddweud yn blaen y byddai mynd i San Steffan yn golygu gostyngiad cyflog iddo. Roedd mewn practis yn Nolgellau efo cwmni cyfreithiol uchel ei barch. Roedd ganddo wraig. Roedd ganddo ddau o blant. Roedd ganddo forgais. Ac er nad ydi cyflogau aelodau seneddol i'w cymharu hyd yn oed heddiw i gyflogau deiliad y swyddi uchaf mewn llywodraeth leol, addysg na'r heddlu, roedd cyflog AS yn nawdegau'r ganrif ddiwethaf yn symol iawn.

Ond unwaith y cafodd ei ddewis fe daflodd ei hun yn ddiarbed i'r gwaith o ennill y sedd. Fe fyddaf yn cofio ei ymgyrch yn dda oherwydd mai comisiwn cyntaf Ffilmiau'r Bont, y cwmni teledu a ffurfiodd Angharad Anwyl a minnau, oedd gwneud rhaglen awr am yr ornest. Roedd yr ymgeiswyr i gyd yn gymeriadau hoffus ar delerau hynod o dda â'i gilydd. Yr ymgeisydd Torïaidd rhadlon oedd y dyn busnes llwyddiannus, Gwyn Lewis. Cynrychiolwyd Llafur gan y doniol a'r direidus Rhys Williams. Roedd yr annwyl Geraint Howells wedi dwyn perswâd ar y ddarlledwraig Ruth Parry i sefyll dros y Rhyddfrydwyr. A Bill Pritchard oedd ymgeisydd y Gwyrddion. (Un polisi oedd ganddo – cau atomfa Trawsfynydd. Am hynny câi ei adnabod fel Cherno-Bill Pritchard.) Anodd fyddai meddwl am well cyfuniad o ymgeiswyr na'r criw ardderchog a roddodd eu bryd ar gynrychioli'r ardal.

Cofiwch, doedd fawr o amheuaeth o'r cychwyn am y canlyniad. Roedd Dafydd Elis-Thomas wedi ei gwneud yn sedd ddiogel i Blaid Cymru. Ond er clod iddo, wnaeth Elfyn Llwyd erioed gymryd hynny'n ganiataol, nid yn ystod yr ymgyrch, na chwaith yn ystod y chwarter canrif, bron, y bu yn cynrychioli ei phobl yn San Steffan rhwng 1992 a 2015.

Mae'r cwestiwn yn cael ei ofyn, beth fedr aelod seneddol

dros blaid fechan fel Plaid Cymru ei gyflawni yn San Steffan? Wedi'r cyfan fu gan y Blaid erioed fwy na phedwar aelod seneddol – 4 ymhlith 650 o aelodau eraill. Mae mathemateg syml y sefyllfa yn ddigon i lethu'r gwangalon. Ond nid rhai felly fu aelodau seneddol y Blaid. Yn sicr nid un felly fu Elfyn Llwyd.

Mae'r gyfrol drwyddi draw yn bortread cyfareddol o'r hyn sy'n digwydd y tu ôl i'r llenni yn y byd gwleidyddol. Gallwn bentyrru enghraifft ar ôl enghraifft i ddarlunio hynny.

Ond prynu'r llyfr hwn er mwyn gwybod beth sydd gan Elfyn i'w ddweud wnaethoch chi. Tawaf efo'r sylw hwn.

Os mai geiriau ei dad ddaru wneud yr Elfyn ifanc yn Nhryweryn yn genedlaetholwr, geiriau ei dad hefyd fu'n gysur, yn gynhaliaeth ac yn anogaeth iddo yn San Steffan. Ar ôl ymddeol o'r heddlu bu Meirion yn gynghorydd Plaid Cymru ar Gyngor Bwrdeistref Aberconwy. Doedd hi ddim yn hawdd cael maen Cymreictod i'r wal Seisnig y llechai cymaint o'i gydgynghorwyr y tu ôl iddi. Heb ennyn perswâd a bod yn barod i gydweithio fyddai ddim modd sicrhau enillion o fath yn y byd. Cofiai eiriau ei dad, na chafodd fyw i weld Elfyn yn cael ei ethol, bod yn rhaid cydweithio ar draws ffiniau plaid, ar lannau Conwy a Thafwys fel ei gilydd: 'Cofiaf iddo wenu arnaf a dweud, os na fydd gryf bydd gyfrwys.'

Ei allu i gydweithio, i fod yn gryf a bod yn gyfrwys yn ôl y galw a'i galluogodd i fod yn wleidydd a fedrodd wneud gwahaniaeth ymhell y tu draw i ffiniau ei etholaeth a'i wlad.

Ond yma mae ei galon. A chalon fawr, hael ydi hi hefyd.

Vaughan Hughes
Benllech
Awst 2020

Cyflwyniad

Pwrpas y llyfr hwn yw cofnodi digwyddiadau y bûm yn rhan ohonyn nhw yn ystod bron i chwarter canrif o wasanaeth fel Aelod Seneddol dros bobl Meirionnydd Nant Conwy a Dwyfor Meirionnydd. Yn naturiol, felly ni fyddaf yn sôn llawer am fy mhlentyndod ym Metws-y-Coed, ardal Llŷn nac ar Ynys Môn.

Ces fy magu ar aelwyd wleidyddol, ble bydde trafod cyson ar faterion y dydd gyda phwyslais ar faterion yn ymwneud â Chymru yn naturiol. Roedd fy rhieni, Huw Meirion Hughes a Hefina fy mam, yn gefnogwyr Plaid Cymru brwd ac mae'n siŵr i hynny ddylanwadu ar y ffordd roeddwn yn gweld fy nyfodol.

Mae un digwyddiad yn anad dim yn sefyll yn fy nghof fel un o'r dylanwadau mwya arna i yn ystod fy mhlentyndod. Ar ddiwrnod glawog a thywyll yn 1963, penderfynodd fy nhad fynd â'm chwaer a minnau ar daith i Feirionnydd. Ar y pryd, mi fuase fy chwaer, Angharad yn bedair ar ddeg oed a minnau'n dair ar ddeg.

Roedden ni wedi hen arfer teithio i Feirionnydd o ble bynnag roedden ni'n byw ar y pryd, gan mai brodor o Lanrafon, ger Corwen oedd fy nhad, a chan mai heddwas ydoedd roedden ni wedi byw mewn sawl lle yng Ngwynedd a Môn dros y blynyddoedd. Nid oedd mynd i Feirionnydd yn daith newydd i ni, gan y bydden ni o bryd i'w gilydd yn ymweld ac yn aros gyda theulu fy nhad yng Nglanrafon a Llawr y Betws.

Ond mi saif y daith arbennig hon gyda mi am byth. Wrth deithio tuag at Feirion roedden ni'n edrych ymlaen yn eiddgar at weld ein perthnasau. Bydden ni wrth ein boddau'n sôn am aelodau o'r teulu a bydden ni, 'blant y dre', yn edrych ymlaen at ymweliad arall â'r wlad a chyfle i ddod i adnabod byd natur yn well. Fel arfer bydde yna glebran ar hyd y daith, ond y tro hwn roedd fy nhad yn dawel, yn ddi-wên ac yn ymddwyn rywfaint yn wahanol. Yn hytrach nag anelu am y Bala aeth â ni ar drywydd i gyfeiriad arall, tuag at Drawsfynydd.

Yno, gwelsom a chlywsom olygfa ddychrynllyd yn gyfuniad o fwd a baw a sŵn – yr hyn y buase plentyn yn ei ddychmygu fuase'n ymdebygu i uffern y Rhyfel Byd Cyntaf. Dyma ni'n tri yn gadael y modur a cherdded trwy'r mwd a sefyll ar fryncyn, nid nepell o bont garreg fechan. Yna, daeth rhywun aton ni a cheisio ein hel oddi yno mewn Saesneg digon bras. Ymatebodd fy nhad yn chwyrn iddo drwy ddweud na fydden ni'n symud oddi yno tan ein bod yn barod i wneud hynny.

Yn y man, trodd fy nhad atom â dagrau yn ei lygaid wrth iddo ddweud wrthon ni, 'Blant, beth bynnag wnewch chi mewn bywyd, peidiwch byth ag anghofio hyn.' Ar ôl aros am rai munudau, cychwynasom ar ein taith oddi yno, o Gwm Celyn a fydde'n cael ei foddi ymhen wythnosau. Gallech ddweud mai dyna oedd y deffroad a'm gwnaeth yn genedlatholwr, a gwn fod Angharad wedi teimlo'r un fath ac yn teimlo hynny hyd heddiw.

Flynyddoedd yn ddiweddarach, ces y cyfle i fyw yn Llanuwchllyn ym Meirionnydd ac ymhen amser, i fod yn Aelod Seneddol ar yr ardal hyfryd hon. Mae fy atgofion am ddigwyddiadau y diwrnod hwnnw yn 1963 yn parhau yn glir yn y cof a thybiaf y bydda i'n ufuddhau i'r cais hwnnw o'r galon gan fy nhad tra bydda i.

Pennod 1

YN YSTOD Y Nadolig 1990 roedd yna sibrydion i'r perwyl bod yr Aelod Seneddol ym Meirionnydd Nant Conwy yn mynd i ymddeol o'i sedd ac yn nechrau 1991 mi gadarnhawyd bod Dafydd Elis-Thomas yn mynd i orffen ei gyfnod fel ein cynrychiolydd.

Bron yn union wedyn, awgrymwyd gan nifer o'm cyfeillion a'm cydnabod y dylswn gynnig fy enw. Daeth Dafydd Elis-Thomas i'm cyfarfod ac mi roedd o'n frwd ei gefnogaeth ar y pryd. Fel gwleidydd, roedd o'n gweld bod gen i broffil reit dda fel cyfreithiwr prysur yn gweithredu ar draws gogledd a chanolbarth Cymru. Llawn mor bwysig efallai oedd y ffaith fy mod wedi fy ngeni ym Metws-y-Coed, Dyffryn Conwy o ble yr hanai teulu fy mam a fy mod, ers 1974 wedi byw yn Llanuwchllyn, Meirionnydd. Gwn ar y pryd fod Dafydd wedi rhoi ei gefnogaeth hefyd i un neu ddau arall ar y rhestr fer, fel y buase unrhyw un yn disgwyl.

Cyn penderfynu, roedd yn rhaid i mi ymgynghori efo sawl ffrind agos ac wrth gwrs, roedd yn rhaid i mi gael barn fy ngwraig, Eleri. Roedd Eleri a minnau wedi bod gyda'n gilydd trwy gyfnod y brifysgol yn Aberystwyth yn ystod y berw gwleidyddol ar ddechrau'r saithdegau. Ces y fraint o fod yn Llywydd y Gymdeithas Geltaidd yn ystod fy mlynyddoedd yn Aberystwyth, ac mae'n rhaid cydnabod bod y gymdeithas 'ddiwylliannol' honno'n hynod o wleidyddol yn y cyfnod hwnnw ac yn fagwrfa i unrhyw fyfyriwr oedd ag awydd gwleidydda. Swm a sylwedd cyngor Eleri oedd – 'rho dy enw i mewn, mae'n hollol bosib na chei di'r enwebiad, ond os na wnei di, dwi'n dy.'nabod di'n ddigon da, edifarhau 'nei di.' Ar y pryd, roedd gynnon ni ddau o blant ifanc sef Catrin a Rhodri, morgais i'w dalu ac yn y blaen. Rwy'n sôn am hynny oherwydd bod gen i ar y pryd hefyd bractis cyfreithiol eang a thrwm, wedi ei adeiladu dros gyfnod o flynyddoedd. Bydde mynd i San Steffan fel Aelod Seneddol yn golygu gostyngiad mewn incwm. Yn hollol anghymharol, roedd Eleri'n bendant. Felly, ymlaen â ni!

Pan drefnwyd y broses o ddewis ymgeisydd Plaid Cymru dros Feirionnydd Nant Conwy, disgwyliwn y bydde sawl enw arall yn ymddangos. Yn y diwedd roedd pump neu chwech ohonon ni ar y rhestr fer. Un ohonynt oedd fy nghyfaill da, Eurig Wyn o Waunfawr, a ddaeth maes o law yn Aelod Seneddol Ewropeaidd a gwnaeth enw da iawn iddo'i hun ledled Ewrop. Yn bwysicach efallai, mi briododd Catrin ein merch ag Euros, mab Eurig a Jill ac mae'r cysylltiad rhyngom wedi parhau yn glos iawn. Mi fu Eurig druan farw yn ystod Haf 2019 ac mi roedd y myrdd o deyrngedau yn tystio i'w hynawsedd, ei ddycnwch, ei allu fel gwleidydd praff a hefyd ei gyfeillgarwch diffuant. Coffa da iawn amdano.

Yn dilyn y broses enwebu, fe'm penodwyd yn ddarpar ymgeisydd yn y sedd ac am fisoedd rhwng cael fy enwebu a dyddiad galw'r etholiad bûm yn crwydro trefi a phentrefi Dyffryn Conwy a Meirionnydd bob dydd Sadwrn gyda thaflen yn cyflwyno fy hun. Doeddwn i ddim am gael ymateb ar garreg drws yn ystod Etholiad 1992 i'r perwyl 'tyda chi'm yn dod yn agos, heblaw amser lecsiwn', felly es â'r bamffled o gwmpas cyn bod sôn am lecsiwn! Dyma fynd ati drwy law a hindda gan ymweld â'r holl ardaloedd yn ystod 1991. Ambell dro, yn enwedig ar ôl cael achos trwm yn ystod yr wythnos fel cyfreithiwr, doedd hi ddim yn hawdd codi allan yn yr oerni i wneud hyn, ond credaf ei fod wedi talu ar ei ganfed.

Galwyd yr Etholiad Cyffredinol ym Mawrth 1992 efo'r cyfrif ar y nawfed o Ebrill 1992. Roedd yr ymgiprys am y sedd yn barchus ac mi ddeuthum yn eithaf cyfeillgar efo'm gwrthwynebwyr, Gwyn Lewis dros y Torïaid, Rhys Williams dros Lafur, Ruth Parry dros y Rhyddfrydwyr a Bill Pritchard dros y Gwyrddion. Wedi'r etholiad ymunodd Bill Pritchard â Phlaid Cymru, am gyfnod!

Gobeithio y caf faddeuant am adrodd un hanesyn yn ymwneud â Ruth Parry. Oherwydd natur y sedd roedd yr ymgiprys hwn yn denu llawer o sylw yn y wasg a'r cyfryngau – hon fydde y prawf a oedd yn bosib i Blaid Cymru ddal sedd wedi ymadawiad y deilydd. Bydden ni fel ymgeiswyr felly yn cyfarfod mewn sawl stiwdio i ymateb fel panel. Un noson, dywedodd Ruth wrtha i ei bod wedi cael diwrnod ardderchog yn canfasio yng Ngheinws. 'Pawb oedd gartre yn cefnogi'r Rhyddfrydwyr,' medda Ruth a hyder yn ei llais. 'Da iawn, Ruth,' medda finna. 'Be wyt ti'n feddwl, dim ond da iawn?' medda hithau. 'Wel, mae Ceinws yn etholaeth Maldwyn,' medda finna! Roedd Ruth druan wedi croesi'r ffin a gwastraffu diwrnod cyfan yn canfasio y tu allan i'r etholaeth!

Ebrill y nawfed, noson y cyfrif yn Nolgellau. Canlyniad da iawn i Blaid Cymru a boddhad i minnau hefyd, wrth gwrs. Canran y bleidlais i'r Blaid yn codi 4% i 44% a'r Torïaid yn ail wedi gostwng 2.5%. Mwyafrif yn codi o 1,600 i 4,613 felly.

Ar fore'r degfed o Ebrill, dechrau sylweddoli beth oedd wedi digwydd a bod fy mywyd a bywyd fy ngwraig a'm teulu yn anorfod yn mynd i newid yn sylweddol. Newyddiadurwyr yn holi, ydych chi a'r teulu yn mynd i ymgartrefu yn Llundain? Ar un ystyr roeddwn yn meddwl bod y cwestiwn hwn yn un gwirion iawn. Dadwreiddio dau blentyn a oedd wedi eu geni a'u magu ar aelwyd yn Llanuwchllyn a'u symud i ganol Llundain. Sgersli bilîf! chwedl Ifans y Tryc. Wedi dweud hynny nid oeddwn ar y pryd yn ymwybodol o'r Ysgol Gymraeg yn Llundain a oedd, ac y sydd yn darparu addysg gynradd o'r radd flaenaf trwy gyfrwng y Gymraeg.

Rhaid cyfaddef bod gadael Glandwr yn Llanuwchllyn ar nos Sul i fynd lawr i Lundain yn anodd. Roedd Catrin yn dair ar ddeg a Rhodri'n ddeg ac mi fydde yna ddagrau yn aml yn ystod yr wythnosau cyntaf. Wedi iddyn nhw sylweddoli y byddwn i'n dychwelyd bron bob wythnos, daeth pethau'n haws. Roedd pethau'n well fyth pan ddown â rhywbeth bach yn ôl iddyn nhw o bryd i'w gilydd!

Dyliwn i sôn am 'Trên y Tri', sef trên a oedd wedi ei drefnu i fynd â Dafydd Wigley, Cynog Dafis a minnau i lawr i Euston efo llu o'n cefnogwyr. Mae'n rhaid bod Ieuan wedi mynd lawr rhyw ffordd arall! Roedd yr awyrgylch ar y trên hwnnw yn gynnes ac yn fythgofiadwy ac ynddo roedd cannoedd o gefnogwyr o'r tair sedd. Ymysg fy nghefnogwyr i roedd fy mab Rhodri ac ymysg cefnogwyr Cynog Dafis roedd un o ferched Medi a Harri James – Medi oedd asiant Cynog. Y ferch fach olygus honno oedd Emsyl James. Dw i ddim yn credu i Emsyl a Rhodri gyfarfod ar y siwrne ond cyfarfod ddaru nhw ychydig o flynyddoedd wedyn a phriodi yng Nghapel Tal-y-bont Ceredigion ar Ebrill y pedwerydd ar ddeg 2012!

Aeth y fintai o Euston i San Steffan, ble gwnaeth Dafydd Wigley, Ieuan Wyn Jones, Cynog Dafis a minnau eu hannerch yn y 'Grand Committee Room' a chael ein galw oddi yno i bleidleisio am y tro cyntaf – dros Betty Boothroyd AS i fod yn Llefarydd y Tŷ Cyffredin. Hwn oedd un o'r diwrnodau hapusaf yn fy hanes, yn cael fy amgylchynu gan ffrindiau, teulu a chefnogwyr. Roedd fy mam ar y trên a'i chwaer, y ddwy yn meddwl beth fydde fy nhad, Meirion, wedi ei wneud o hyn oll petai o wedi cael byw. Roedd y diwrnod hwnnw yn un o'r rheini sy'n teimlo fel pe na fuase am orffen o gwbl ac mae llawer o'r manylion, yr wynebau a'r sgyrsiau yn dal yr un mor glir yn fy meddwl hyd heddiw.

Drannoeth, dyma ddechrau ceisio ymgyfarwyddo efo'r holl gonfensiynau a rheolau sy'n bodoli yn San Steffan. Tasg enfawr arall oedd ceisio ffeindio fy ffordd o gwmpas heb fynd ar goll yn llwyr. Lle od ydi adeilad y Senedd yn San Steffan, rhyw gymysgedd o ysgol fonedd a bywyd milwrol efo mymryn o Hogwarts yn y potes! Cafodd Cynog a minnau gynghorion cyson a doeth gan Dafydd Wigley a Ieuan Wyn Jones a daethon ni i ddeall y rheolau yn well na'r rhan fwyaf o aelodau'r pleidiau Prydeinig. Y rheswm am hyn, wrth gwrs, oedd y bydde gan Dafydd a Ieuan yr amser i'w roi i ni ein dau trwy'r adeg, er bod y ddau mor brysur. Yn hyn o beth roeddwn yn hynod o ddiolchgar i'r ddau ohonyn nhw ac mi wn i Cynog fod yr un mor ddiolchgar hefyd.

Un o'r cynghorion cyntaf a ges oedd: 'Bydd yn barod i gydweithio ar draws ffiniau plaid os byddi'n canfod pobl sydd yn coleddu'r un farn ar unrhyw bwnc.' Hefyd, roedd Dafydd yn awgrymu mai da o beth fydde ceisio arbenigo mewn dau neu dri maes. O ran cydweithio, gwelswn fy nhad yn cydweithio ar draws ffiniau plaid pan oedd yn gynghorydd Plaid Cymru ar Gyngor Bwrdeistref Aberconwy. Cofiaf hefyd iddo wenu arna i a dweud, 'Os na bydd gryf, bydd gyfrwys.'

Cyngor doeth arall a ges oedd am i mi beidio â rhuthro i wneud fy araith forwynol. Mae yna bwysau ar Aelod i wneud ei araith gyntaf, oherwydd tan i hynny ddigwydd fydd yr Aelod hwnnw ddim yn cael holi cwestiynau i Weinidogion, na'r Prif Weinidog, wrth gwrs. Cymerais wythnos dda i wrando ar areithiau a hefyd i ymgartrefu yn y Siambr. Mae'r Siambr yn fangre unigryw. Edrycha'n lle mawr ar y teledu ond mewn gwirionedd lle bychan ydyw, yn wir heb sedd i bob Aelod pan fydd pawb yn bresennol, yn ystod y Gyllideb er enghraifft.

Penderfynais anfon nodyn at y Llefarydd, Betty Boothroyd, yn dweud y buaswn yn falch pe bawn yn 'dal ei llygad' ar yr 19eg Mai. Mae'n hanfodol cynnwys y cyfeiriad at 'dal ei llygad'! Deallais y bydde ganddi restr o areithwyr ac ar ôl neidio i fyny ac i lawr am dair awr mi es at ei chadair gan ofyn ble roeddwn ar y rhestr. Dyna Betty Boothroyd yn troi ata i a dweud, 'Does 'na ddim rhestr!' Wedyn dywedodd 'mod i y nesaf ond un ar ochr yr wrthblaid! Y confensiwn ydi – tydi'r rhestr oedd ar ei glin ddim yn bodoli ac felly ni ddylid cyfeirio ati! Na, dw i ddim yn deall chwaith!

Ces fy ngalw o fewn rhyw awr ac mi wnes fy araith forwynol. Roedd yr araith yn dilyn y patrwm o ganmol fy rhagflaenydd, disgrifio'r etholaeth a dweud gair am fy amcanion neu fy nyheadau gwleidyddol. Cyfeiriais at y ffaith fy mod i'n dod o stabal go lew, wedi fy hyfforddi ym mhractis David Lloyd George a fy mod yn erthygledig i'w nai, Dr William George, a ddaeth yn Archdderwydd wrth gwrs. Soniais fod Plaid Cymru ym mhrif lif gwleidyddiaeth Ewrop, yn awyddus i gymryd ei rhan yn llawn yng ngwleidyddiaeth tir mawr Ewrop. Ond hefyd dywedais ei bod yn eironig fy mod i wedi sefyll etholiad i fynd i San Steffan er mwyn sicrhau y byddwn yn ei gadael er mwyn sicrhau 'statws cenedl llawn, yn haeddiannol lawn, i Gymru a'i phobl'. I lawer mae'n siŵr, roedd cyrraedd San Steffan yn golygu pen y daith, ond i mi cychwyn oedd y daith a charreg filltir ar y daith honno oedd cymryd fy sedd yn Llundain.

Rhywbeth arall sy'n wir am genedlaetholwr yw bod pobl Plaid Cymru yn naturiol yn ystyried mai Aelod dros Gymru ydach chi ac nid eich etholaeth yn unig. Felly, mae disgwyl i Aelod Seneddol Plaid Cymru fod yn barod i deithio llawer o amgylch Cymru yn ychwanegol at y swmp gwaith arferol.

Roedd hyn yn golygu gwahoddiadau lu i wahanol ddigwyddiadau ac mi gofiaf cael cinio efo un o'm harwyr yn y Drenewydd. Roedd Syr Geraint Evans, y canwr byd-enwog yn un o'r gwesteion yn y cinio hwnnw ac yn taro rhywun fel person hawdd iawn siarad ag o. Yn ystod ein sgyrsiau dywedodd wrtha i iddo fod yn ŵr gwadd yn ei hen ysgol yn y cymoedd ychydig yn gynt yn y flwyddyn a'i fod wedi gwisgo siwt sidan wedi ei chael o Savile Row, Llundain. Dywedodd ei wraig wrtho am newid i wisgo siwt arall, rhag ofn i'r ysgol a'r trigolion feddwl ei fod yn ymffrostio. Daeth yn ôl i lawr o'i lofft mewn siwt oedd yn llai amlwg ac yna gyrru o Aberaeron i'r ysgol yn ei Rolls Royce! Rwyf yn dal i glywed ei chwerthiniad hyd heddiw.

Ym mis Gorffennaf cyflwynais fesur yn ymwneud â chost cyflenwad dŵr i bobl hŷn, pobl anabl, y di-waith a phobl ar gyflogau isel drwy gynnig diwygio'r Ddeddf Nawdd Cymdeithasol 1986 i sicrhau tegwch iddynt. Ar y pryd roedd cost trethi dŵr wedi dod yn bwnc llosg. Ces gefnogaeth gan aelodau o bob plaid yn San Steffan, ond fel tynged nodweddiadol bron pob 'mesur 10 munud' doedd hi ddim yn bosib mynd â'r maen i'r wal, er fe'm sicrhawyd y bydde'r ddadl yn cael ei gwyntyllu ar sawl achlysur arall. Hwn oedd y tro cyntaf i mi gyflwyno 'mesur 10 munud' fel y'i gelwir ac mi ddysgais lawer yn ystod y broses ac am y broses. Cyflwynais lawer mesur tebyg yn dilyn hyn.

Yn sgil y mesur yma fe'm gwahoddwyd i annerch rali enfawr yn Glasgow ym mis Medi. Roedd yna fwriad i breifateiddio'r gwasanaethau dŵr yn yr Alban a gofynnwyd i mi annerch torf enfawr yn Glasgow. Plaid Genedlaethol yr Alban (SNP) ddaru ofyn i mi deithio i fyny ac wedi cyrraedd sylwais nad oedd yr un o'r SNP ar y llwyfan – y rheswm oedd nad oedden nhw'n fodlon rhannu llwyfan efo'r gwleidydd tanllyd, Tommy Sheridan. Ddaru hynny ddim effeithio rhyw lawer arna i!

Tua dechrau Hydref daeth yr Arglwydd Prys Davies i gysylltiad â mi gan ofyn a fedrwn ei gyfarfod gan ei fod yn awyddus i drafod mater pwysig gyda mi. Ar y pryd, roedd llawer o sôn bod Coleg Harlech mewn trafferthion ac er i mi gysylltu dro ar ôl tro â'r Coleg, ni chefais wahoddiad gan y Prifathro, Joe England, i gwrdd er mwyn cael trafodaeth a gweld be gellid ei wneud. Roedd Gwilym yn un o Ymddiriedolwyr y Coleg ac yn teimlo'n gryf y dylse'r Coleg adael i mi wybod beth oedd y problemau a'r sialensiau sylweddol oedd o'u blaenau hwy. Yn anffodus, penderfyniad gwleidyddol hollol ar ran y Prifathro oedd peidio fy nghynnwys mewn trafodaethau ar y mater, gan ei fod yn un o hoelion wyth y Blaid Lafur ym Meirionnydd. Ychydig o bobl yng Nghymru oedd yn amlycach yn y Blaid Lafur na Gwilym Prys Davies, ond roedd o'n ddigon parod i weithio ar draws y ffiniau pleidiol er lles y Coleg. Wedi hynny, ceisiais wneud fy ngorau i roddi bob cymorth i'r Coleg a phan apwyntiwyd Annie Williams yn Brifathro yno ces bob cymorth ganddi hi ac mi fu cydweithio da rhyngom.

Cynghorwyd fi i weithio ar 'draws y ffiniau' ar faterion a dyna oedd yr enghraifft gyntaf o lawer pan ges gymorth amhrisiadwy gan Gwilym Prys Davies. Trwy y cydweithio yma, mi ddaethon ni'n gyfeillion ac mae gen i'r parch mwyaf iddo. Wedi ei farwolaeth ym Mawrth 2017 ces gyfle i dalu teyrnged iddo ar y radio, ac i mi roedd o'n un o'r Cymry amlycaf a'r mwyaf triw yn yr ugeinfed ganrif. Mi fyddaf yn cyfeirio eto nifer o weithiau at y cyfarfodydd a ges gydag ef i drafod gwelliannau i fesurau Cymreig. Mae gen i sawl llythyr ganddo – ei ysgrifen yn unigryw gan ei fod mor fanwl gywir a'r ysgrifen yn fach ac yn daclus. Roedd ei gynghorion yn arbennig bob amser ac mi roedd hi'n fraint ei adnabod a chael cydweithio ag o.

Yn Senedd 1992 y Torïaid, wrth gwrs, oedd mewn grym o dan arweiniad John Major. Roedd y rhuthr i breifateiddio bron pob dim, nodwedd a ddaeth yn amlwg o dan Margaret Thatcher yn parhau, gwaetha'r modd. Ar y deuddegfed o Ionawr 2013 daeth y Mesur Preifateiddio Rheilffyrdd ger bron San Steffan a chan mai fi o'r tîm o bedwar a oedd yn gyfrifol am drafnidiaeth, ymysg pethau eraill, fi oedd yn areithio ar ran y Blaid. Ar fater mor fanwl a chymhleth â'r ddadl hon, sef preifateiddio'r rheilffyrdd, y bwriad oedd creu cwmnïau rhedeg trenau, a fydde ar wahân i'r cwmni a fydde'n gyfrifol am orsafoedd a bydde cwmni arall i ofalu am y traciau, ac mi sylweddolais felly fod angen cymorth arbenigol arnaf. Roedd Plaid Cymru'n ffodus iawn o gael aelod gweithgar yn Athro Trafnidiaeth mewn prifysgol. Cysylltais â'm cyfaill, yr Athro Stuart Cole, sydd yn Athro ym Mhrifysgol De Cymru erbyn hyn. Awgrymodd i mi y gallai'n hawdd lunio sawl dadl i'w cynnwys yn fy araith ac mewn ychydig iawn o amser mi ges sgript arbennig ganddo a oedd yn cynnwys rhwng deuddeg a phymtheg o gwestiynau manwl a threiddgar y gallwn eu gofyn yn ystod fy nghyfraniad y noson honno.

John MacGregor oedd y Gweinidog Trafnidiaeth a oedd yn arwain ar y mater ac felly yn siarad ar ran y llywodraeth i gyflwyno'r Mesur. Yn ystod fy araith, mi ofynnais y deuddeg cwestiwn ac mewn ymateb i bron pob un dywedodd y Gweinidog y bydde'n sgwennu ymateb i mi. Ffurf ar eiriau ydi hynna yn y Senedd i ddweud 'tydw i ddim yn gwybod' ac wedyn anghofio amdano! Ond, mi roedd y cwestiynau yma'n greiddiol i'r pwnc ac er i mi ysgrifennu ato fwy nag unwaith wedyn ni dderbyniais ateb llawn i'r un cwestiwn! Gyda llaw, hwn oedd y John MacGregor a gafodd swydd fras ymhen ychydig fisoedd gydag un o'r cwmnïau rheilffordd roedd o wedi eu creu! Enghraifft anffodus iawn o weithredu – dim rhyfedd bod y cyhoedd yn amau gwleidyddion! Erbyn hyn, mae yna reolau llymach yn gwahardd gweinidogion am gyfnod hirach ar ôl gadael swydd mewn llywodraeth rhag cymeryd y swllt – ac felly dylse hi fod, wrth reswm.

Roedd areithio mewn dadl fawr yn Nhŷ'r Cyffredin yn fraint arbennig serch y profiad uchod. Gwireb yw dweud bod dadl heddiw yn benawdau yfory, ond felly y mae hi ac mewn sawl achlysur roedd rhywun yn chwarae rhan fechan yn creu hanes a fydde ar gof a chadw. Cofier bod bob cyfraniad a wneir yn Nhŷ'r Cyffredin yn cael ei deipio dros nos a'i argraffu cyn y bore yng nghofnodion Hansard. Rhaid cyfaddef bod angen llawer o baratoi cyn cymeryd rhan mewn dadl ac mi wyddech, pe byddech yn baglu – mi fydde ar gof a chadw am byth!

Rhaid oedd bod yn barod i ildio i adael i unrhyw un o'r 650 Aelod a oedd yn bresennol ofyn cwestiwn i chi. Yn amlach na pheidio cwestiynau oeddent er mwyn ceisio eich tanseilio! Felly, meddech chi, pam gadael iddyn nhw ofyn y cwestiwn, pam ddim parhau â'ch araith a gwrthod ildio? Ystyrir gwrthod cyson yn anghwrtais ac mae confensiwn yn disgwyl i chi gymeryd hyn a hyn o gwestiynau. Golyga hyn waith cartref manwl a'r gallu i ragweld y math o ymosodiad hynod o gwrtais oedd yn debygol o ddod. Mi gofiaf unwaith i mi dorri ar draws un siaradwr yn fy mrwdfrydedd dibrofiad ac mi ges slap go lew gan y person hwnnw. Dafydd Wigley'n mynd â fi naill ochr yn ddiweddarach a rhoi'r cyngor cofiadwy yma i mi, 'Elfyn, paid byth â chychwyn ffeit mewn tŷ tafarn os nad wyt ti'n gwybod ble mae'r drws cefn!' Cyngor y deuthum i'w werthfawrogi'n fawr dros y blynyddoedd.

Yn ogystal â bod yn San Steffan bob wythnos pan eisteddai'r Senedd roedd yn rhaid gwasanaethu pobl dda Meirionnydd Nant Conwy. Y gwir ydi wrth gwrs, os bydd eich gwaith sy'n ymwneud ag achosion lleol yn ddiffygiol, yna toes gennych chi ddim gobaith cadw eich sedd. Fel buase fy niweddar Dad yn dweud wrtha i'n aml, 'Wrth dy draed mae carrega.'

Yn hynny o beth roedd rheolwraig fy swyddfa yn Nolgellau, Sheila Jenkins yn brofiadol iawn ac yn wir, ni fuaswn wedi llwyddo i gyflawni unrhyw beth hebddi. Roedd hi'n weithgar iawn a ffordd arbennig ganddi o ddelio ag etholwyr. Hefyd, roedd hi'n synhwyro'n syth beth roedd yn rhaid delio ag o ar frys, a materion eraill a allai aros am ychydig mwy. Yn aml, pan oeddwn mewn cyfyng gyngor am rywbeth – roedd ymgynghori â Sheila yn talu ar ei ganfed bob tro. Er enghraifft, yn aml bydde gwahoddiadau yn dod i gymeryd rhan mewn dau beth ar yr un dyddiad. Finna ddim am bechu unrhyw un – ond Sheila bob amser yn gwybod yr ateb. Derbyn A oherwydd mi fydd B yn gofyn i ti eto! Cymorth arbennig a chyngor da yn ddieithriad.

Yn Llundain, roedd Rhian Medi'n gwneud yr un peth. Hi oedd yn rheoli swyddfa'r Blaid yn San Steffan ac yn gofalu am ddyddiaduron y pedwar ohonom yn Llundain. Unwaith eto, person profiadol a gweithgar ac mae 'niolch yn fawr iddi hitha hefyd.

I roi rhyw syniad o'r prysurdeb trof at fy nyddiadur a rhoi i chi amserlen wythnos arferol:

8 Chwefror:	Cyfweliad efo'r BBC	9 am
	yn fy nghartref yn Llanuwchllyn	
	I Lundain – Cwestiynau Trafnidiaeth	2.30
	Cyfarfod NFU Llundain	
	Dadl Trethi (Cymorth) Cymru fin nos	
9 Chwefror:	Cyfarfod dau o etholwyr yn Llundain	11 a 12
	Cyfweliad BBC	3.30

Dau gyfarfod grwpiau yn ymwneud â   2½ awr
thrafnidiaeth

10 Chwefror: Dadl Uwch Bwyllgor Cymreig – Diweithdra
Pwyllgor Dethol Cymru – tystiolaeth gan Gynghorau
Dosbarth Cymru
Dadl ar Ddiweithdra
Cyfarfod parthed darlledu rhanbarthol

11 Chwefror: Gwaith papur   2 awr
Cwestiynau i'r Swyddfa Gartref
Gweld etholwr i drafod problem

12 Chwefror: Fy mesur 10 munud ar ddŵr – budd-daliadau
Teithio gartref
Cymorthfeydd 6.30 i 7 Corris
Aberangell 7.30 i 8
Dinas Mawddwy 8.15 i 8.45

13 Chwefror: Cymorthfeydd:
Y Bala 9.30 i 10.30
Llandderfel 10.45 i 11.15

15 Chwefror: Cyfarfod ym Mhwerdy Trawsfynydd   10 am
ac wedyn teithio i Lundain

Mi welwch bod fy mywyd yn eithaf prysur. Erbyn hyn, roeddwn wedi bod yn Aelod am ychydig yn llai na blwyddyn. Roedd yn rhaid sicrhau cydbwysedd rhwng cymorthfeydd ym Meirionnydd a chymorthfeydd yn Nyffryn Conwy, er tegwch i bawb. Hefyd, rhaid oedd cadw cydbwysedd rhwng gwaith y Senedd yn Llundain a'r gwaith yn yr etholaeth. Unwaith eto, gwnaeth profiad Sheila Jenkins hwyluso pethau i mi.

Wrth i amser fynd rhagddo, cynyddu wnaeth y gwaith nes i mi deimlo bron fel llygoden bochdew ar gylch mewn catsh – yn mynd rownd a rownd bron yn ddiddiwedd.

Ar ddechrau'r flwyddyn 1993, derbyniais gerdyn gan Gwynfor Evans yn darllen fel a ganlyn:

Annwyl Elfyn,

Ar drothwy'r flwyddyn newydd, y flwyddyn bwysicaf yn hanes
Cymru ond odid, teimlaf awydd i ddangos eich bod ar fy meddwl,
trwy ddiolch i chi am y cyfraniad mawr a nodedig a wnaethoch
i helpu Plaid Cymru i gyrraedd ei safle allweddol, a thrwy
ddymuno'n dda i chi yn y frwydr dyngedfennol sydd o'n blaen.

    Na phoenwch gydnabod hwn o gerdyn, os gwelwch yn dda.

    Cofion cynnes,

    Gwynfor

Yn Ebrill 2005 ces y fraint fwyaf arbennig o gario arch fy
arwr ac arwr mawr miloedd o fy nghyd-Gymry.

Pennod 2

RHWNG MAI 1992 a Gorffennaf 1993 cafodd llawer o amser y Senedd ei neilltuo i drafod Mesur Maastricht. Mesur oedd hwn i ymgorffori yr hyn a drafodwyd ac a gytunwyd yng Nghytundeb Maastricht. Cytundeb oedd hwnnw i wella gweithrediad y Gymuned Ewropeaidd ac i gydgordio cydweithrediad y gwledydd oddi mewn i'r Gymuned.

O fewn y Blaid Geidwadol roedd hyn oll fel cadach coch ac roedd llawer ohonyn nhw'n anesmwyth iawn gyda'r holl gysyniad o gydweithredu'n fwy clos efo'n partneriaid Ewropeaidd. Mae amryw o sylwebyddion yn dweud mai dyma egin y broblem fawr a ddaeth i'r amlwg o fewn y bedair blynedd diwethaf, sef Brexit. Y gwir yw, wrth gwrs, bod llawer o fewn rhengoedd y Blaid Geidwadol wedi bod yn wrth-Ewropeaidd ers degawdau serch y ffaith mai Edward Heath – pan oedd yn Brif Weinidog yn y saithdegau – oedd y lladmerydd cryfaf o blaid Ewrop a'r person a aeth â'r Deyrnas Unedig i mewn i'r clwb, fel petai.

Mae'n ddiddorol nodi mai pobl fel Iain Duncan-Smith, Bill Cash, John Redwood ac eraill fel Bernard Jenkin oedd ymysg *rebels* y Torïaid a geisiodd rwystro Mesur Maastricht rhag mynd trwodd. Y rhain, ac eraill hefyd sydd heddiw yn uchel eu cloch sy'n cefnogi Brexit. Rhag ofn i mi greu camargraff roedd yno wrthwynebwyr chwyrn ar ochr Llafur hefyd: Jeremy Corbyn, Peter Shore, Tony Benn ac eraill o'r 'chwith rhyngwladol' a oedd yn grediniol mai rhyw glwb cyfalafol oedd yr holl gysyniad o'r Undeb Ewropeaidd i 'hwyluso cyfalafiaeth ychydig o gwmnïau masnachol enfawr ar draul hawliau gweithwyr cyffredin'. Dyna roedden nhw yn ei gredu, beth bynnag.

Oherwydd y gwrthwynebiad chwyrn a'r cydweithio rhwng rebeliaid y Torïaid ac aelodau o adain chwith y Blaid Lafur mi gymerodd y Mesur dros flwyddyn i gwblhau'r daith drwy'r Senedd i'r Llyfr Statud yng Ngorffennaf 1993. Am fisoedd lawer yn y cyfnod hwnnw bydde'r dadlau yn parhau drwy'r nos o leiaf ar ddwy noson bob wythnos. Fel rheol, bydde'r pleidleisiau pwysig yn dod rhwng 5.30 a 6.15 y bore. Oherwydd mai fi oedd yr ieuengaf o bedwar A.S. Plaid Cymru, roedd disgwyl i mi fod ar fy nhraed yn Nhŷ'r Cyffredin i alw'r tri arall yn ôl o'u cartrefi gogyfer â'r pleidleisiau rheini. Ar y pryd, meddyliais mor wallgof oedd yr holl sustem ond wrth ei chymharu â'r ffordd roedd y Senedd yn cael ei rhedeg pan orffennais yn 2015, roedd y gwallgofrwydd bryd hynny hyd yn oed yn fwy amlwg byth.

Efallai mai yr hyn a wnaeth y cyfnod hwn mor ddiddorol oedd i ni, fel Plaid Seneddol, ddod i gytundeb gyda'r Torïaid i bleidleisio o blaid Maastricht ar bob cam o'r daith, heblaw am unrhyw gwestiwn lle'r oedd hi'n bleidlais o hyder ynddynt a hefyd ni chytunwyd i gefnogi unrhyw ran o'r Mesur nad oedd yn gydnaws â buddiannau gorau Cymru a'i phobl. Ymhellach, nid oeddem am gefnogi unrhyw ran a fuasai mewn unrhyw fodd yn gwanhau amodau gwaith miloedd o weithwyr cyffredin. Amodau oedd y rhain a oedd wedi eu hennill drwy chwys a llafur yr Undebau Llafur dros y degawdau. Yn sicr ddigon, nid oeddem am weld llesteirio y rheiny mewn unrhyw ffordd. Fel rhan o'r ddealltwriaeth daeth tri neu bedwar o bethau sylweddol iawn i Gymru. Cawsom ragor o arian ar gyfer gwasanaethau cyhoeddus a sedd ychwanegol i Gymru ar Bwyllgor y Rhanbarthau Ewropeaidd yn eu mysg.

Beth oedd yn ddiddorol i mi oedd bod Ieuan Wyn Jones, fel y negodwr, wedi sicrhau'r holl fanteision hyn i Gymru yn sgil ein cefnogaeth amodol, wrth bleidleisio o blaid Mesur Maastricht – mesur roedden ni'n gefnogol iddo o'r dechrau, beth bynnag! Dangosodd Ieuan ei fod yn dactegwr a negodwr arbennig o alluog – nodwedd a amlygwyd yn hwyrach yn ei yrfa ddisglair fel gwleidydd praff pan apwyntiwyd ef yn Ddirprwy Brif Weinidog Llywodraeth Cymru yng Nghaerdydd o 2007 hyd at 2011.

Ar y pryd, bydden ni'n cael cyfarfodydd rheolaidd efo'r Gweinidog Ewropeaidd a'r chwip priodol, sef David Davies A.S. a Tristan Garrell-Jones A.S. Roedd yn rhaid cadw cyfrinachedd y cytundeb ac er mwyn sicrhau hyn, a chael ychydig o hwyl yn y broses, bathais enw i David Davies na fydde'n ddealladwy hyd yn oed i'r Cymry Cymraeg o fewn rhengoedd y pleidiau eraill, sef Ffos y Ffin! Mi fydd y darllenydd diwylliedig yn deall ystyr y llysenw! Roedd Dirprwy Brif Chwip y Torïaid yn ddyn enfawr a chrwn. David Lightbown oedd ei enw, ond Tewdwr ap Nudd i mi. Hefyd, Betsan Brysur oedd y Llefarydd Betty Boothroyd.

Dros y misoedd, gan fod mwyafrif Seneddol John Major mor fach bydden nhw'n dibynnu'n hollol ar ein pedair pleidlais, ac ar wahân i'r eithriadau pwysig a nodais uchod, roedden ni'n hapus cydweithredu er lles Cymru. Roedd y Blaid Lafur Seneddol yn wawdlyd, ond y gwir plaen oedd nad oedd ganddyn nhw unrhyw bolisi pendant ar Ewrop. Gellir cymharu hyn ag agwedd Jeremy Corbyn ar Brexit. O leiaf roedden ni'n unol ac yn bwysicach oll, yn gyson ar y mater.

Yn ystod Gwanwyn 1993 bu yna drafodaeth am yr angen, yn ôl y Llywodraeth Dorïaidd, i ad-drefnu llywodraeth leol yng Nghymru. Y ddadl fwyaf gan y llywodraeth oedd y dylid cael llai o unedau na'r Cynghorau Dosbarth ond unedau a fydde'n ddigon mawr a phoblog i fod yn hyfyw ac i drefnu gwasanaethau strategol ac arbenigol. Yn hyn o beth, y disgwyliad taer gan y llywodraeth oedd y bydde'r cynghorau newydd hyn, y Cynghorau Unedol, yn cydweithio i gyflenwi gwasanaethau arbenigol megis therapyddion iaith, therapyddion plant a gwasanaethau arbenigol eraill. Mae'n rhaid dweud mai breuddwyd gwrach ar ran y llywodraeth oedd hyn i raddau helaeth. Ychydig iawn o gynghorau oedd ag unrhyw awydd i gydweithio mewn partneriaeth gydag eraill ac mae hynny'n cadarnhau mai cynghorau lleol ydyn nhw sydd â balchder yn eu milltir sgwâr, ac sy'n gwerthfawrogi'r hunaniaeth maent yn ei fwynhau. Mae'n wir dweud felly mai ychydig iawn o gydweithio a ddaeth i fodolaeth.

Yn ddiweddar iawn, mae Llywodraeth Cymru wedi ysgogi'r un drafodaeth unwaith yn rhagor ac wedi datgan ei huchelgais o gael y cydweithio hwn os am osgoi ad-drefnu llywodraeth leol Cymru. Amser a ddengys, ond tydi'r dacteg o fygwth y cynghorau ddim am lwyddo yn fy marn i ac os oes yna angen i resymoli yna drwy berswâd mae gwneud hynny, ddyliwn i.

Yn naturiol, roedd teimladau pobl Meirionnydd yn gryf o'r farn ac yn groyw o blaid cadw Meirionnydd. Roedd hynny'n hawdd iawn i'w ddeall gan fod Meirionnydd wedi bod yn endid ers y Canol Oesoedd ac wedi bod yn gyngor sir ers 1889.

> Degau sy'n gweiddi digon – rhaid trawo'r
>   Torïaid yr awron,
>   Ein ffydd a edrydd yw hon
>   Nad marw ydy Meirion.

Am ryw reswm roeddwn wedi anghofio rhoi enw'r bardd wrth yr englyn. Mater o falchder mawr yn yr etholaeth yw y gallasai'r bardd fod yn un o ugeiniau o gynganeddwyr yn yr ardal a gobeithio yn wir y bydd y traddodiad yn parhau am genedlaethau i ddod.

Trefnwyd deiseb yn galw ar y llywodraeth i barchu ffiniau Meirionnydd ac i beidio â thraflyncu'r hen sir. Arwyddwyd y ddeiseb gan ddegau o filoedd ac mi ddaeth Prif Weithredwr Cyngor Dosbarth Meirionnydd, Gerallt Hughes, a rhai o gynghorwyr Meirionnydd gyda mi i gyflwyno'r ddeiseb i John Redwood a oedd newydd gael ei apwyntio yn Ysgrifennydd Cymru yn y Cabinet. Caed gwrandawiad cwrtais ond ces yr argraff nad oedd ganddo unrhyw ddiddordeb mewn cadw'r hen sir fel ag yr oedd hi. Yn y pen draw, ychydig iawn o'r hen

Gynghorau Dosbarth ddaru oroesi a'r ddadl o hyd oedd bod yn rhaid cael poblogaeth o tua 70 mil o bobl cyn i'r cyngor newydd fod yn hyfyw. Gan mai ychydig dros 27 mil oedd poblogaeth Meirion ar y pryd roedd hi'n frwydr anodd.

Roeddwn yn siomedig iawn pan ddaeth y penderfyniad i ddiddymu'r Cyngor ac mi ges fy siomi'n fawr gan un neu ddau o unigolion a oedd yn honni fy mod i, go iawn, yn ffafrio sefydlu Cyngor Gwynedd – er mwyn i Blaid Cymru gael rheolaeth ar y cyngor newydd. Celwydd sarhaus oedd dweud hynny. Mi roddais bopeth y gallwn i geisio cadw'r hen sir ac yn ystod Pwyllgor y Mesur a ddilynodd yn nechrau 1994 ceisiais ddefnyddio pob dadl i achub y Sir – a hynny yn ystod mis Ebrill 1994 – pwyllgor am ddau ddiwrnod yr wythnos am dair wythnos. Mi wnes fy ngorau ar y pryd ond tydi hynny ddim i ddweud nad ydw i bellach yn hynod o falch o'r gwaith ardderchog mae Cyngor Gwynedd yn ei gyflawni.

Yn ystod Tachwedd 1993 fe'm gwahoddwyd i bencadlys Cymdeithas y Gyfraith yn 113 Stryd Chancery, Llundain. Roedd un cyfreithiwr o bob plaid a oedd newydd ei ethol i'r Senedd yno yn rhan o banel holi ac ateb. Ar ddiwedd y cyfarfod daeth yr Arglwydd Cledwyn o Benrhos ataf a'm llongyfarch ar fy mherfformiad. Gofynnodd i mi pwy oedd y person a gynrychiolai'r Blaid Lafur. Roedd Cledwyn yn bur siomedig ynddo ac yn wawdlyd braidd. Atebais mai Mike O'Brian A.S. ydoedd – gŵr a ddaeth yn weinidog fel Twrnai Cyffredinol maes o law!

Yn ystod Gwanwyn 1993 roeddwn yn brysur yn paratoi gogyfer â'r Mesur Iaith a oedd i ddod gerbron San Steffan. Daeth Gwilym Prys Davies ar y ffôn a gofyn a fuase hi'n bosib cwrdd i drafod 'materion o bwys mawr i'r ddau ohonom'. Fel rhyw olygfa o un o lyfrau John Le Carré penderfynwyd troi'n cefnau ar y nifer o fariau coffi yn y Senedd a chyfarfod y tu allan i'r adeilad. Felly, ni fydde aelodau o'r Blaid Lafur yn ymwybodol ein bod wedi cyfarfod. Cofiaf y cyfarfod cyntaf yn iawn – dros goffi yn yr Atrium, dros y ffordd i adeiladau'r Senedd ac mi gofiaf hefyd, gyda pheth syndod, mai coffi espresso cryf a fynnai Gwilym ei gael. Roedd Gwilym mewn gwth o oedran a minnau yn gweld ei ddewis o goffi yn od braidd! Fi heb arfer, mae'n siŵr!

Beth bynnag, roedd Gwilym wedi bod yn llunio gwelliannau arbennig o glyfar i'r Mesur drafft – yn delio efo holl wendidau'r Mesur fel roedd o'n eu gweld. Dywedodd fod sawl gwendid, ond o bosib y mwyaf ohonyn nhw oedd nad oedd y Mesur yn gosod dyletswydd ar y sector breifat i ddarparu cynlluniau gogyfer â'r iaith Gymraeg fel y disgwylid i'r sector gyhoeddus ei wneud – llywodraeth leol a chanolog, cyrff llywodraethol, gwasanaethau megis dŵr a charthffosiaeth ac yn y blaen. Y gwir amdani oedd y bydde aelod o'r cyhoedd mewn cysylltiad yn amlach o lawer efo'r sector breifat na'r sector gyhoeddus. Roedd y cwmnïau mawr yn gweiddi och a gwae ac yn poeni am y gost o ddarparu gwasanaethau ac yn dweud y buase'n well rhoi amser iddyn nhw baratoi y gwasanaethau Cymraeg yn wirfoddol na'u gorfodi. Y gwir oedd bod yna lawer o gwmnïau goleuedig yn gwneud hyn o beth, ond llawer mwy a wnâi ymwrthod â'r syniad yn llwyr. Y rhain oedd y rhai a wnaeth ddadlau yn fwyaf taer am gael cyfle i greu'r ddarpariaeth o'u gwirfodd – er bod llawer ohonyn nhw wedi cael canrif neu fwy i feddwl dros wneud!

Roedd yna ddryswch hefyd am faes llafur Bwrdd yr Iaith Gymraeg. Ar y naill law, roedd dyletswydd ar y Bwrdd i hyrwyddo'r defnydd o'r Gymraeg ac ar y llaw arall i blismona'r defnydd o'r cynlluniau iaith. Dau beth hollol wahanol a dyletswyddau nad oedden nhw'n gorwedd yn gyfforddus gyda'i gilydd.

Am amrywiol resymau, felly roedden ni fel Aelodau Seneddol Plaid Cymru yn amheus iawn o effeithiolrwydd y Bwrdd dichonadwy ac mi ddaeth ein hanfodlonrwydd yn amlwg tua'r adeg pan ddaeth y trafodaethau ar y Mesur i ben. Cofiaf yn iawn i Dafydd Wigley, Cynog Dafis a minnau fod yn cerdded drwy un o'r lobïau yn Nhŷ'r Cyffredin a oedd yn gyfochrog â'r Siambr. Daeth un o brif chwipiaid y Torïaid, David Lightbown, rownd y gornel gyda dau neu dri o Aelodau Torïaidd gweddol ifanc. Wrth ein gweld dyma'r gŵr cyfyng iawn ei eirfa – a regai fel cath – yn dweud, 'Edrychwch ar y b----rds anniolchgar yna – ni yn rhoi Mesur Iaith iddyn nhw a nhw'n mynd i bleidleisio yn ei erbyn!' Fel fflach dyma Dafydd, yn amlwg wedi ei gythruddo yn ei holi, 'Oedden ni i fod glywed hynna, Lightbown?' – a hwnnw'n cadarnhau. Yn syth dyna Dafydd yn dweud, 'Gwranda yma, Lightbown, mi roedden ni, y Cymry, yn ysgrifennu barddoniaeth ar yr ynysoedd yma pan oeddech chi a'ch bath yn "chewing bark in the bogs of Bavaria".' Ces hi'n anodd peidio â chwerthin yn uchel, ond yr hyn a wnaeth y sefyllfa yn fwy doniol oedd i'r Torïaid ifanc a'r Chwip arall dorri allan i chwerthin a chreu'r embaras mwyaf i David Lightbown.

Yn ystod paratoi ar gyfer y Mesur Iaith mi luniais welliant a oedd yn cyflwyno rheithgorau dwyieithog. Roeddwn yn meddwl mai cam reit resymol ac angenrheidiol oedd hyn ac yn ystod fy nhrafodaethau trefnais i weld Gareth Williams C.F. Cadeirydd Cyngor y Bar Cymru a Lloegr. Roeddwn yn 'nabod Gareth gan fy mod wedi ymwneud mewn achos gydag o ryw ddeng mlynedd ynghynt.

Yn anffodus, ni fedrai Gareth gefnogi'r gwelliant oherwydd ei fod yn credu bod dewis Cymry dwyieithog yn torri'r rheol mai 'ar hap' y dylid dewis aelodau rheithgor. Roedd hyn i mi'n amheus gan fod yn rhaid i bob aelod o reithgor fedru siarad Saesneg! Fodd bynnag, dyna oedd barn corff y bargyfreithwyr a hefyd roedden nhw'n poeni nad oedd yna ddigon o siaradwyr Cymraeg ar gyrion Caerdydd, er enghraifft. Atebais y dadleuon drwy atgoffa pawb bod yna fwy o siaradwyr Cymraeg yn hen siroedd Morgannwg na gweddill Cymru i gyd efo'i gilydd. Beth bynnag, 'Na,' cwrtais a gwên lydan a ges gan Gareth. Dychmygwch fy sioc pan ddyrchafwyd Gareth i Dŷ'r Arglwyddi ychydig fisoedd wedyn ac yntau'n gofalu am y mesur ar ran y Blaid Lafur.

Roeddwn yn eistedd yng ngaleri'r Aelodau Seneddol pan gododd Gareth i gyflwyno'r union welliant roeddwn i wedi ei baratoi! Cyn dechrau ar ei araith feistrolgar edrychodd i fyny ataf a rhoi winc a gwên lydan. Onid ydi gwleidyddiaeth yn od?

Fodd bynnag, ces oriau yng nghwmni Gwilym Prys Davies yn cyd-baratoi gwelliannau a dadleuon i'w cefnogi. Roedd Gwilym yn feistr ar y broses ac mi ddysgais lawer ganddo yn ein cyfarfodydd cudd! Teimlwn hi'n fraint iddo ymddiried ynof i gyflwyno'r dadleuon, yn hytrach na rhywun o rengoedd ei blaid ei hun. Dyma eto enghraifft o gydweithio er mwyn cyrraedd y nod. Roedd cariad Gwilym tuag at yr iaith Gymraeg a'r diwylliant Cymreig yn ddiderfyn ac mi welais hyn droeon wrth sgwrsio ag o. Hwn oedd y tro cyntaf i mi gael y fraint o gydweithio gyda Gwilym ac elwa o'i gynghorion doeth. Bûm yn cydweithio'n hapus ar sawl mesur arall dros y blynyddoedd hefyd. Dau o gefndir gwleidyddol hollol wahanol ond yn ceisio sicrhau'r gorau i'w diwylliant a'u gwlad.

Rhaid sôn yn y fan hyn am y diweddar Wyn Roberts A.S. a ddaeth yn Arglwydd Roberts yn hwyrach yn ei yrfa. Mae llawer yn credu na fuasai sicrhau Mesur Iaith wedi bod yn hawdd o gwbl heblaw am ei gefnogaeth. Yn yr un modd, chwaraeodd Wyn ran eithriadol o bwysig rai blynyddoedd ynghynt i berswadio Margaret Thatcher a'i Llywodraeth am yr angen i sefydlu S4C. Roedd yntau yn un o ladmeryddion mwyaf selog yr iaith hefyd. Dim rhyfedd, efallai, bod ei gyd-Dorïaid yn ei alw'n 'bardic steamroller'!

Ar safle pwerdy Trawsfynydd yn ystod ail wythnos Chwefror 1993 cynhaliwyd cyfarfod i drafod dyfodol y pwerdy a'r pum cant o swyddi da a oedd wedi cael eu creu yno. Mewn gwirionedd, roedd yna gyfarfodydd rheolaidd ar y safle, yn fy swyddfa yn Nolgellau a mannau eraill gan fod adweithyddion Trawsfynydd yn dod at derfyn eu hoes. Yn ystod y cyfnod hwn roedd N11, sef y corff arolygu niwclear, yn arbrofi yn Nhrawsfynydd i sicrhau diogelwch y pwerdy. O ganlyniad i ddarganfod gwendid neu ddau mi orchmynnwyd cau y gwaith am gyfnod. Cynyddu oedd y pryder am y dyfodol a llawer i deulu'n pryderu am hynny.

Ym mis Gorffennaf roedd Eleri a minnau'n teithio o Sioe Llanelwedd i Lundain mewn car. Wrth i ni groesi Pont Hafren daeth y newyddion drwg iawn fel bollten i'n taro. Trawsfynydd i gau gyda 490 o swyddi'n diflannu. Roeddwn wedi fy syfrdanu – er gwaethaf y pryderon roedd y realiti o glywed am y golled yn ergyd drom i'r ardal ac i minnau'n bersonol. Roedd yr etholaeth a de Gwynedd yn gyffredinol yn mynd i golli rhwng £9 a £10 miliwn o'r economi leol yn dilyn y newyddion yma. Does dim rhaid dweud bod busnesau'r ardal yn pryderu'n fawr am yr effaith. Mae colli 500 o swyddi mewn tref fawr yn ergyd ofnadwy, ond i ardal cefn gwlad mae'n gyfystyr â cholli 5,000 o swyddi.

Roedd yna gwmwl mawr dros yr ardal a phobl yn methu peidio â phoeni am y dyfodol. I ychwanegu at y golled, ychydig ynghynt roedd gwaith powdwr du Cooks ym Mhenrhyndeudraeth wedi cau a dwsinau o swyddi da wedi diflannu yno. Dros y misoedd wedyn, bûm yn llythyru efo John Redwood A.S. yr Ysgrifennydd dros Gymru, yr Adran Fasnach a hefyd John Major, y Prif Weinidog. Roedd ymatebion John Redwood yn oeraidd ac yn annerbyniol. Byddwn yn holi am arian Ewropeaidd a oedd ar gael i ddelio â sefyllfaoedd o'r fath. Roedd hi'n hysbys bod cronfeydd ar gael i ailhyfforddi staff, i greu cyfleoedd gwaith – i gynorthwyo cyrff adfywio, fel Antur Dwyryd yn yr ardal, ac i bwrpasau eraill hefyd. Methwn â chael ymateb positif gan John Redwood ac mi roedd y sefyllfa yn wirioneddol rwystredig i bawb.

Rhyw fore daeth pecyn o bapurau drwy'r post i Swyddfa Dolgellau – roedden nhw'n ddadlennol iawn ac yn dangos bod staff y Swyddfa Gymreig, dan oruchwyliaeth John Redwood, wedi eu hatal rhag anfon ceisiadau am arian Ewropeaidd. Mi roedd hi'n hysbys bod Redwood wedi brolio ei fod wedi anfon arian yn ôl i Frwsel yn ystod ei flwyddyn gyntaf yn y Swyddfa

Gymreig. Cred gwleidyddion adain dde fel John Redwood mewn 'llai o lywodraeth' ac iddo ef roedd derbyn arian o Frwsel – arian roedden ni'n eu haeddu ac wedi talu amdano – yn rhywbeth na fynnai ei wneud, os oedd hynny yn bosibl.

Daeth pecynnau eraill o bapurau oedd wedi'u marcio'n 'gyfrinachol' ar glawr y ffeil. Ymddengys o'r papurau fod ceisiadau hwyr wedi eu gwneud am arian Ewropeaidd – a bod y ceisiadau wedi eu hanfon yn ôl o Frwsel gan fod y ceisiadau yn anghywir. Ni wn hyd heddiw pwy oedd yn anfon y ffeiliau hyn ataf. Y cwbl fedra i ei ddweud yw bydde nodyn byr wedi ei deipio ar deipiadur gwahanol bob tro wedi ei ychwanegu. Roedd y nodiadau yn hynod o fyr, megis ar un, 'Gan ffrind'. Yn ogystal, bydde ambell i becyn yn cael ei bostio yng Nghasnewydd a thro arall ym Merthyr ac yna Caerdydd. Roeddwn yn sylweddoli bod y ffeiliau hyn yn gwbl gyfrinachol a'u bod yn ffrwydrol bron.

Roeddwn yn sylweddoli, hefyd, bod gen i bapurau cyfrinachol a allai fod o ddefnydd anhraethol yn fy nhrafodaethau gyda'r Ysgrifennydd Gwladol, John Redwood, ac yn ystod yr wythnosau canlynol defnyddiais hwynt i lunio ambell i gwestiwn bachog ac anodd iddo yn y Siambr. Efallai fod yr Ysgrifennydd Gwladol yn amau bod gen i wybodaeth fewnol, dwn i ddim, ond roedd yn llusgo ei draed yn gywilyddus cyn cytuno i gyfarfod â mi i drafod yr hyn y gallem ei wneud i leihau'r ergyd drom wrth golli swyddi Trawsfynydd.

Yn y cyfamser, bûm mewn llawer o gyfarfodydd: gyda chynghorwyr, gyda siambrau masnach, yr Undebau, y cyhoedd, swyddogion y Cyngor, aelodau a Chadeirydd Antur Dwyryd ac eraill er mwyn cael cynllun cynhwysfawr y gellid ei gynnig pan fydden ni'n mynd i gwrdd ag Ysgrifennydd Cymru yn Gwydyr House yn San Steffan.

Yn dilyn y trafodaethau hyn deuthum i'r casgliad mai un cyfle unwaith ac am byth oedd yna i gynnig pecyn cynhwysfawr i'r Llywodraeth i adfywio economi'r etholaeth ac yn wir economi de Gwynedd. Rhaid cofio hefyd bod amryw o weithwyr Traws yn byw yn yr etholaeth gyfagos, sef Arfon – yn dod o Gricieth, Porthmadog ac ymhellach hefyd. Roedd potensial colli swyddi yn y pwerdy yn enfawr gydag economegwyr erbyn hynny'n dweud bod hyn am olygu tynnu dros £10 miliwn yn flynyddol allan o economi de Gwynedd. Yn wir, roedd y rhagolygon yn frawychus.

Ar ôl hir ymaros cafwyd dyddiad i gyfarfod yr Ysgrifennydd Gwladol, John Redwood. Mae'n wir dweud, er i mi ddechrau sylweddoli mai trwy gydweithio mae llwyddo, ffeindiais hi'n anodd iawn ymwneud â Redwood. Roedd ei drahauster yn amlwg i bawb ac er ei fod yn ddyn deallus a dysgedig, nid oedd yn deall problemau Cymru a phrin iawn y bu ei ymweliadau â'r wlad yn ystod ei gyfnod fel Ysgrifennydd Cymru. Mae un ymweliad, serch hynny, wedi serio ar feddyliau miloedd o Gymry – yr achlysur rhyfeddol hwnnw pan benderfynodd ysgwyd ei ben i dôn Hen Wlad fy Nhadau – a hynny, rywfodd, i wneud iawn am nad oedd yn deall gair o'n hanthem! A'n helpo!

Mi ddaeth galwad ffôn o swyddfa'r Gweinidog i'm gwahodd i ddod â dirprwyaeth fechan i'w gyfarfod yn Nhŷ Gwydyr yn Llundain, sef swyddfa Ysgrifennydd Cymru y Llywodraeth. Y dyddiad oedd yr 21ain Chwefror 1995. Penderfynais mai teg fydde mynd â chynghorwyr o bob lliw gwleidyddol gyda mi. Daeth cynghorydd Plaid Cymru o rengoedd Cyngor Dosbarth Meirionnydd, cynghorydd Annibynnol a chynghorydd blaenllaw o'r Blaid Lafur, sef Owen Edwards o Flaenau Ffestiniog. Os cofiaf yn iawn nid oedd yna gynghorydd Torïaidd na chwaith Rhyddfrydol ar y Cyngor ar y pryd.

Unwaith yn rhagor, roeddwn wedi derbyn pecyn cyfrinachol o bapurau perthnasol gan fy 'nhwrch' anhysbys a oedd yn mynd i brofi'n werthfawr iawn yn ystod ein trafodaethau gyda'r Ysgrifennydd Gwladol. Lluniais ryw bum cais am gymorth – y cwbl wedi eu seilio ar y taer angen i adfywio'r economi leol a chreu cyfleoedd i hyfforddi pobl ar gyfer swyddi eraill. Pwysig hefyd oedd cronfeydd i gynorthwyo pobl i arallgyfeirio, rhagor o adnoddau sylweddol i Antur Dwyryd, y corff oedd mor allweddol i ddatblygu busnesau yn lleol, a hefyd arian sylweddol i Bartneriaeth De Gwynedd. Yn ei gyfanrwydd, roedd y pecyn yn un uchelgeisiol iawn, ond mae pawb yn gwybod o fynd i negodi, heb uchelgais gref, yna methiant yw'r canlyniad yn anorfod.

Un erfyn pwysig gyda mi, wrth gwrs, oedd y cyfryw ffeil gan y 'twrch'. Roedd clawr y ffeil wedi ei nodi i ddangos bod y cynnwys yn gyfrinachol. Cawsom fel criw sgwrs cyn mynd i mewn i weld yr Ysgrifennydd Gwladol – y math o sgwrs arferol i geisio penderfynu beth roedd pawb am ganolbwyntio arno, er mwyn osgoi ailadrodd pethau. Rhaid cyfaddef nad oeddwn wedi sôn am y papurau cyfrinachol wrth weddill y ddirprwyaeth.

Tywyswyd ni i mewn i weld John Redwood ac mi roddais y pecyn neu'r ffeil o'm blaen mewn lle amlwg, er mwyn iddo ef ei gweld. Aethom drwy'r gwahanol ofynion ac i gychwyn roedd yn anfodlon ar yr hyn roedden ni'n gofyn amdano. 'Amhosibl,' meddai. Estynnais fy llaw at y ffeil oedd rhyngof fi ag ef a chychwyn agor y ffeil – a fuasai wedi dadlennu'r llanastr o beidio â gofyn am arian Ewropeaidd mewn da bryd! Newidiodd ei feddwl yn sydyn ac mewn fflach gofynnodd i'w Ysgrifennydd Preifat a oedd y pecyn ariannol yn bosib. Cadarnhawyd y bydde hynny'n bosibl, yn groes i'r hyn roedd o wedi ei ddweud ychydig funudau ynghynt. Dyma'r ail destun yn cael ei drafod a'r cais ariannol – cytuno eto. Y trydydd 'ddim mor hawdd' – troi at y ffeil eto – a'r Gweinidog yn newid ei feddwl. O'r pum cais uchelgeisiol, daethom allan o'r cyfarfod efo addewid am bedwar ac mi fydde hyn, yn naturiol, yn hwb sylweddol i ni yn yr ardal.

Wrth gael paned wedyn, roedd Owen Edwards wedi ei syfrdanu gyda'r llwyddiant, er rhaid dweud nad oedd Owen Edwards a minnau'n ffrindiau mawr. Enghraifft ydoedd o Lafurwr a gredai fod popeth a wnâi'r Blaid Lafur yn wych a phopeth a wnâi unrhyw blaid arall – Plaid Cymru yn enwedig

– yn anghywir ac islaw ei sylw. Ond roedd o, hyd yn oed,
wedi'i blesio'n fawr gyda'r canlyniad. Trodd ata i gan ddweud
'Elfyn Llwyd, 'da chi'n gwybod na chewch chi bleidlais gen
i byth bythoedd, ond myn diawl i 'da chi'n gwybod sut mae
trin y gweinidogion yma!' Roedd o, efallai, yn meddwl mai fy
eiriolaeth dros yr ardal, a'm hymbil aeth â'r maen i'r wal, yn
hytrach na phresenoldeb y ffeil allweddol yna!

Trwy weithredu'r pecyn a thrwy y gwaith da a wnaed gan
Dafydd Wyn Jones ac Antur Dwyryd, a hefyd Swyddogion y
Cyngor Dosbarth a Phartneriaeth De Gwynedd mi grëwyd
mwy o swyddi nag a gollwyd yn ystod y ddwy i dair blynedd
nesaf. Canlyniad gwych i'r ardal.

Er mae yna ôl-nodyn rhyfeddol i'r stori hefyd. Rhyw
bythefnos i dair wythnos wedyn roeddwn yn dychwelyd o
bleidlais 10 pm yn Nhŷ'r Cyffredin. Cyrhaeddais fy fflat tua
10.30 pm ac mi es i'r ystafell ymolchi am eiliad. Gwelais fod
yna lwch ym mhobman. Edrychais i fyny a gweld bod rhyw
draean o'r nenfwd wedi ei dorri ymaith yn daclus iawn a bod
rhywun wedi dod i mewn i'm fflat felly. Rhedais drwy y fflat
a gweld bod pob darn o bapur wedi diflannu oddi yno a bod
pocedi pob siwt wedi'u troi allan. Yn od iawn, roedd y teledu
yn dal yno, pâr o *cufflinks* aur ar y silff ben tân yn y lolfa a
thua £60 mewn arian papur ar y silff hefyd. Ffoniais yr heddlu
ac ymhen hanner awr dyma ddau heddwas yn cyrraedd. Aeth
y ddau yn naturiol o un ystafell i'r llall a dyma'r heddwas a
oedd yn yr ystafell ymolchi yn gweiddi ar y llall, 'Hei, John,
tyrd i weld hyn.' Gwnes baned o de i'r tri ohonon ni ac eistedd
yn y gegin. Gofynnodd un o'r heddweision i mi beth oedd fy
ngwaith. Atebais mai Aelod Seneddol oeddwn a dyma'r ddau
yn gwenu ar ei gilydd. Pam y gwenu? holais inna.

'Dim ond,' meddai un 'tydan ni ddim yn gweld *job* o'r *quality*
yma'n aml.' Daeth y ddau heddwas yn syth i'r casgliad mai *job* y
gwasanaethau cudd oedd hon ac o ganlyniad dywedwyd wrtha
i am beidio â disgwyl gweld llawer yn deillio o'r ymchwiliad.

Os oedd damcaniaeth y ddau heddwas profiadol iawn yn

un cywir, yna MI5 fu yn y fflat yn edrych am gyfeiriad – neu unrhyw wybodaeth allai arwain at y 'twrch'. Y noson honno, ces hi'n anodd iawn cysgu. Yn naturiol ddigon wedi cael fy mwrglera, ond yn boenus hefyd am beth arall y gallent fod wedi ei wneud yn y fflat tra oedden nhw ynddi. Hyd y gwn i, gallasent fod wedi gadael rhywbeth yn y fflat er mwyn achosi drwg i mi. Roeddwn yn deall digon am eu triciau budr i deimlo yn dra anesmwyth y noson honno ac am nosweithiau wedyn. Wedi'r cwbl, tydi'r 'sefydliad' ddim yn fodlon cael eu curo ar chwarae bach.

O fyd John Le Carré yn ôl i fyd Aelod Seneddol. Yn ystod Hydref 1993 daeth gŵr bonheddig o Fangor i gysylltiad â mi. Cledwyn Jones oedd ei enw a deallais mai fo oedd y Cledwyn a fu'n aelod o Driawd y Coleg gynt. Dywedodd bod ei ferch wedi cael damwain aruthrol i'w hymennydd ac o ganlyniad roedd hi'n gorfod cael gofal parhaus. Roedd o'n gwybod fy mod yn aelod o Bwyllgor Dethol Cymru ac mi ofynnodd a fydde hi'n bosib cael ymchwiliad i'r diffyg darpariaeth i adfer cleifion o'r fath yng Ngogledd Cymru.

Awgrymais hyn yn syth i'r Pwyllgor, dan gadeiryddiaeth medrus Gareth Wardell A.S., ac mi gyflawnwyd gwaith ar y pwnc ac yn ein hadroddiad i'r Llywodraeth roedden ni'n bendant bod y diffyg hwn yn anfaddeuol a mynegwyd hynny'n glir a chroyw. Wedi'r cwbl roedd yna lefydd yng Nghaerdydd, megis Rookwood, ond yn y gogledd, roedd gofyn i rywun deithio ymhell i ganol Lloegr am wasanaethau o'r fath. Roedd hyn yn amhosib i lawer teulu ac yn gwneud y broses o adfer y claf yn anodd iawn – oherwydd un agwedd ar y gwellhad ydi bod cysylltiad parhaus efo teulu agos yn llesol iawn i'r broses. Yn aml iawn nid oedd hi'n bosib i deuluoedd fforddio gadael eu gwaith a thalu am aros am wythnosau, neu am fisoedd yng nghanolbarth Lloegr. Y canlyniad fu sefydlu canolfan o'r fath yng Ngogledd Cymru ac mi roedd pawb ar y Pwyllgor dethol yn falch iawn o hynny.

Dylswn nodi fod Cledwyn Jones wedi codi'r mater er mwyn

sicrhau darpariaeth gogyfer â chleifion y dyfodol gan fod y ddamwain i'w annwyl ferch wedi digwydd rhai blynyddoedd ynghynt. Daeth Cledwyn i gysylltiad ac mi roedd yn hael a gwresog ei ddiolchiadau i mi'n bersonol ac ar raglen Radio Cymru.

Mae'r diolch i chi, Cledwyn.

Pennod 3

DROS Y BLYNYDDOEDD yng nghefn gwlad Cymru rydyn ni wedi gorfod dioddef effeithiau andwyol yn sgil hedfan isel gan yr Awyrlu. Yng nghanolbarth Cymru roedd y sefyllfa'n arbennig o ddrwg wrth i'r awyrennau hedfan yn eithriadol o isel – yr hyn a elwir yn 'Machynlleth Loop'. Roedd yr awyrennau rhyfel yn taranu ar gyflymder mawr ar draws Sir Feirionnydd, i fyny heibio Tal-y-llyn i Ddolgellau, a draw i'r Bala. Aent ar gymaint o gyflymder nes dychryn y trigolion a'r anifeiliaid, ac oherwydd eu cyflymder, fydde yna ddim unrhyw fath o rybudd bod y sŵn byddarol ar eu gwarthaf.

Yn naturiol, derbyniwn ddwsinau o gwynion bob blwyddyn ac roedd yn arferiad gen i ysgrifennu llythyr o gŵyn ar ran yr etholwyr i'r Awyrlu gan restru holl fanylion y digwyddiadau. Roedd y cwynion o dde Meirionydd a'r Canolbarth mor niferus nes i'r Awyrlu sefydlu swyddfa arbennig yn y Drenewydd i ddelio â hwy. Yn y swyddfa honno bydde 'Wing Commander' yn ateb y cwynion a sylwais o fewn fawr o dro mai'r un fath o ateb a gawn yn gwadu bod yr awyrennau wedi hedfan yn rhy isel. Ar rai achlysuron derbyniwn ffotograffau gan etholwyr yn dangos yr awyrennau yn hedfan oddi tanynt pan fydden nhw'n amaethu neu yn cerdded ar y bryniau. Er yr holl dystiolaeth eu gwrthod a wnaethon nhw ac o ganlyniad ni theimlwn eu bod yn eu cymryd o ddifrif.

Gwyddwn am sawl achlysur lle'r oedd gwartheg wedi erthylu, ceffylau wedi rhedeg yn wyllt a chael anaf difrifol yn ystod yr hediadau isel hyn. Gwyddwn hefyd fod yr Awyrlu wedi gorfod talu iawndal ar sawl achlysur o ganlyniad i'r digwyddiadau hyn. Derbyniais gwynion niferus o Lanuwchllyn, y pentre lle'r rwy'n byw, ac o Ddinas Mawddwy, dros y mynydd rhyw bymtheg milltir o Lanuwchllyn.

Cynhaliwyd noson agored yn Llanuwchllyn i ddelio â'r cwynion ac mi gadeiriais y cyfarfod. Daeth y Wing Commander yno a cheisio dadlau bod yn rhaid cael yr ymarferion hedfan isel. Teimlad y trigolion oedd y gellid dod o hyd i fannau eraill, lle trigai llai o boblogaeth a lle na châi cymaint eu poeni, megis yn Ucheldiroedd yr Alban. Atebodd eu bod eisoes yn gwneud ymarferion yno hefyd. Yn amlwg, roedd y swyddog hwn wedi hen arfer â delio hefo pobl flin ac anhapus ac yn hen law ar seboni er mwyn tawelu'r dyfroedd. Gorffennodd y cyfarfod tanllyd wrth warantu y câi'r peilotiaid eu hatgoffa unwaith eto bod angen iddyn nhw fod yn gall a sensitif wrth hedfan uwchben anhedd-dai a phentrefi.

Wythnos wedi'r cyfarfod, ces gŵyn ddifrifol iawn gan Ian Lloyd Hughes, prifathro Ysgol Ffridd y Llyn, ger y Sarnau. Am 3:30 yn y prynhawn, pan oedd y plant bach yn gadael yr ysgol am adre, gwnaeth dwy awyren groesi yn gynddeiriog o isel uwchben yr ysgol. Dychrynodd y plant yn enbyd, amryw yn sgrechian a chrio a rhedodd un plentyn bach ar draws ffordd brysur yr A494 mewn panig – y brif ffordd rhwng y Bala a Chorwen. Bu bron iddo gael ei ladd yn y fan a'r lle, ond yn ffodus llwyddodd gyrrwr y modur i'w osgoi o ryw droedfedd neu ddwy. Teimlwn yn hynod o flin wrth glywed am hyn. Roedd yn amlwg bod yr ymddygiad trahaus tuag aton ni fel cymdeithas yn parhau.

Rhaid oedd meddwl am ddull arall o ymgyrchu. O dipyn i beth sylweddolais fod nifer o bobl a oedd wedi eu magu yn ardal Llanuwchllyn a Dinas Mawddwy yn dioddef o ddiffyg clyw mewn un glust ac mi ddechreuais ymchwilio i mewn i'r cyflwr rhyfedd yma. Des ar draws papurau ymchwil yr Athro Hartmut Ising. Yn wir, ces afael ar adroddiad manwl gan yr ysgolhaig, un o wyddonwyr amlycaf yr Almaen. Dangosodd yr adroddiad swmpus hwn fod hedfan isel uwchben pobl, yn arbennig plant, yn achosi problemau clyw hirdymor i unigolion.

Cysylltais ag ef a chwarae teg iddo anfonodd bum copi o'i adroddiad swmpus ataf. Yn ei lythyr dywedodd, o ganlyniad i'w adroddiad, bod llywodraeth yr Almaen wedi gwahardd awyrlu'r Almaen – y Luftwaffe – rhag hedfan yn isel dros eu gwlad. Y rheswm pendant dros y gwaharddiad oedd y prawf helaeth bod hedfan isel yn cael effeithiau iechyd andwyol ar y clyw. Ychwanegodd fod effeithiau iechyd eraill yn bodoli mewn sefyllfaoedd o'r fath.

Anfonais gopïau o'r adroddiad at y Prif Weinidog, John Major, yr Ysgrifennydd Iechyd, y Gweinidog Amddiffyn a hefyd at Ysgrifennydd Gwladol Cymru. Ymhen hir a hwyr derbyniais ymateb: 'Doedden nhw ddim wedi eu perswadio bod problem yn bodoli.' Yn naturiol, roeddwn yn siomedig iawn efo'r ymatebion hyn ac yn teimlo na fuasen nhw wedi ymateb efo cyn lleied o gydymdeimlad petai pentrefi yn y Cotswolds yn dioddef y fath ymosodiadau cyson ar eu synhwyrau.

Ychydig wedyn, ces wybod bod y Luftwaffe yn parhau i ymarfer hedfan isel a hynny erbyn hyn uwchben ardaloedd yng Nghymru, gan gynnwys Meirionnydd a Chanolbarth Cymru o dan ambarél NATO. I goroni'r cyfan deallais fod Llywodraeth yr Almaen yn talu i Lywodraeth Prydain am gael yr hawl i wneud hynny. Tystiolaeth unwaith eto ei bod hi'n hwyr glas i Gymru sefyll ar ei thraed ei hun. Dyma dystiolaeth bendant nad yw lles Cymru ar agenda Llywodraeth Llundain. Oedd, mi roedd hyn yn warth, er na chefais fy synnu.

Wedi i hyn oll gael cyhoeddusrwydd, efallai fod y sefyllfa wedi gwella, ond eto hoffwn weld yr arferiad yn dod i ben yn llwyr. Flynyddoedd wedyn, pan gafodd Gŵyl Gyhoeddi yr Eisteddfod Genedlaethol ei chynnal, cafodd awdurdodau'r Eisteddfod addewid pendant gan yr Awyrlu na fyddai hedfan isel y diwrnod hwnnw. Wedi i'r Orsedd ymgynnull o amgylch y Maen Llog, wyddoch chi be? Uwchben ymddangosodd...

* * *

Yn niwedd Haf 1994, ar gais fy nghyfaill, Séamus Mallon A.S., dirprwy Arweinydd Plaid genedlaethol yr SDLP yng Ngogledd Iwerddon, cytunais i fynd draw ato gyda Margaret Ewing A.S. o blaid Genedlaethol yr Alban, yr SNP. Roedd Séamus yn awyddus i ni fynd i'w etholaeth, sef Newry ac Armagh i drafod cael atebion i broblemau diweithdra yng nghefn gwlad. Tra bûm yno, cawsom gyfarfodydd gyda sawl arweinydd plaid yn Stormont a hefyd sgyrsiau gyda Gweinidogion San Steffan oedd â chyfrifoldeb dros Ogledd Iwerddon.

Un prynhawn, mi drefnodd Séamus Mallon ein bod yn mynd draw i gyfarfod yn Crossmaglen yn ei etholaeth. Danfonodd dau swyddog diogelwch o Stormont Margaret a minnau i lawr nes cyrraedd croesffordd, tua 18 milltir o Crossmaglen. Dyfarnwyd ei bod hi'n 'rhy beryglus' iddyn nhw fynd ymhellach a gwnaethon nhw ein cynghori ni hefyd i beidio â mynd ymhellach. O fewn ychydig funudau daeth car i'r golwg – Séamus yn ei yrru, offeiriad Pabyddol wrth ei ochr a'i asiant John Fee yn y sêt gefn. Trosglwyddwyd Margaret a minnau i'r modur, a dyma ni'n parhau ar ein taith i Crossmaglen. Gwyddwn fod y dre honno'n lle eithaf peryglus ac yn un o'r mannau ble bydde'r IRA a byddin Prydain yn brwydro'n gymharol aml.

Pan gyrhaeddon ni Crossmaglen mi gadarnhawyd fy mhryderon. Roedd car yno'n dal i fygu ar ôl cael ei losgi'n ulw a sylwais fod y milwr Prydeinig ar y tŵr yn y sgwâr yn ein 'dilyn' efo dryll. Tri aelod seneddol ac offeiriad! Aeth Séamus â ni i'r neuadd gyfagos ac mi gafwyd trafodaeth fuddiol iawn ar sut i greu gwaith yng nghefn gwlad, ehangu cwmnïau a chynorthwyo eraill i gychwyn busnesau. Yn benodol, roedd pwyslais ar ariannu'r gwahanol gynlluniau. Roedd tua deugain o bobl yn y gynulleidfa ac mi gawson sesiwn holi ac ateb buddiol iawn.

I bobl sydd ddim yn gyfarwydd â gwleidyddiaeth Gogledd Iwerddon, mae'r SDLP yn credu mewn Iwerddon Unedig, ond wedi ymwrthod â dulliau treisgar gan ganolbwyntio ar ddulliau democrataidd i'w sicrhau. Oherwydd hyn, roedd yna densiynau cas rhwng y blaid honno a'r IRA. Gwelais furluniau o Séamus yn cael ei grogi am fod yn 'fradwr' ac yntau'n gwneud ei orau i gynrychioli ei holl etholwyr gan ymwrthod â thrais. Roedd ei asiant, John Fee, wedi dod o'r ysbyty ychydig fisoedd ynghynt wedi i ddau neu dri ymosod arno a thorri ei goesau a'i freichiau. Dyma wleidyddiaeth ar ei mwyaf chwerw a pheryglus. Serch hynny, roedd hi'n arferiad gan Séamus i gydymdeimlo â theuluoedd o'r ddwy 'ochr' ac i fynd i gynhebrwng pawb a laddwyd yng Ngogledd Iwerddon, beth bynnag oedd eu daliadau, er y gallasai hynny fod yn beryglus iddo'n bersonol ar adegau.

Yn dilyn y cyfarfod yn Crossmaglen mi aeth y pump ohonom i dafarn ar y sgwâr a chael llymed cyn cychwyn yn ôl am Belfast. Roeddwn newydd dalu am ail ddiod yr un i ni pan ddaeth Séamus ataf a dweud yn glir – 'gad y diodydd, mae'n rhaid i ni adael!' Roedd o wedi sylwi bod un person wedi gadael y bar yr eiliad y cyraeddason ni – ac wedi gadael diod llawn ar ei ôl. Er ein bod yn etholaeth Séamus, etholaeth a gynrychiolai gyda egni a pharch o 1983 tan 2005, roedd yna 'ddealltwriaeth!' bod ganddo ddeng munud i ymadael pan fydde rhywun o'r IRA wedi ei weld – ymadael neu...

Dyma ni i gyd yn mynd i mewn i'r car a chychwyn yn ôl dros y mynydd i gyfeiriad y groesffordd ble'r oedden ni i gyfarfod â'r swyddogion diogelwch. Ar ôl rhyw ddau i dri munud dyma beiriant y car yn rhyw fethu am ychydig ac mi ddaeth hi'n amlwg bod yr injan yn rhedeg ar 3 piston yn hytrach na 4. I ychwanegu at hyn, roedd y car yn llawn ac yn dringo gelltydd serth iawn. Roeddwn yn eistedd yn y tu blaen efo Séamus a gofynnais iddo beth fuasai'n digwydd petai'r car yn stopio yn llwyr. Anwybyddodd fi am dipyn cyn gostwng ei lais a dweud, 'Elfyn, God forbid that happens, otherwise we're ff...ing dead.' Rhaid pwysleisio i ni gyrraedd yn ôl yn ddiogel.

Cofiaf feddwl, pan fyddaf yn cwyno am swmp y gwaith yn y swydd neu'r teithio di-baid, bod rhaid i mi gofio am eraill mewn perygl yn feunyddiol. Rhyw amser cinio ar ddydd Iau yn y Senedd roedd Séamus a minnau'n mwynhau cinio yn Ystafell Fwyta'r Aelodau pan ofynnais iddo beth oedd ei drefniadau dros fwrw'r Sul canlynol. Gwenodd gan ddweud ei fod am fynd i bysgota fore Sadwrn. Trwy gyd-ddigwyddiad, roedd gen innau Sadwrn yn rhydd ac atebais mai pysgota a fyddwn innau hefyd. Y gwahaniaeth, meddai, gyda gwên – 'Mi fydda i'n cario dryll.' Roedd Séamus yn un o'r gwleidyddion mwyaf gonest, diffuant a dewr y ces y fraint o'i adnabod. Tan y diwedd roedd yn dal i hyrwyddo'r pethau gorau am Iwerddon ac yn parhau i fod yn gymeradwy gan bawb a fu'n gweithio gydag o. Bu Séamus farw yn Ionawr 2020 – coffa da amdano.

Ar nodyn llawer iawn ysgafnach, rhyw fore tua diwedd Tachwedd 1994, ces alwad ffôn gan Allan Rogers A.S. Llafur y Rhondda. Er nad oedden ni'n cytuno ar nemor ddim yn wleidyddol, roedd o a minnau'n tynnu ymlaen yn dda fel dau unigolyn. Datblygodd cyfeillgarwch rhyngon ni a seiliwyd ar yr hen slogan 'dim gwleidyddiaeth'. Fodd bynnag, yn y sgwrs, gofynnodd Allan a fyddwn yn fodlon mynd â thîm rygbi ieuenctid Canterbury, Seland Newydd o amgylch Tŷ'r Cyffredin, gan ei fod yn methu â bod yno. Ar y pryd, roedd y tîm disglair hwnnw wedi chwarae amryw o gemau yn Ne Cymru ac erbyn hynny roedden nhw'n tynnu at derfyn eu taith.

Mi ddaeth y garfan i'r Tŷ, ac wedi mynd â nhw o amgylch yr adeiladau yn San Steffan mi es â nhw am baned a chacen. Ar ôl y lluniaeth, gofynnodd un i mi a fuaswn yn ysgrifennu geiriau 'Hen Wlad fy Nhadau' yn ffonetig iddyn nhw, gan eu bod yn awyddus i'w chanu ar derfyn y gêm olaf yn Ne Cymru. Pleser oedd gwneud hynny. Digwyddais ofyn faint o'r bechgyn oedd yn aelodau o'r Crysau Duon – y tîm ifanc roeddwn yn tybio. Cododd dau neu dri eu dwylo. Daeth un ohonyn nhw ataf a rhoi dau fag papur i mi – un efo tei Clwb Rygbi Canterbury ynddo a'r llall yn dei y Crysau Duon a gawsai ei defnyddio ar ryw achlysur. Allan Rogers gafodd dei Canterbury!

Ychydig wythnosau wedyn roeddwn yn gwylio y Crysau

Duon yn chwarae gêm yn erbyn Awstralia, pan welais y ciciwr yma'n barod i daro'r bêl a sylweddoli mai Andrew Mehrtens oedd y gŵr ifanc a roddodd y tei i mi. Derbyn rhodd gan un o faswyr gorau'r byd! Wedi cynhyrfu, ffoniais fy mab, Rhodri, a'i ymateb o oedd, 'Wyt ti wedi bod yn yfed, Dad?' Does dim parch i'w gael, nag oes!

Mae'n rhaid cyfaddef bod Aelodau Seneddol yn cael cyfleoedd i gyfarfod â phobl ddiddorol – cyfle na fuasen nhw'n ei gael fel arall, mae'n siŵr. Hefyd, maen nhw'n cael cyfleoedd i deithio yn weddol eang, i lefydd na fyddent wedi bod ynddynt fel arall. Bydd angen teithio er mwyn casglu tystiolaeth wrth fod yn aelod o bwyllgor, neu i gyfarfod ag aelodau o lywodraethau ac yn amlach na pheidio bydd yn ffynhonnell ardderchog i ddysgu mwy am wledydd y byd.

Yn 1995 gofynnodd Eifion Glyn, un o gyfarwyddwyr a chynhyrchydd mwyaf praff HTV, a fuaswn yn fodlon mynd allan am wythnos go lew i Chernobyl. Y rheswm am y gwahoddiad oedd ei bod hi'n nesu at ddeng mlwyddiant trychineb Chernobyl a ddigwyddodd yn Ebrill 1986. Bwriad HTV oedd gwneud dwy raglen ar yr ymweliad. Daeth y gwahoddiad i mi yn sgil y ffaith bod Meirionnydd wedi dioddef llygredd trwm ar y mynyddoedd, yn arbennig, wrth i'r cymylau ymbelydrol ddod drosodd a dal y glaw ar yr un pryd. Cafodd y defaid ar y mynyddoedd eu llygru'n ddrwg ac o ganlyniad câi'r anifeiliaid eu profi'n rheolaidd, a gwelwyd nad oeddent yn ddiogel i'w bwyta. Roedd y ffermwyr lleol dan warchae ac mi barhaodd hynny am ymhell dros chwarter canrif cyn i'r ardal gael ei rhyddhau'n llwyr o'r amodau llym. Roedd yr amaethwyr yn derbyn iawndal, wrth reswm, ond mi ddywedodd sawl un wrtha i dros y blynyddoedd mai proses ddienaid oedd magu stoc er mwyn eu difa a'u llosgi.

Cytunais i fynd ar y daith ac mi wnaed dwy raglen ddiddorol a gonest am y sefyllfa yn Belarus, yr Ukrain ac ardal Chernobyl yn benodol. Un o'r pethau mwyaf poenus i mi oedd ymweld ag ysbyty plant lle gwelais ddwsinau o blant bach yn dioddef o ganser y chwarren thyroid, o ganlyniad i'r gwenwyn a chwydwyd allan o adweithydd Chernobyl. Rhaid oedd torri'r ymweliad yn fyr yn yr ysbyty oherwydd i mi dorri 'nghalon wrth weld y trueiniaid bach.

Deallais ar y pryd fod y cyffur thyrocsin yn medru atal yr holl effeithiau niweidiol hyn a galluogi'r plant i fyw bywyd fel pob plentyn arall. Cyffur eithaf rhad oedd hwn, ond yn rhy ddrud i'r llywodraethau yn yr Ukrain a Belarus, oedd ar y pryd mor dlawd â llygod eglwys. Penderfynais y buaswn yn ymgyrchu ar hyn wedi dychwelyd adref. Ces gyfarfod efo'r Prif Weinidog, John Major, ac ysgrifennais at bob cwmni cyffuriau a lwyddo i sicrhau llwythi o'r cyffur am ddim. Anfonwyd cannoedd o filoedd o'r tabledi i'r wlad a theimlwn yn falch fod yr ymgyrch wedi llwyddo. Deallais fisoedd wedyn bod Maffia y gwledydd wedi dwyn y cyffuriau yn y meysydd awyr ac wedi mynnu taliadau amdanynt. Yn sicr, beth bynnag, mi lwyddwyd i godi proffil y broblem a dangos bod ateb amlwg ar gael.

Tua diwedd ein taith drwy'r ardal roeddwn i ymweld â Chernobyl ei hun. Cyn hynny, ac ar y ffordd trwy goedwigoedd Belarus gwnaethom ymweld â chwpl – brawd a chwaer oedrannus oedd wedi gwrthod symud o'r ardal waharddedig, sef 40 km o gwmpas Chernobyl a Pripyat. Wedi cael sgwrs â hwy dywedodd y ddau, pe bydde aros yn y cartref yn achosi iddyn nhw fyw rhyw ddeng mlynedd yn llai – wel dyna ni. Roedden nhw'n sicr o'r farn na fuasen nhw'n byw yn hir yn un o'r fflatiau mewn tyrau roedd y wladwriaeth wedi eu prynu ar eu cyfer. Tra buom yno cawsom gynnig cinio ganol dydd – borsh, sef cawl betys a'r betys wedi'u tyfu yn yr ardd tu cefn i'r tŷ pren roedden nhw'n byw ynddo a thamaid o bysgodyn styrsiwn o'r afon Pripyat gerllaw. Sylwais fod y pysgodyn yn hongian ar fachyn y tu allan i'r tŷ – yn rhewi yn ystod y nos ac yn meirioli yn haul y bore! Yn ogystal, cawsai ei ddal yn yr afon fwyaf llygredig ac ymbelydrol yn y byd! Rhaid cyfaddef i ni wneud esgus i beidio â bwyta cinio a dwi'n gobeithio nad oedd y cwpl, a oedd mewn gwth o oedran, wedi eu brifo wrth i ni wrthod y gwahoddiad yn gwrtais.

O'r fan honno aethon ni ymlaen am Chernobyl – roeddwn yn gweld y pwerdy yn y pellter a deuai yn nes ac yn nes, gan edrych yn fwy ac yn fwy bygythiol. Rwy'n cyfaddef i mi deimlo nerfusrwydd rhyfeddol wrth nesáu. Ar y ffordd, dyma fynd heibio tre Pripyat a chroesi'r afon Pripyat. Hon oedd yr afon fwyaf cynhyrchiol o ran pysgodfeydd yn y Sofiet gyfan, ac yn awr yn afon lygredig, ac felly y bydd hi am genhedlaeth a mwy, mae'n siŵr.

Wedi cyrraedd safle'r pwerdy daeth swyddogion diogelwch i'n gweld ac mi roddwyd siwt ysgafn gotwm i ni ynghyd â het a *geiger counter*. Roedd y lle yn anhygoel o annifyr a brawychus ac i ychwanegu at y profiad mi roedd y tymheredd tua –15 o dan y pwynt rhewi. Roedd yr adweithydd a ffrwydrodd, yn dominyddu popeth, fel anghenfil enfawr. Er mawr syndod i ni, roedd yr adweithyddion eraill yn cynhyrchu yn swnllyd iawn. Gwelais yn syth nad oedd llawer o bwyslais ar gynnal a chadw ar y safle wrth sylwi ar ambell i ffenestr wedi'i thorri ac ambell i stepan wedi diflannu. Creodd yr argraffiadau hyn ddelwedd anffodus gan yn naturiol achosi mwy fyth o nerfusrwydd ymysg ein criw bach ni. Ar ôl aros ychydig, fe'n tywyswyd i gyfarfod â rheolwr neu bennaeth y pwerdy.

Dyn y 'Sofiet' neu'r 'Blaid' oedd y rheolwr ac nid oedd hyn yn syndod i ni gan mai apwyntiad lled wleidyddol oedd pennaeth pwerdy bob amser o dan yr 'hen drefn'. Rhaid cofio, erbyn hyn, bod glasnost ac yn wir effaith ffrwydrad Chernobyl wedi prysuro ymraniad Undeb y Sofietau. Fy ngeiriau cyntaf oedd i gydymdeimlo oherwydd y dinistr a'r llygredd. Syllodd arnaf gan ddweud nad oedd ef angen fy nhosturi na'm 'cydymdeimlad'. O hynny ymlaen cafwyd cyfweliad anodd os nad amhosibl ac o edrych yn ôl mae'n syndod iddo gytuno i'n gweld, na bodloni cael ei gynnwys ar ffilm. Efallai fod yr ysfa i geisio ymddangos yn dryloyw yn drech na fo, ond fodd bynnag, ni ddefnyddiwyd llawer o'r cyfweliad hwnnw!

45

Ar ôl gadael y pwerdy, roedd hi'n bryd ymweld â Pripyat. Tref, neu ddinas o tua 100 mil o boblogaeth oedd hon cyn trychineb Chernobyl. Roedd y rhan fwyaf o'r trigolion yn gweithio yn yr atomfa ac yn amlwg roedd y dre wedi'i hadeiladu'n bwrpasol ar ei chyfer. Roedd yno barciau chwarae a sgwariau eang gyda choed yma ac acw. Teimlwn fod y bensaernïaeth yn tanlinellu bod y gweithwyr yma'n rhai arbennig, gan eu bod wedi cyflawni gwaith mor bwysig i'r wlad. Fodd bynnag, wedi teithio rhyw bum milltir roedd yn rhaid gwisgo ein hoffer *geiger counter* unwaith eto gan ein bod wedi ein rhybuddio y bydde yno lefelau cymharol uchel o ymbelydredd, hyd yn oed ar ôl yr holl flynyddoedd.

Wrth groesi un sgwâr sylwais nad oedd yna unrhyw sŵn o gwbl – dim aderyn, dim anifail, dim byd. Profiad iasol yn wir a oedd yn f'atgoffa am ffilm a welais rai blynyddoedd cynt, ble roedd yr actor, Charlton Heston yn cerdded drwy un o ddinasoedd mawrion yr Unol Daleithiau ar ôl rhyfel niwclear. Od meddwl mai'r llinyn cyswllt rhwng y ddau oedd niwclear. Mewn un man, gwelais deganau plant ar balmant a record wedi ei thorri'n ddau. Roedd hi'n amlwg bod y trigolion wedi gorfod ymadael ar frys.

Mae hanes yn dangos bod awdurdodau'r Sofiet wedi cadw'r drychineb yn dawel am sawl diwrnod wedi'r ffrwydrad ac wedi ceisio twyllo pawb yn y wlad, ac yn rhyngwladol am wir faint y llygredd. Ar ôl dau neu dri diwrnod, y penderfyniad oedd gwagio Pripyat yn llwyr ac felly rhyw dri diwrnod wedi'r drychineb dyma gannoedd o fysiau yn cyrraedd a heliwyd pawb o'u cartrefi efo dim ond ychydig eitemau o eiddo personol. O ystyried bod yr atomfa o fewn rhyw bum milltir i'r dre, dyn a ŵyr faint o lygredd ymbelydrol roedd y bobl hynny wedi ei lyncu yn ystod y tridiau cynt. Mae'n hysbys bod lefelau canser, ac yn enwedig canser thyroid mewn plant, yn eithriadol o uchel. Wedi rhyw ddeng munud yno mi aeth fy nheclyn *geiger counter* yn wallgo gan glecian yn uchel ac fe'n hebryngwyd oddi yno'n ddi-oed, gan nad oedd y lefelau yn ddiogel o bell ffordd, ar ôl yr holl flynyddoedd ers y digwyddiad.

Beth oedd yn amlwg i mi wrth aros yn Kiev a Minsk oedd bod y Maffia yn rheoli'n gyfforddus iawn. Un noson, aethom i gael pryd o fwyd mewn lle bwyta Eidalaidd. Wrth i ni gyrraedd, dyma fodur Mercedes newydd enfawr yn cyrraedd y tu allan. Camodd gŵr allan yn gwisgo cot ffwr ac mi gafodd ei hebrwng gan dri neu bedwar o ddynion yn cario gynau awtomatig a'r rheiny yn edrych o'u cwmpas. Dau funud wedyn daeth tri heddwas mewn Lada – modur a oedd yn sicr o fod wedi gweld dyddiau gwell. Sylwodd yr heddweision ar ddynion y Mercedes a diflannu oddi yno'n gyflym. Roedd yr olygfa honno'n crisialu llawer ac yn ddarlun o sut mae gwlad enfawr wedi torri'n rhydd o ormes totalitaraidd, yn dal i ddioddef gormes llawn cyn waethed o dan deyrnasiad y Maffia. Chwedl George Orwell 'Some are more equal than others.'

* * *

Yn 1995 cafwyd trafodaethau yn San Steffan ar Fesur Cyfraith Teulu a ddaeth yn Ddeddf yn 1996. Gan fod gen i gryn ddiddordeb proffesiynol yn y maes, ces f'apwyntio i oruchwylio'r Mesur yn ystod ei gyfnod Pwyllgor Sefydlog, rhwng canol Ebrill a diwedd Mai 1996. Un mater roeddwn yn boenus yn ei gylch oedd y ffaith na châi llais y plentyn ei glywed yn ddigon eglur yn y broses. Yn aml iawn bydde cytundeb ar lawer o bethau rhwng y parau fydde'n ysgaru – hyd yn oed y dyddiau hyn, megis ynglŷn â beth a ddigwyddai i'r ci neu'r cŵn! Ond beth oedd gwir ddyhead y plentyn neu'r person ifanc? Ble roedd o neu hi'n gweld ei ddyfodol – gyda'i fam, y tad, neu yn rhannu'r amser rhyngddyn nhw rywsut? Llwyddais i gael y llywodraeth i dderbyn gwelliant a oedd yn rhoi'r hawl i blentyn fynegi ei farn yn y Llys ac i gael ei gynrychioli'n gyfreithiol a hynny gyda chymorth cyfreithiol. Wrth reswm, pobl ifanc o tua deuddeg oed a hŷn a allai fynegi barn yn ystyrlon oedd y targed gen

i. Er mwyn mynd â'r maen i'r wal dyfynnais o Gytundeb y Cenhedloedd Unedig ar Hawliau Plant ac mi ddadleuais y bydde gwrthod y newid hwn yn torri ysbryd os nad llythyren y cytundeb pwysig hwnnw. Ar yr unfed awr ar ddeg, derbyniodd y Llywodraeth fy ngwelliant ac yn awr mae'r cymal yn rhan o Ddeddf Cyfraith Teulu 1996.

Ar yr un pryd, codais y ddadl am yr angen am Gomisiynydd Plant i Gymru ac i Loegr ac mi ddywedwyd bod y Llywodraeth yn ymwrthod â'r syniad am y tro. Credaf mai fi oedd y cyntaf i ddadlau bod angen Comisiynydd arnon ni a dyma gychwyn ymgyrch i sicrhau bod y Llywodraeth yn ailfeddwl. 'Dyfal donc a dyr y garreg' ac mi lwyddais i berswadio'r Llywodraeth i sefydlu'r swydd yn 2001. Y deiliad cyntaf oedd Peter Clarke, a oedd yn eithriadol o effeithiol yn y swydd. Bob tro y cwrddwn ag ef mi fydde'n cydnabod fy rhan yn sefydlu'r swydd drwy fy nghyfarch gyda 'Helo, Dad!' Ers hynny, cawsom wasanaeth ardderchog gan Keith Towler ac ers Ebrill 2015 Sally Holland sy'n parhau â'r gwaith ardderchog o amddiffyn a hyrwyddo hawliau plant a phobl ifanc. Mater o falchder i mi ydi'r ffaith mai yng Nghymru yr apwyntiwyd y Comisiynydd cyntaf, ac erbyn hyn mae yna Gomisiynydd Plant a Phobl Ifanc yn Lloegr, yng Ngogledd Iwerddon ac yn yr Alban.

Enghraifft oedd hyn o ddal i bwyso ar bob achlysur priodol i alw am newid yn y gyfraith. Ymhyfrydaf fod y Llywodraeth wedi derbyn y ddadl ac wedi rhoddi gwelliant yn y Ddeddf Safonau Gofal 2000 i greu'r swydd yng Nghymru.

Yn ystod y cyfnod yma, roeddwn hefyd yn aelod o Bwyllgor Dethol Cymru yn y Senedd o dan gadeiryddiaeth aelod Llafur Penrhyn Gŵyr, Gareth Wardell A.S. Roedd Gareth yn ddiwyd ac yn ymchwilio pob testun gydag arddeliad! Roedd y ffaith ei fod yn gweithio mor galed ar y Pwyllgor yn ysgogi'r gweddill ohonom i wneud yr un fath. Yn amlach na pheidio, bydden ni'n derbyn rhwng 100 a 150 o dudalennau o waith darllen bob dydd Llun gogyfer â'r Pwyllgor fore trannoeth. Rhaid cyfaddef bod hyn yn eithaf trwm, ond roedd esiampl Gareth yn golygu bod y rhan fwyaf ohonon ni'n gwneud y gwaith paratoi yn drylwyr hefyd.

Mewn ambell i faes, gellid dweud efallai fod Gareth yn rhy frwd! Roedd ganddo ddiddordeb dwfn mewn materion meddygol ac rwy'n cofio ar un achlysur i'r Pwyllgor gael gwahoddiad i fynychu theatr lle'r oedd rhywun yn cael clun newydd. Mae gen i ystumog weddol gryf ond ar yr achlysur hwnnw rhaid oedd i mi wrthod ac aros y tu allan. Os cofiaf yn iawn roedd Alex Carlile ar y Pwyllgor hefyd ac mi benderfynodd yntau beidio presenoli ei hun yn y theatr!

Ymysg ein hymchwiliadau buon ni'n edrych ar safle Cymru yn y byd, sef a oedd y Bwrdd Twristiaeth yn hybu twristiaeth Cymru dramor yn effeithiol. Ymchwiliwyd i sawl mater yn ymwneud â iechyd hefyd, yn cynnwys ymchwilio i'r diffygion ym maes anaf i'r ymennydd y cyfeiriais ato'n gynharach. Pwnc arall oedd y diffygion o ran cysondeb datblygu tai yng nghefn gwlad Cymru ac mi roedd y gwaith hwnnw'n dra diddorol wrth gymharu agwedd y parciau cenedlaethol gydag agwedd rhai awdurdodau cynghorau. Roedd yr anghysondebau yn drawiadol mewn ambell i fan. Er bod y swmp gwaith yn drwm iawn, er hynny roedd yn ddiddorol ac yn addysgiadol gan wneud i rywun ymchwilio i'r pwnc yn eithaf trylwyr, pwnc efallai na fuasech yn dod ar ei draws fel arall.

Felly, rhwng y gwaith ar y Pwyllgor hwn, oedd yn cynnwys craffu'n agos ar weithrediadau y Swyddfa Gymreig a'r gwahanol Bwyllgorau eraill, roedd bywyd yn ddiddorol. Soniais yn gynharach am Bwyllgor Sefydlog y Mesur Cyfraith Teulu. Mae Pwyllgor Sefydlog yn hanfodol i'r broses deddfu. Y cam cyntaf yw dadl ar lawr y Tŷ, sef Dadl yr Ail Ddarlleniad. Cyfle yw hwn i wyntyllu syniadau bras a thrafod y Mesur Drafft. Yna, daw Pwyllgor Sefydlog i fodolaeth yn cynnwys bron pawb a fu'n areithio yn y Ddadl ar yr Ail Ddarlleniad. Yna, mae'r Pwyllgor hwnnw sydd bob amser â mwyafrif o blaid y Llywodraeth, yn symud i Bwyllgor. Gall y Pwyllgor eistedd ddwy neu dair gwaith, ond gan amlaf bedair gwaith yr wythnos am hanner diwrnod ar y tro ac yn aml am wythnosau, weithiau am fisoedd! Rhaid cyfaddef felly eich bod yn dod yn dipyn o awdurdod ar y Mesur gan i chi ganolbwyntio arno o linell i linell yn ystod y cyfnod craffu. Hyd yn oed heddiw gallaf ddyfynnu air am air o sawl deddf y bûm yn craffu arni. Fel y buase fy mhlant yn dweud, 'trist te'!

Y math arall o bwyllgor Seneddol sy'n reit gyffredin yw Pwyllgor Aml Bleidiol ar bwnc neilltuol. Pwyllgorau yw'r rhain sydd yn dod at ei gilydd i drafod pwnc neu faes o wir ddiddordeb i'r Aelodau hynny. Er enghraifft, bûm yn weithgar ar Bwyllgor Aml Bleidiol Organophosphates. Fy mhryder i parthed y cemegolion hyn oedd eu bod yn hynod wenwynig a pheryglus. Defnyddiwyd hwynt yn bennaf i ddipio defaid, ond pe bai'r amaethwr yn anadlu'r mymryn lleiaf ohono, yna gallai'r effaith ar ei iechyd fod yn dra difrifol. Daeth sawl etholwr i'm gweld yn cwyno am effeithiau'r cemegolion ac mi roedden nhw'n frawychus.

Cofiaf un amaethwr ifanc yn dweud ei hanes. Byddai'n gweithio rhwng deg a deuddeg awr y dydd ac yna ar brynhawn Sadwrn, byddai'n chwarae rygbi dros un o'r timoedd cryfaf yn fy etholaeth, os nad Gogledd Cymru ar y pryd. Yna, âi yn ôl i'w waith ar ôl chwarae. Wedi iddo gael ei effeithio gan yr OPs roedd hyd yn oed awr neu ddwy ar gefn tractor yn ormod iddo. Cofiaf gydweithio gyda'r Countess of Marr o Dŷ'r Arglwyddi – dynes anhygoel, llawn egni ond cawsai hithau ei gwenwyno ar fferm ei theulu. Yn y diwedd, ceisiasom gael y Llywodraeth i gymell defnyddio cemegolion eraill, llawn mor effeithiol ond yn ddrutach – gwelsom fod y cemegolion amgen yma'n llwyddiannus iawn yn Seland Newydd. Yn y pen draw, daeth rheolau caeth ar sut i ddefnyddio OPs, cyrsiau gorfodol a chanllawiau iechyd. Gobeithio fod hynny wedi gwneud gwahaniaeth.

Bûm hefyd yn cadeirio Pwyllgor Aml Bleidiol y Llysoedd Teulu, lle bydden ni'n delio'n feunyddiol ag Undeb y Swyddogion Prawf NAPO, defnyddwyr y llysoedd, ynadon heddwch, barnwyr a hefyd gwarcheidwaid plant. Gwnaem newidiadau'n rheolaidd wedi derbyn tystiolaeth ac mi gawson ni gryn lwyddiant ar wella pethau. Mae'n rhaid bod NAPO wedi gwerthfawrogi'r gwaith oherwydd yn 2015 gwnaeth NAPO fi'n Aelod Anrhydeddus am Oes. Anrhydedd prin yn ôl y sôn ac mae tystysgrif wedi ei fframio uwch fy nesg yn y llyfrgell gartref ac wrth edrych arni, daw â llu o atgofion melys yn ôl i'r cof. Dyna yw un o'r breintiau mwyaf a ddaeth i'm rhan. Fy nirprwy ar y pwyllgor hwn oedd neb llai na John McDonnell A.S. a ddaeth yn un o arweinyddion y Blaid Lafur ychydig wedyn ac un a fu'n cydweithio yn agos iawn gyda Jeremy Corbyn A.S.

Roeddwn hefyd yn Is-gadeirydd Pwyllgor Aml Bleidiol yr Undeb PCS ac mi roedd hwnnw'n bwyllgor prysur iawn, yn enwedig adeg cyfnod Tony Blair ac wedyn yn ystod cyfnod y Torïaid wrth iddyn nhw gwtogi byth a hefyd ar ddarpariaeth y rheiny a oedd yn derbyn budd-daliadau. Yn y maes hwn hefyd, mi lwyddwyd i atal newidiadau ffôl, megis cau swyddfeydd budd-dal mewn llefydd allweddol a rhwystro sawl cynllun i breifateiddio rhannau o waith yr Adran Nawdd Cymdeithasol. Roedden ni'n ffodus gan ein bod yn derbyn tystiolaeth yn uniongyrchol gan bobl a oedd yn gweithio yn y maes ac felly roedd hi'n anodd i'r Llywodraeth honni mai cwynion gwag oedden nhw na chawsant eu seilio ar dystiolaeth go iawn. Dydw i ddim yn dweud am un funud ein bod wedi llwyddo bob tro, ond mi gawson ni fuddugoliaethau ddaru liniaru effeithiau andwyol ar y difreintiedig yn ein cymdeithas ac yn wir, efallai fod llywodraethau yn eu gweld yn darged hawdd.

Hyd yma, rwy'n sylweddoli nad ydw i wedi cyfeirio llawer at faterion Cymru, yn enwedig y newidiadau hanesyddol a chyfansoddiadol a ddigwyddodd, ond mi ddaeth gwleidyddiaeth Cymru'n amlwg iawn yn y Senedd wedi 1997. Tydi hynny ddim i ddweud nad oedden ni ym Mhlaid Cymru yn achub ar bob cyfle i bledio achosion Cymreig, yn ogystal â phobl fel Paul Flynn A.S. o'r Blaid Lafur a Roger Williams A.S. o'r Rhyddfrydwyr. Wedi 1997 mi ddaeth y llifolau ar wleidyddiaeth Cymru a dyma ddechrau ar bennod hynod o gyffrous a chofiadwy.

Pennod 4

AR YR WYTHFED a'r nawfed o Ragfyr 1997 fe gynhaliwyd y ddadl ar Ail Ddarlleniad Mesur Llywodraeth Cymru a byddai pawb a gymerodd ran yn y ddadl yn cael ei apwyntio i'r Pwyllgor Sefydlog sef y pwyllgor fydde'n craffu'n ofalus ar y Mesur fesul llinell. Siaradodd Dafydd Wigley yn gryf iawn ar yr wythfed ac yna cafodd Ieuan Wyn Jones a minnau ein tro y diwrnod wedyn. Fel y buasech yn disgwyl, fe wnaeth Ieuan araith bwerus yn llawn ffeithiau gan ddangos ffrwyth ymchwil trwyadl.

Mi ddaeth fy nghyfle innau ac fe siaradais am fanteision datganoli ac am ddod â llywodraethu yn nes at ein pobl. Pwysleisiais yr angen am greu llinellau trafod uniongyrchol rhwng y Cynulliad Cenedlaethol yng Nghaerdydd a'r Comisiwn a'r Gweinidogion ym Mrwsel. Yn ystod fy nghyfraniad o ryw ugain munud, cyfeiriais hefyd at y nifer o gyrff Cwangos a oedd i'w cael yng Nghymru. Roedd cefnogwyr y Llywodraeth Dorïaidd mewn safleoedd grymus tu hwnt ar y pwyllgorau hyn, er yn aml yr unig gymhwyster a oedd ganddynt oedd eu hymlyniad i'r Torïaid.

Un pwynt pwysig yn fy nhyb i hefyd oedd bod yna ddiffyg craffu a thrafod materion yn ymwneud â Chymru yn Senedd Llundain. Soniais am y Pwyllgorau Sefydlog a fydde'n trafod Mesurau Cymreig – yn aml iawn bydde ochr y Llywodraeth yn cynnwys Aelodau Seneddol o bob rhan o Loegr a'r Alban – yn aml heb unrhyw wybodaeth am faterion Cymreig, ond yn waeth efallai, doedd ganddyn nhw ddim diddordeb chwaith.

53

Cyfeiriais at enghreifftiau penodol diweddar, megis Mesur yr Iaith Gymraeg a Mesur Llywodraeth Leol Cymru. Eisteddai'r dieithriaid hyn ar y Pwyllgorau i wneud un peth yn unig – sef pleidleisio yn erbyn gwelliannau'r gwrthbleidiau. Pa fath o lywodraethu oedd hynny? Yn fy marn i roedd hyn yn tanseilio hygrededd democrataidd y broses. Ychwanegais ein bod yn cael cwestiynau yn ymwneud â Chymru unwaith bob pum wythnos a Dadl Gymreig unwaith y flwyddyn. Y llynedd, fe'm gwahoddwyd i draddodi araith Goffa Lloyd George yn Llanystumdwy ac wrth baratoi deuthum ar draws y canlynol. Ar yr 19eg Mehefin 1930, ar achlysur dathlu ei ddeugain mlynedd yn San Steffan dywedodd Lloyd George:

> The fact of the matter is that the machinery of Parliament is quite unequal to dealing with the growing demands upon its attention. Amongst other things, it has far too much to do. It has a multitude of national, Imperial and international problems in its charge. It has a multitude of local concerns, which ought to be relegated to provincial and municipal care... Surely; they would be very much better looked after in Scotland, in London, and in Wales.

Ychwanegodd, 'The result is arrears of work, the neglect of which has involved serious injury upon the life and the property of the Nation.' Cyn i'r darllenydd gael yr argraff fy mod yn ceisio cymharu fy hun â'r Dewin Cymreig – yn digwydd bod roedd y thema uchod yn canu cloch efo mi ac mi ges y fraint o gynrychioli rhan o'i etholaeth yn San Steffan am gyfnod. Dyna lle mae'r gymhariaeth yn gorffen!

Roedd y ddadl yma'n arloesol ac yn bwysig yn ein hanes ac yn ein hesblygiad ni fel cenedl Gymreig ac yn wir braint oedd cael cymeryd rhan ynddi. Oherwydd mai Mesur Cyfansoddiadol roedden ni'n ei drafod, yn ôl confensiwn Tŷ'r Cyffredin mi fuase pob Aelod Seneddol fel rheol yn rhan o'r Pwyllgor gan ei ddynodi yn Bwyllgor y Tŷ cyfan. Oherwydd natur arbennig y mesur, cynnwys pob Aelod Seneddol o Gymru wnaeth y Pwyllgor hwn. Roedd y penderfyniad yn un doeth gan y buase

Pwyllgor o dros 650 wedi bod yn hollol anhylaw! Gwir hefyd yw y bydde rhai aelodau gelyniaethus i'r cysyniad o ddatganoli grym i Gymru mwy na thebyg wedi manteisio ar bob cyfle i rwystro'r drafodaeth rhag mynd yn ei blaen yn synhwyrol a phwrpasol. Oherwydd natur bellgyrhaeddol y Mesur roedd yna gryn ddiddordeb ynddo hyd yn oed gan yr aelodau hynny oedd yn wrthwynebus i sefydlu Cynulliad Cenedlaethol i Gymru. Roedd ambell i Dori ac ambell i Lafurwr yn daer yn erbyn ac yn anfodlon iawn hyd yn oed ar fesur mor bitw o hunanreolaeth i Gymru.

Yr hyn a gyflawnwyd gan y Mesur, a ddaeth yn Ddeddf Llywodraeth Cymru 1998, oedd trawsgludo grymoedd yr hen Swyddfa Gymreig i'r Cynulliad Cenedlaethol. Unwaith eto, ces gymorth amhrisiadwy gan Dafydd Wigley, Ieuan Wyn Jones a hefyd gan yr Arglwydd Gwilym Prys Davies. Ces amryw o gyfarfodydd buddiol gydag o gan lunio sawl gwelliant i'r mesur, oedd yn ein tyb ni'n cryfhau'r Mesur. Gwilym Prys Davies 'Hoff Lafurwr pob Pleidiwr,' chwedl Mr Dafydd Glyn Jones. Un arall a roddodd gyngor gwerthfawr iawn i mi ar y pryd oedd fy nghyfaill, y diweddar Farnwr Dewi Watcyn Powell, a oedd yn arbenigwr ar y maes gan ei fod wedi llunio sawl papur swmpus ar y pwnc ers y chwedegau.

Daeth hi'n amlwg nad oedd llawer o awydd ar ran y Llywodraeth Lafur i dderbyn gwelliannau i'r Mesur ond bu cryn drafod mewn sesiynau o'r Pwyllgor. Yr hyn oedd yn amlwg o'r cychwyn oedd bod y Toriaid am geisio rhwystro'r Mesur ym mhob ffordd bosibl. Cafwyd saith niwrnod o drafodaethau mewn pwyllgorau rhwng canol Ionawr a dechrau Mawrth ac wedyn dau ddiwrnod arall o adrodd yn ôl i'r Tŷ cyn i'r Mesur fynd i Dŷ'r Arglwyddi.

Er gwaethaf y ffaith bod llawer ohonon ni, a oedd yn lladmeryddion dros y Mesur yn llawn ymwybodol o'r ffaith ei fod yn fesur annigonol, efallai mai derbyn hynny fydde orau yn y gobaith o gael symud sylweddol wedyn at greu Senedd i Gymru. Roedd Ron Davies yr Ysgrifennydd Gwladol, a oedd yn llywio'r Mesur trwodd ar ran y Llywodraeth Lafur, yn dweud mai 'proses oedd datganoli, nid digwyddiad'. Yn ddi-os roedd hwn yn gam cyntaf pwysig ar y daith i sefydlu gwir Senedd yng Nghymru ac mi roedd yna deimlad gwirioneddol ein bod yn chwarae rhan bwysig mewn pennod allweddol yn hanes Cymru. Cafodd y ddeddf Llywodraeth Cymru 1998 y Cydsyniad Brenhinol ar 31ain Gorffennaf 1998 a'r disgwyl oedd i'r Cynulliad Cenedlaethol ddod yn weithredol yn 1999, ar ôl cynnal yr Etholiad Cymreig cyntaf ym Mai 1999.

Yn y misoedd rhwng yr Hydref 1998 a dechrau'r flwyddyn 1999 roedd yn rhaid i ni ein pedwar, fel Aelodau Seneddol Plaid Cymru, benderfynu pwy ohonon ni fydde'n sefyll etholiad i fynd yn aelodau o'r Cynulliad Cenedlaethol (fel y'i gelwid). Cofiaf i ni gael sawl sgwrs am hynny a dyma alw cyfarfod pwrpasol i drafod hyn. Yn naturiol ddigon roedd Dafydd Wigley, fel Arweinydd y Blaid a'r Llywydd, yn frwd dros sefyll a Ieuan Wyn Jones yntau yn barod i ddatgan ei ddiddordeb. Dywedodd Cynog Dafis y buase fe'n sefyll 'ar y rhestr' er mwyn ceisio codi nifer pleidleisiau'r Blaid yn yr etholiad. Roedd hyn yn gadael fi fel yr unig un ar ôl. Cofiaf ddweud y buaswn yn fodlon aros yn San Steffan i 'edrych ar ôl y siop!' ond ar y ddealltwriaeth y bydde'r ddau arall llwyddiannus yn dod yn rheolaidd am ddyddiau i'm cynorthwyo. Fe aeth y ddau yn dri!

Wedi'r etholiad ym Mai 1999 cawsom nifer sylweddol o seddau, sef 17 sedd allan o 60 gan dderbyn dros 28% o'r bleidlais. Roedd hwn yn ganlyniad eithriadol o dda a deuthum i sylweddoli fy mod am gael cyfnod unig! Cyn hyn fe'm gwnaed yn Arweinydd Seneddol – swydd y bu i mi ei dal o 1998 tan 2015 pan adewais y Senedd.

Yn anffodus, oherwydd y swmp gwaith a wynebai'r tri ym Mae Caerdydd, doedd hi ddim yn bosibl iddyn nhw ddod i Lundain i'm cynorthwyo a'r canlyniad oedd y bu'n rhaid i mi ymdopi â'r holl waith ar 'y mhen yn hunan. Roedd y cyfnod hwn yn un anodd iawn i mi ac fe ges sawl anhwylder iechyd, gan gynnwys yr eryr. Y broblem oedd na allwn aros gartref i oresgyn yr afiechyd yn iawn ac fe lusgodd y salwch ymlaen am gyfnod go hir. Yn y diwedd, penderfynodd Cynog mai'r ateb oedd iddo ildio'i sedd a chael isetholiad. Mi wnaed hynny ac etholwyd Simon Thomas yn ei le a bu hynny o gymorth mawr i mi.

Tydw i ddim yn mynd i sôn llawer am y ddwy flynedd a ges ar 'y mhen yn hun ond mi roedd y gofynion yn drwm a'r oriau yn faith iawn. Yn naturiol, mi roeddwn yn siomedig braidd nad oedd mwy o gymorth ar gael. Mae Dafydd Wigley wedi cynnwys nodyn o ymddiheuriad yn un o'i gyfrolau ac wrth gwrs, rwyf yn derbyn hynny. Wedi'r cwbl, y gwaith yng Nghaerdydd oedd yn eu cadw nhw rhag dod i Lundain, ac roedd y gwaith hwnnw yn waith pwysig dros Gymru.

Yn ystod y cyfnod hwn, yn Ebrill 1998 cyflwynais fesur 10 munud yn y Senedd i geisio lleihau'r twf mewn tai haf yng Nghymru. Cafodd y Mesur gefnogaeth sawl aelod o sawl plaid. Roedd rhai, wrth gwrs yn ceisio dweud fy mod yn wrth-Seisnig, ond nonsens oedd hynny. Gwnaeth un aelod Llafur o'r gogledd, Betty Williams, geisio darbwyllo pobl fy mod yn wrth-Seisnig, a hithau'n eistedd yn ôl yn hapus mewn etholaeth a honno'n doreithiog o dai haf ac ail gartrefi. Bûm yn poeni llawer am y nifer o dai haf ym Meirion a Nant Conwy a bydde pobl ifanc mewn cymorthfeydd yn crefu arna i am gael newidiadau, fel y caent y cyfle i fyw yn eu broydd. Roedd y dadleuon yn ingol a phoenus.

Roedd y Mesur Cynllunio a luniais yn dweud na allai person brynu tŷ fel tŷ gwyliau mewn ardal heb wneud cais am newid defnydd i'w droi yn dŷ rhan amser, fel petai. Yn y Mesur roedd yr hawl a'r dyletswydd ar bob awdurdod Cynllunio – Cyngor neu Barc Cenedlaethol – i ddynodi'r canran o dai haf a ganiateir mewn ardaloedd. Yr ystyriaethau oedd yr effaith a gaen nhw ar iaith a diwylliant yr ardal a'r angen i gadw'r ardal yn hyfyw – i weld ffyniant siopau, ysgolion, capeli, eglwysi ac ati. Wedi dynodi'r canran arbennig mewn polisi, yna ni fuasai'n bosibl prynu tŷ gwyliau mewn ardal lle'r oedd y nifer wedi cyrraedd y canran hwnnw. I mi, roedd y Mesur yn gwneud synnwyr perffaith a'r broses yn rhoi hyblygrwydd lleol, sydd wrth gwrs yn bwysig. I'r gwrthwynebwyr rheiny a oedd yn fwriadol yn ei gamddehongli, neu efallai yn achos un neu ddau, ddim yn ei ddeall chwaith, ga i ddweud yn bendant nad oedd tras y person a fydde'n holi am dŷ yn berthnasol – dim ots a ddeuai o Gaerdydd neu o Gaerloyw! Yn anffodus, ni chafodd y Mesur ei weithredu ond fe ges sgwrs gyda Michael Meacher A.S. a oedd yng Nghabinet Tony Blair ac mi roedd ef o blaid y Mesur. Trafodwyd fy mesur yn y Cabinet a'r un a oedd yn dra gwrthwynebus ond y sosialydd mawr, John Prescott – yr Arglwydd Prescott heddiw. Credaf erbyn heddiw bod y grym a'r gallu yn bodoli yn y Senedd yng Nghaerdydd ac mi fuaswn wrth fy modd petai un o'r Aelodau yno'n mabwysiadu'r Mesur ac yn gweithredu.

Mae Aelodau Seneddol weithiau'n credu eu bod yn fwy dylanwadol o lawer nag ydyn nhw mewn gwirionedd. Ym Medi fe'm gwahoddwyd i annerch tyrfa helaeth o amaethwyr ac eraill ym Mart Rhuthun yng nghanol yr argyfwng tanwydd – pan oedd pris tanwydd ffordd yn afresymol o uchel. Cofiaf ddweud wrthyn nhw mai cam gwag fydde mynd i rwystro tanceri olew rhag gadael y purfeydd olew gan y buase hynny'n ei gwneud hi'n anos i gael trafodaeth ystyrlon efo'r Llywodraeth ac efallai hefyd yn troi cydymdeimlad y cyhoedd yn erbyn yr ymgyrch. Gadewais y cyfarfod hwnnw tua naw o'r gloch y nos. Dychmygwch fy siom o glywed ar y radio fore drannoeth bod llu o'r rheiny a fu'n gwrando arna i wedi gyrru'n syth oddi yno i greu gwarchae neu blocâd ym mhurfa olew Stanlow! Rhydd i bawb ei farn ac i bob barn ei llafar!

Digwyddiad ychydig yn fwy pleserus ar y pryd oedd cael fy nerbyn i'r Orsedd i'r wisg wen yn Eisteddfod Genedlaethol Pen-y-bont ar Ogwr. Fy enw yn yr Orsedd ydi 'ap Meirion' sef cyfeiriad at fy niweddar dad a hefyd at yr etholaeth a'm cartref ers 45 mlynedd bellach.

* * *

Yn ystod yr un flwyddyn, roeddwn yn aelod o Bwyllgor Dethol Cymru a'i swyddogaeth oedd craffu ar weithrediadau'r Swyddfa Gymreig. Wedi datganoli, roedd y Pwyllgor yn craffu ar faterion roedd San Steffan wedi eu cadw, yn hytrach na'r meysydd hynny a ddatganolwyd i Fae Caerdydd. Yn nechrau'r flwyddyn 1999 gwnaeth y Pwyllgor ymchwilio i safonau addysg yng Nghymru a phenderfynwyd mynd draw i Ddenmarc i astudio'i sustemau addysg. Dewiswyd y wlad honno oherwydd bod ei sustem yn flaengar iawn ac o'i chymharu â ni bron yn chwyldroadol. Buom mewn sawl ysgol feithrin o fath, ble bydde'r plant o tua tair i saith oed yn chwarae allan ac mewn coedlannau drwy'r dydd. Credai addysgwyr Denmarc fod y plant yn dysgu llawer mwy drwy chwarae a thrwy gadw cysylltiad agos â byd natur nag y buasen nhw mewn ystafell ddosbarth ffurfiol. Yn wir, fydde addysg ffurfiol ddim yn cychwyn i'r plant tan y bydden nhw'n saith neu wyth oed ac er hynny, roedd y dangosyddion addysgol rhyngwladol yn dangos yn glir bod y plant yma'n goddiweddyd plant a phobl ifainc gwledydd Ewrop erbyn canol eu harddegau.

Cofiaf yn dda iawn i mi fynd i un o'r canolfannau hyn – mis Chwefror cynnar oedd hi ar ddiwrnodau rhewllyd. Roedd y plant iau, tua thair i bedair oed yn hepian cysgu allan mewn adeilad heb ochrau iddo. Gofynnais i'r athrawon a oedd hynny yn arferol mewn oerni o'r fath a'r ateb clir a ges i oedd na fydden nhw'n hepian allan pan fydde'r tymheredd yn cwympo o dan -4 gradd. Meddyliais am hyn a deuthum i'r casgliad pe bai athrawon yng Nghymru yn gadael i'w plant fod allan yn cysgu mewn tymheredd o -4 gradd, mi fuase'r gwasanaethau cymdeithasol a'r timoedd amddiffyn plant ar eu gwarthau mewn dim!

Flynyddoedd wedyn bûm yn Nenmarc eto i weld y sustem carchardai. Eto fyth, yn flaengar a thra gwahanol i'r sustem yn Ynysoedd Prydain. Roedd llawer mwy o bwyslais ar adfer unigolion a rhoi cyfle arall iddyn nhw. Canolbwyntio ar y problemau a oedd wedi achosi i'r unigolyn droseddu a chynnig atebion a wnaen nhw. Yn y tymor byr roedd hyn yn gostus, gan fod angen timoedd o bobl i'w weithredu ond roedd y canlyniadau'n dangos bod yr unigolion yn bur annhebygol o aildroseddu wedi iddyn nhw ennill eu rhyddid a mynd yn ôl i fyd gwaith, bywyd normal ac ia, talu trethi. Yn Ynysoedd Prydain mae hi bron yn amhosibl cael trafodaeth aeddfed ar y maes polisi hwn gan fod ar y ddwy blaid fwyaf ofn cael eu disgrifio fel pleidiau nad ydyn nhw'n llawdrwm ar droseddwyr ar bob achlysur. Bydd y ddadl felly yn cael ei threfnu gan y papurau newydd, adain dde. Y tristwch yma yw nad oes chwarter digon o sylw yn cael ei roi i addysg ac adfer carcharorion – does neb yn fodlon gwario ar hynny. Y canlyniad yw bod canran helaeth iawn yn mynd i garchar, dod allan yn droseddwr mwy soffistigedig ac yna byddan nhw'n ôl mewn carchar, a'r wlad yn talu rhwng £50,000 a £70,000 y flwyddyn i'w cadw dan glo. Polisi cibddall sydd yn cael effaith wael iawn ar filoedd o deuluoedd ac ar eu plant yn arbennig.

Mater arall sydd yn peri cryn dristwch i mi yw bod llawer mwy o ferched yn cael eu hanfon i garchar nag a ddylid. Caiff y plant eu hanfon i gartrefi i dderbyn gofal yn aml a theuluoedd o ganlyniad yn chwalu. Yn ychwanegol, dengys y ffigyrau fod plant sydd wedi bod mewn gofal yn llawer mwy tebygol o droseddu pan dyfant yn hŷn. Cylch dieflig yn wir. Hoffwn weld cyfnodau byr o garchar i fenywod yn cael ei ddiddymu ac mi fûm yn dadlau am hyn am flynyddoedd yn y Senedd. Un ffaith od yw mai Ynadon Heddwch benywaidd sydd fwyaf tebygol o anfon merch i garchar ac mae hynny'n syndod, mewn gwirionedd.

Yn ystod y cyfnod y bûm yn San Steffan, deuthum yn dipyn o arbenigwr ar y maes hwn ac mi fûm yn cydweithio'n glos gyda'r diweddar Harry Fletcher, cyn Is-Ysgrifennydd Undeb NAPO sef undeb y Swyddogion Prawf a Llysoedd Teulu. Unwaith eto, llwyddwyd i gydweithio ar draws ffiniau plaid gan mai Llafurwr oedd Harry o doriad ei fogel. Bûm yn gweithio ar sawl ymgyrch lwyddiannus y byddaf yn sôn amdanyn nhw yn y llyfryn hwn ac wedi iddo gael ei ddadrithio gan Jeremy Corbyn ymunodd â Phlaid Cymru ac yn wir daeth yn aelod o'r staff yn Llundain am gyfnod o rai blynyddoedd.

Ar ôl rhai blynyddoedd, roedd disgwyl y byddwn yn cymeryd rhan allweddol ym mhob dadl ar bolisïau cartref, polisïau cyfiawnder ac yn arbennig polisïau lles plant. Roedd hyn yn anorfod braidd gan mai Cyfraith Troseddol a Chyfraith Plant a Theuluoedd oedd fy mhriod feysydd mewn practis fel cyfreithiwr a bargyfreithiwr. Mae rhestr o Fesurau y bûm yn ymwneud â hwy yn yr Atodiad i'r llyfr hwn, a chystal yw dweud fy mod wedi gweithredu ar Bwyllgor bron pob Mesur yn y maes polisi hwn o 1992 tan 2015.

Er fy mod yn ystyried mai carchar oedd y dewis olaf un wrth ddelio â throseddwyr deuthum i'r casgliad hefyd nad oedd hi'n dderbyniol i droseddwyr o Ogledd Cymru a'r Canolbarth orfod mynd i'r carchar dros y ffin, weithiau ymhell iawn dros y ffin. Y rheswm pam nad oedd hyn yn dderbyniol, nac yn gyfiawn, ydi bod person sydd yn cael ei garcharu 'mhell o'i deulu a'i blant yn llai tebygol o gael adferiad a throi ei gefn ar fywyd troseddol, oherwydd na chawsai gysylltiad agos efo'i deulu. Dychmygwch rywun o Ben Llŷn mewn carchar yn Leeds – pa mor amhosib yw i'r teulu ymweld â'r carchar yn weddol reolaidd. Dyma gychwyn ar ymgyrch i sicrhau carchar i Ogledd Cymru.

Fe es ati i ymchwilio beth oedd y gwir angen, sef faint o lefydd mewn carchar oedd ei angen arnom yng Ngogledd Cymru a'r Canolbarth. Ffigwr o tua 700 oedd y ffigwr delfrydol ac mi drefnais gyfarfodydd efo'r Gweinidog Carchardai ar y pryd, sef Paul Boateng – sy'n aelod o Dŷ'r Arglwyddi bellach. Doedd Paul ddim yn wrthwynebus fel y cyfryw, ond roedd yn amau fy ffigyrau ac yn dweud na fydde carchar o 700 neu lai yn hyfyw. Ceisiais ei ddarbwyllo fod y ffigwr yma'n gywir ond yn y diwedd ni chefais lwyddiant. Wedi dweud hynny roedd yna ystyriaeth o leoliadau posibl yn y gogledd ond ni chafwyd carchar am rai blynyddoedd.

Flynyddoedd wedyn, fel y gwyddom, daeth trafodaeth ar leoli carchar yn ardal Wrecsam. Pan glywais fod nifer y gwelâu yn mynd i fod dros 2,000, daeth yn amlwg nad carchar i Ogledd Cymru oedd hwn ond carchar i Ogledd Lloegr wedi ei leoli yng Nghymru. Gwahoddwyd fi i siarad ar sawl llwyfan ac roeddwn yn fodlon cymryd rhan mewn unrhyw ddadl ar y pwnc gan mai anghenfil dibwrpas yw carchar y Berwyn sydd erbyn hyn yn lle treisgar a chyffuriau ar gael i bawb. Eisoes mae marwolaeth wedi digwydd yno ac fe fu'n rhaid i Reolwr y carchar ymadael. I goroni'r cwbl tydi'r carchar ddim yn hanner llawn! Pam na fedr pobl dderbyn bod gwrthddadl weithiau yn gywir?

Roedd dadl dda i sicrhau uned tua thraean maint carchar Wrecsam i wasanaethu Gogledd a Chanolbarth Cymru ac mi roedd, ac y mae, gwir angen am uned fechan ar gyfer pobl ifanc a merched, ond byddar fu'r awdurdodau. Cofiaf ddadlau yn erbyn sefydlu un o'r carchardai mwyaf yn Ewrop ac yn erbyn y ffaith bod y rhan fwyaf o'r celloedd yn gelloedd i ddau neu fwy. Mae hynny'n gwbl groes i safonau cyfoes Ewropeaidd sy'n dweud ei bod hi'n bwysig i unigolyn gael preifatrwydd a chadw hunan-barch er mwyn hwyluso'r broses o'u paratoi i ddod allan yn aelodau gwerthfawr o'r gymuned. Nid hwn oedd y tro cyntaf i mi feddwl bod y Weinyddiaeth Gyfiawnder yn penderfynu ar amrantiad ar eu polisïau, waeth beth fydde'r dystiolaeth oedd ganddyn nhw.

Perswadiwyd y bobl leol i gefnogi drwy sôn am gannoedd o swyddi da. Ble maen nhw? Hefyd, yn ystod adeiladu'r carchar roedd yr awdurdodau'n sicrhau y bydde'r gweithwyr fydde'n adeiladu'r carchar yn dod o fewn dalgylch o 25 milltir – yn gyfleus iawn gan fod Lerpwl o fewn y cylch hwnnw. Eliffant gwyn ydi o, ac eliffant gwyn fydd o.

Mae ymchwil cyfoes yn dangos yn glir bod carchardai llai yn fwy effeithiol, effeithlon a diogel ond roedd yn rhaid i'r Gweinidog, Chris Grayling, gael y prosiect enfawr yma trwodd. Mae o'n enwog am ei fethiannau ym mhob adran y bu'n ymwneud â hi, a dyma un mawr arall i'w gynnwys ar ei restr. Dwi'n sicr nad yw trigolion Wrecsam a'r cylch yn falch o'r ffaith mai yn ei hardal hwy mae carchar y Berwyn, nag am yr holl gyhoeddusrwydd negyddol a gaiff.

Pennod 5

YN NIWEDD 2001 ac yn 2002 roedd sibrydion bod dyfodol RAE Llanbedr yn y fantol. Roedd nifer o swyddi da yn y maes awyr hwn a'r rheiny wedi bod yno ers cyn yr Ail Ryfel Byd, gan ei fod bryd hynny yn faes awyr i'r Awyrlu Brenhinol. Erbyn hyn, safle gwneud arbrofion oedd yno, yn arbrofi efo taflegrau o wahanol fathau ac yn cynnwys nifer o awyrennau, a ddefnyddid i ddilyn trywydd y taflegrau hyn ac eraill i gario taflegrau a gwahanol offer i'r maes awyr o ganolfannau eraill. Mae maes glanio Llanbedr yn eithriadol o hir ac mae'n bosib glanio o'r môr neu dros dir gan nad oes canolfannau poblog yno, felly, roedd y safle yn berffaith i'r pwrpas hwnnw.

Yn anffodus, daeth Cwmni Qinetiq i'r fei ac o'r dechrau, serch gwrando ar ei ddadleuon yn weddol barchus, roedd y cwmni wedi penderfynu adleoli mewn man arall – roedd un safle yn Lloegr dan sylw ac un arall i fyny yn ardal ogleddol yr Alban.

Ces gyfle i wneud ychydig o ymchwil yn y maes a darganfod bod llawer o drafod yn y wasg wyddonol yn awgrymu mai UAVs, neu awyrennau bychain dibeilot a fydde'n debygol o fod yn bwysig at y dyfodol. Yn wir, darllenais un erthygl yn y *Sunday Times* a oedd yn cadarnhau hyn oll, ond hefyd, yn enwi maes awyr Llanbedr, Meirionnydd fel safle delfrydol i'w datblygu – am y rheswm bod y maes glanio yn un eang, yn eithriadol o hir ac yn rhoi mynediad o'r môr yn ogystal ag ar draws y tir.

Trefnais gyfarfod efo'r Gweinidog perthnasol yn Llundain,

Dr Lewis Mooney A.S. Roedd o a'i weision sifil yn bendant nad oedd llawer o ddyfodol i'r UAVs ond methodd â chynnig unrhyw achubiaeth i'm hetholwyr nac i minnau. Rhyfedd o fyd, oherwydd o fewn ychydig iawn o amser yr UAVs a'r *drones* ydi rhai o'r elfennau pwysicaf ym myd amddiffyn heddiw. Yn bwysicach efallai yw'r dwsinau o ddefnydd sifil sydd iddyn nhw megis paratoi mapiau, chwilio am bobl sydd ar goll, yn ogystal â chynnal a chadw pibellau a gwifrau trydan ac ati. O adnabod Lewis Mooney mae'n hawdd gen i gredu bod y gweision sifil wedi penderfynu gwadu nad oedd unrhyw ddefnydd o'r fath yn debygol, er mwyn iddyn nhw barhau i fyw yn eu byd bach distaw, digynnwrf y mae gweision sifil yn ffynnu ynddo. Un o'r pethau sydd yn ymddangos yn wenwyn iddyn nhw at ei gilydd yw defnyddio dychymyg a chymeryd ychydig o risg neu ddangos menter.

Erbyn heddiw mae'r adnoddau gwerthfawr yn Llanbedr yn cael sylw manwl gan fod siawns go dda y bydd y safle yn cael ei ddefnyddio fel maes awyr i awyrennau'r gofod. Gobeithio'n wir y daw hyn i fod ac y gwelwn y safle yn ôl fel ag yr oedd yn ei anterth gyda swyddi da a llawer o swyddi atodol fydde'n naturiol yn cael eu denu yno.

* * *

Ces wahoddiad i fynd allan i Canada efo dirprwyaeth o Aelodau Seneddol. Roedd y daith yn mynd â ni i Halifax, Nova Scotia a hefyd i Quebec. Roedd gen i ddiddordeb yng ngweithrediadau seneddau dwyieithog a hefyd yn bersonol, roedd yn gyfle i ymweld â rhan o'r byd na fûm ynddo cyn hynny. Dylwn ychwanegu fod sefyllfa'r Parti Quebecois o ddiddordeb mawr i mi hefyd ac yn amlwg bydde cyfle i weld sut roedd yr ymgyrch honno'n datblygu. Gan nad oedd y Tŷ wedi ymgynnull roeddwn yn falch o'r cyfle i fynd am wyth niwrnod.

Roedd Halifax Nova Scotia yn lle diddorol tu hwnt. Ar y cei roedd yna adeiladau mawr ble bydde ymfudwyr i Canada yn cael eu 'prosesu' yn eu cannoedd. Cytiau oedden nhw mewn gwirionedd ac yn atgoffa rhywun o'r drefn a fodolai yn Efrog Newydd ar ddechrau'r ugeinfed ganrif i 'brosesu' ymfudwyr i'r Unol Daleithiau. Efallai mai'r hyn a'm trawodd yn fwy na dim oedd y miloedd o bobl o'r Alban ac Iwerddon ddaru groesi yn niwedd yr 19eg ganrif a dechrau'r 20fed ganrif. Bydde hi wedi bod yn fordaith anodd iawn iddyn nhw ac yn ddi-os mi fydde'r rhan fwyaf yn bobl dlawd, yn ymfudo i geisio creu bywyd gwell iddyn nhw ac i'w teuluoedd. Fel y gwyddwn, doedd gan lawer iawn o Albanwyr ddim llawer o ddewis gan iddyn nhw gael eu hel oddi ar eu tyddynnod a'u ffermydd yn yr ucheldir a bu'n rhaid edrych am ffordd arall o fyw.

Os bu enw priodol ar ardal, yna Nova Scotia yw hwnnw. Ym mhobman caiff dyn ei atgoffa mai o'r Alban y daeth miloedd o gyndeidiau'r Nova Scotiaid presennol. Yn ddi-os, roedd yna Gymry yn eu mysg hefyd ond nid oes yno lawer o olion y Cymry. At ei gilydd, mae'r Celtiaid eraill yn llawer gwell am gadw eu hunaniaeth a'u diwylliant mewn gwledydd tramor na ni'r Cymry.

Cawsom ddyddiau arbennig o addysgiadol yng Nghynulliad Halifax a thrachefn yn Senedd Nova Scotia yn Quebec. Wrth ymweld â Quebec cawsom baned a sgwrs gyda Llefarydd y Senedd, sef Madame Harrell. Roedd ein dirprwyaeth yn cynnwys Aelod Llafur o'r Alban a dau o Loegr, dau aelod Ceidwadol o Loegr, un Rhyddfrydwr o'r Alban a minnau. Wedi i Mme Harrell weld mai Cymro oeddwn, dyma hi'n dweud y bydde dirprwyaeth o Deputies, sef Aelodau Seneddol, yn mynd ar daith i Gaerdydd ar ddiwedd yr wythnos. Eu bwriad oedd gweld sut roedd offer cyfieithu y Cynulliad Cenedlaethol yn gweithio gan iddyn nhw ddeall a derbyn mai sustem Caerdydd oedd 'un o'r goreuon yn y byd'. Os nad oedd hynna'n bluen fawr yn fy nghap yna gofynnodd un o'r ddirprwyaeth faint o amser wedyn fydde'r ddirprwyaeth yn ei gael yn San Steffan cyn dychwelyd. Ateb y Llefarydd oedd 'mai i Gaerdydd yn unig y bydden nhw'n mynd, doedd yna ddim digon o amser i fynd i

Lundain'. Edrych ar ei gilydd mewn syndod wnaeth yr Aelodau Seneddol a minnau'n gwenu braidd yn rhy hunanfodlon ac yn llawn balchder.

Deuthum i adnabod y Twrnai Cyffredinol yn weddol dda – yntau wedi bod mewn practis tebyg i minnau cyn ei ethol. Un noson, mewn cinio ysblennydd yn y Senedd-dy yn Halifax cawsom sgyrsiau hir a difyr dros wydriad neu ddau o'r gwin coch mwyaf godidog. Dyma ofyn iddo ble y gallwn brynu potelaid o'r gwin hwnnw i fynd adref gyda mi. Yr ateb ocdd mai o seler arbennig y Senedd roedd y gwin wedi dod ac na fuaswn yn gallu prynu potelaid o'r gwin hwnnw. Fore trannoeth yn y gwesty, dyma gnoc ar fy nrws ac un o weision y gwesty'n rhoi parsel i mi. Yn y parsel roedd dwy botelaid o'r gwin hyfryd yma gyda nodyn ganddo yn dweud, 'Elfyn, all yours, but don't tell the English!'

Roedd daearyddiaeth y wlad yn anhygoel – arfordir creigiog a golygfeydd trawiadol rownd pob cornel. Llawer i gilfach a chei a thraeth bach, fel sydd yn Llŷn neu ym Môn. O ran gwleidyddiaeth roedd hi'n gymhleth gan fod y pleidiau yn cynrychioli rhannau o'r dalaith oedd yn ddiwylliannol wahanol i'w gilydd, megis New Brunswick a Newfoundland. Dysgais lawer am y sustem ond mi fuase gofyn bod yno'n hir iawn cyn honni deall yr holl elfennau.

Y diwrnod cyn teithio adref fe gawsom ryddid i ymweld ag Amgueddfa Halifax. Roedd yn yr amgueddfa lawer o greiriau diddorol tu hwnt a phwyslais Celtaidd, oherwydd natur y mewnfudwyr. Daeth ein tywysydd atom a gofyn pa un ohonom oedd y Cymro. Atebais, a dyma hi'n gofyn i mi ei dilyn i fyny ychydig o risiau i oriel ar yr ail lawr. Pwyntiodd at y gornel bellaf gan ddweud mai y deunaw neu ugain o'r peintiadau rheiny oedd y casgliad gorau o waith arlunwyr o Fetws-y-Coed. Tua 1840 y sefydlwyd y gymdeithas gyntaf o artistiaid yn Ynysoedd Prydain ac yn eu mysg roedd David Cox. Mae'r lluniau yn enwog a gwerthfawr erbyn hyn. Dychmygwch y wefr a ges o adnabod sawl un o'r tirluniau. Dychmygwch hefyd ymateb y tywysydd pan ruthrais i ddweud mai ym Metws-y-Coed y ces fy ngeni ac mai yno y treuliais fy arddegau cyn ymadael i fynd i Goleg Aberystwyth. Teg yw dweud bod y ddau ohonon ni fel ein gilydd wedi ein syfrdanu. Hoffwn feddwl y caf gyfle i fynd yn ôl i Halifax a phrofi unwaith eto'r hudoliaeth sydd yno.

* * *

Roedd cymylau rhyfel ar y gorwel yn ystod y flwyddyn hon ond wedi diwedd yr haf, dyna weld pethau'n dwysáu'n ddifrifol. Blwyddyn union wedi'r digwyddiad erchyll yn y Ganolfan Fasnach, yn Efrog Newydd roedd hi'n amlwg bod yr Unol Daleithiau yn ysu am ddialedd. Roedd hi yr un mor amlwg bod y Prif Weinidog Tony Blair yn llawer rhy agos at George W. Bush, Arlywydd yr Unol Daleithiau. Yn ddi-os roedd pethau yn cynhesu a'r tebygolrwydd o ryfel yn agosáu. Ym mis Medi 2002 bu Tony Blair ar ymweliad â'r Unol Daleithiau ac mi fu trafodaethau ar Irac rhwng y ddau ar fferm neu *ranch* George Bush yn Crawford, Texas. Yn naturiol, fe adawyd i'r cyfryngau gael lluniau o'r ddau yn cerdded o gwmpas y fferm. Yr hyn ddaru fy mhoeni i'n syth oedd bod y ddau wedi gwisgo 'run fath – siacedi lledr cwta a jîns, ond yn waeth byth cerddai Bush efo'i ddwylo yn ei bocedi ac mi roedd Tony Blair yn cerdded efo'r un osgo a'i ddwylo yntau hefyd yn ei bocedi. Yr argraff a ges oedd bod Blair yn ymfalchïo o gael bod ar lwyfan byd-eang. Y cwestiwn oedd yn codi oedd beth oedd y pris y bydde'n rhaid ei dalu am y berthynas hon?

Yn nes ymlaen, byddaf yn cyfeirio at becyn o nodiadau o'r sgyrsiau cyfrinachol hyn a ddaeth i feddiant Adam Price A.S. a minnau. O'u darllen roedd hi'n glir bod y 'fargen' i fynd i ryfel yng nghysgod yr Unol Daleithiau wedi ei tharo yn y fan a'r lle yn ystod yr ymweliad hwn ac mai rhyw niwl i greu argraff o gyfreithlondeb oedd sôn am y Cenhedloedd Unedig a'r WMD (Weapons of Mass Destruction) – sef yr arfau cemegol a niwclear roedden nhw'n honni eu bod ym meddiant Saddam Hussein.

68

Fodd bynnag, dyma'r Prif Weinidog yn dychwelyd o Texas a gwneud datganiad yn Nhŷ'r Cyffredin ym Medi 2002. Yn ei lyfr, *A View from the Foothills*, mae Chris Mullin yn cyfeirio at y datganiad hwn ar lawr Tŷ'r Cyffredin fel y rheswm pam bod yn rhaid mynd i ryfel yn Irac. Yn ei ddyddiadur o dan bennawd 24 Medi 2002 dywed Chris Mullin bod Blair yn mynnu bod y bartneriaeth efo'r Amerig yn hollbwysig iddo, 'an article of faith with me'. Aiff Mullin ymlaen i ddweud 'Elfyn Llwyd, an affable Welsh Nationalist, asked the key question: will we still support the Americans if they go it alone? The Man (yr hyn y bydde Chris Mullin yn galw Blair) said something which implied that we might, "in the event of the UN's will not being complied with," which prompted further rumbling from our side.'

Fe gawsom sawl dadl ar destun Irac yn y misoedd canlynol ac yn naturiol bydde'r pwnc yn codi bob wythnos. Ar 26ain Chwefror, 2003 cynhaliwyd dadl hanner diwrnod ar gynnig y Llywodraeth a oedd yn ceisio annog Saddam Hussein i ddatgelu lle roedd y WMDs a thrwy hynny gydymffurfio efo cynnig y Cenhedloedd Unedig, Rhif 1441. Datganwyd mai dyma fydde'r cyfle olaf i arweinwyr Irac a Saddam Hussein gydymffurfio. Roedd yna deimlad cryf bod pethau yn nesáu at ryfel gan gofio fod yna ar y pryd 185 o filoedd o filwyr Americanaidd ar ffin Irac yn barod. Gofynnais i'r Prif Weinidog a oedd o'n credu'n wironeddol nad oedd yna benderfyniad wedi ei wneud i ryfela efo Irac ac a ddylen ni goelio hynny, gan fod y fath fyddin wedi ymgasglu ar ffiniau Irac yn barod. Ei ateb oedd nad oedd unrhyw benderfyniad o gwbl wedi ei wneud a bod digon o amser i Irac gydymffurfio. Cafodd y cwestiwn yna ei ofyn iddo ychydig ddyddiau cyn y ddadl, a rhyw chwe mis wedi iddo daro bargen efo George W. Bush yn Texas i fynd i ryfela yn Irac efo'r Unol Daleithiau, doed a ddelo. Dyma un enghraifft o dwyll y Prif Weinidog, ond yn anffodus cafwyd llawer enghraifft o gamarwain ganddo, os nad datganiadau celwyddog.

Dim ond hanner diwrnod o amser seneddol oedd ar gael gogyfer â dadl ar fater o bwys eithriadol, pan oedd cannoedd o Aelodau Seneddol yn awyddus i fynegi eu barn. Roedd y cyn-Weinidog Chris Smith wedi llunio gwelliant i gynnig y Llywodraeth yn dweud nad oedd unrhyw achos i fynd i ryfel wedi codi. Yn y diwedd y Llywodraeth a orfu ond roedd 199 o aelodau wedi pleidleisio dros y gwelliant ac yn erbyn cynnig y Llywodraeth. Fe ddaru grŵp Plaid Cymru, Plaid Genedlaethol yr Alban bleidleisio'n unfrydol dros y gwelliant ac yn erbyn cynnig y Llywodraeth. Hefyd, fe bleidleisiodd 59 aelod Llafur dros y gwelliant, yn ogystal â rhai Rhyddfrydwyr a Thorïaid. Roedd y rhelyw o'r Torïaid yn fwy brwdfrydig dros ryfela na hyd yn oed y Prif Weinidog, ond rwy'n cofio Kenneth Clarke yn gwneud araith rymus, synhwyrol ac egwyddorol yn erbyn a gwn iddo ddylanwadu ar sawl Tori nad oedd yn sicr ar ddechrau'r ddadl.

Roedd yr awyrgylch yn y Tŷ yn annifyr ac roedd y wasg adain dde yn targedu amryw ohonom a oedd wedi pleidleisio yn erbyn. Yn eu doethineb roedd y *Sun* wedi rhoi fy llun i a'm manylion ffôn yn y papur gan fy ngalw yn un o'r 'Jellyheads' ac mi roedd lluniau amryw o aelodau eraill yn y rhacsyn hwnnw hefyd. Ymgais oedd hynny i roi pwysau annheg ar unigolion – y canlyniad i mi oedd derbyn tua hanner dwsin o alwadau ffôn i'r swyddfa yn Nolgellau – pedwar yn fy nghefnogi, un yn ansicr ac un yn erbyn. Roedd yna felly rhai 'Jellyheads' ym Meirionnydd Nant Conwy!

Irac oedd y gair ar wefusau pawb yn San Steffan dros yr wythnosau nesaf a bydde'r pwnc yn codi bron bob dydd a'r Prif Weinidog yn parhau â'r *charade* o ddweud nad oedd unrhyw benderfyniad wedi ei gymeryd ond hefyd yn awgrymu, ar yr un pryd, bod y rheiny ohonon ni oedd yn wrthwynebus rywfodd yn annheyrngar. Dyna enghraifft o wleidyddiaeth y gwter. Cyhuddo pobl nad oedd yn credu bod WMDs yn bod ac yn credu y dylai Hans Blix a'r tîm o'r Cenhedloedd Unedig gwblhau y gwaith o archwilio Irac yn fanwl cyn dod i unrhyw drafodaeth ar ymrwymiad militaraidd. Sut fath o annheyrngarwch oedd hynny, 'sgwn i?

Ar y deunawfed o Fawrth 2003 cynhaliwyd y ddadl fawr ar Irac. Roedd cynnig y Llywodraeth yn mynnu bod Irac yn methu cydymffurfio â chynigion y Cenhedloedd Unedig i ddatgelu lle roedd y WMDs ac yn rhwystro Hans Blix a'r tîm rhag gorffen eu gwaith. Roedd y cynnig hwn yn gynnig eithaf hir ond yn cynnwys y geiriau allweddol 'That HM Government should use all means necessary to ensure the disarmament of Iraq's weapons of mass destruction.' Hynny yw i fynd i ryfel ag Irac. Wedi dadl boeth iawn ar adegau rhoddwyd y cynnig i bleidlais am 10 o'r gloch a'r canlyniad oedd 412 o blaid a 149 yn erbyn, yn cynnwys y rhan fwyaf o'r unigolion a bleidleisiodd yn erbyn y tro cyntaf. Roedd y ffigwr rhyw 50 yn llai ond roedd pawb yn gwybod bod chwipiaid Llafur a'r Torïaid wedi rhoddi pwysau dychrynllyd ar unigolion ddaru bleidleisio yn erbyn y tro cyntaf. Anodd yw credu bod rhai wedi newid eu meddyliau drwy gael eu darbwyllo, gan nad oedd y dystiolaeth un iot yn gryfach erbyn canol Mawrth ac os rhywbeth yn wannach gyda threiglad amser.

Er mwyn ceisio dwyn perswâd ar unigolion fe baratowyd yr adroddiad a ddaeth yn ddrwgenwog – y 'Dodgy Dossier' – a oedd yn llawn anwiredd a gor-ddweud am sefyllfa Irac. Ces gyfle i'w ddisgrifio fel 'y ddogfen â'r lleiaf o berswâd yn hanes gwleidyddiaeth'. Disgrifiodd eraill y penderfyniad fel y camgymeriad polisi tramor gwaethaf ers Suez. Beth bynnag, drannoeth y bleidlais dyma'r milwyr o Brydain yn symud yn erbyn Saddam Hussein ac yn ymosod ar Irac. Hoffwn nodi yma eto nad oeddwn i, nac unrhyw un arall, hyd y gwn i'n beio'r dynion a'r merched oedd yn y fyddin. Y gwleidyddion gymerodd y cam gwag a chyhoeddi gwybodaeth a oedd yn gelwydd, celwydd rwyf yn falch o ddweud y gwnes i a llawer eraill ei ddatgelu. Dyletswydd y bobl ifanc a aeth i Irac oedd ufuddhau i'r gorchmynion roedd y Llywodraeth, drwy'r uwchswyddogion, yn eu rhoi iddyn nhw. Nid oedd ganddyn nhw unrhyw ddewis ac wedi trafod y mater gyda sawl aelod o'r lluoedd arfog, gweld bod gan lawer ohonynt amheuon hefyd a'r amheuon hynny'n gwneud y sefyllfa roedden nhw ynddi yn un ddifrifol ac anodd tu hwnt. Dywedodd Kofi Annan, cyn-Brif Ysgrifennydd y Cenhedloedd Unedig, yn ddiweddar nad oedd y cyrch yn cydymffurfio â chynigion y Cenhedloedd Unedig ac felly yn anghyfreithlon mewn cyfraith ryngwladol.

A'r gwaddol? Lladdwyd 179 o filwyr o'r Deyrnas Unedig, 139 o'r cynghreiriaid eraill, 4,424 o filwyr Americanaidd, 136 o newyddiadurwyr a 16,623 o filwyr Irac oedd yn ochri â'r Unol Daleithiau a'r Cynghreiriaid. Hefyd, rhwng tri chwarter miliwn a miliwn o boblogaeth gyffredin Irac. Yn ychwanegol, mae'r cyrch yn Irac wedi gadael y Dwyrain Canol mewn sefyllfa dra pheryglus. Yn sicr mae llawer o bobl gyffredin Irac hefyd yn teimlo'n ddig gan i'r wlad gael ei gadael mewn llanast llwyr.

Mae llawer o sôn bod hyder pobl mewn gwleidyddion wedi cyrraedd y lefel isaf posibl. Yn ddiau, mi roedd y bennod gywilyddus am dreuliau Aelodau Seneddol yn un ffactor arall, ond yn sicr ddigon roedd mynd â milwyr Ynysoedd Prydain i ryfela yn Irac ar sail dadleuon celwyddog yn ffactor enfawr. Y penderfyniad i fynd i ryfela yw'r penderfyniad anoddaf un i wleidyddion ei wneud a dyna pam y dylid cadw at reolau y Cenhedloedd Unedig a chyfraith ryngwladol bob amser a thrwy hynny rhaid ceisio chwilio am ffyrdd o ddatrys problemau drwy ddulliau eraill. Trychineb oedd Irac a chredaf na fydd hanes yn garedig wrth Tony Blair. Mae'r hyn a ddigwyddodd yn staen enfawr ar y prosesau gwleidyddol sy'n bodoli ar hyn o bryd yn San Steffan.

Trwy gydol y dadleuon bûm yn bendant o'r farn bod yr ymosodiad ar Irac yn anghyfreithlon a phenderfynais bwyso ar y Llywodraeth Lafur i ddatgelu copi o farn y Twrnai Cyffredinol, Peter Goldsmith C.F. ar y cwestiwn hwn. Gwrthododd y Llywodraeth, gan ddyfynnu confensiwn nad oedd hi'n briodol datgelu copi o'r farn neu opiniwn gan mai cyngor gan y Twrnai Cyffredinol i'r Llywodraeth ydoedd. Serch hynny, wedi ymchwilio i'r mater gwelais fod yna eithriadau ac un ohonynt oedd y gellid dangos dogfen ar 'faterion o ddiddordeb cyhoeddus sylweddol'. Fy nadl oedd bod mynd i ryfel o bwys eithriadol i'r cyhoedd ond ni symudodd y Llywodraeth. Felly, ar y nawfed o Fawrth 2004 sicrhaodd Plaid Cymru ddadl ar lawr y Tŷ ar y cyd efo Plaid Genedlaethol yr Alban (SNP) a dewiswyd fy nghynnig i, sef y dylai pob Aelod Seneddol gael gweld y farn ar gyfreithlondeb y rhyfel yn Irac. Fi oedd i agor y ddadl ac Alex Salmond A.S., arweinydd yr SNP ar y pryd, oedd i gloi. Mae'r achlysur yn un o'r rheiny sydd yn sefyll yn y cof. Y Siambr yn orlawn a theimladau o blaid ac yn erbyn yn gryfion iawn. Anodd oedd peidio â theimlo ychydig o nerfusrwydd wrth aros yn y Siambr i'r ddadl gael ei galw. Wedi dweud hyn, bob amser fel cyfreithiwr a bargyfreithiwr a hefyd fel gwleidydd byddwn yn paratoi'n drwyadl ac felly fyddwn i ddim yn teimlo'n rhy annifyr. Fe wnes i ymchwil manwl wrth baratoi fy araith a bûm am tua deugain munud yn ei thraddodi ac yn cymryd cwestiynau. Union eiriad ein cynnig oedd: 'That this House believes that all advice prepared by the Attorney-General on the legality of the war in Iraq should be published in full.'

Jack Straw, yr Ysgrifennydd Rhyngwladol, oedd yn arwain ar ran y Llywodraeth. Roedd Jack Straw yn ddadleuwr grymus a phrofiadol iawn. Ceisiodd fy maglu drwy fy nenu i feirniadu'r Twrnai Cyffredinol am iddo ymddangos fel petai wedi newid ei feddwl o'r drafft cyntaf i'r un terfynol. Braidd yn amlwg os nad amrwd oedd y dacteg hon, gan i mi wastad gredu bod suddo i'r lefel o feirniadu personol yn chwalu hygrededd unrhyw ddadl neu safbwynt. Mynnais nad oedd hynny'n rhan o'm hachos gan mai angen rhoi cyfle i Aelodau Seneddol weld y farn oedd yn hollbwysig – ac i wneud hynny cyn unrhyw bleidlais sylweddol ar fynd i ryfela neu beidio. Fodd bynnag, roedd y Llywodraeth yn daer yn erbyn ond fe ddaeth yna ddaioni o'r ddadl pan ddaeth Gordon Brown A.S. yn Brif Weinidog. Er nad oes gen i fawr o feddwl o Brown, eto yn ystod ei ddyddiau cynnar yn rhif 10 mi ddatganodd y buasai Aelodau yn cael yr hawl i weld barn y Twrnai cyn pleidleisio.

Ar noson y ddadl arbennig hon pleidleisiodd 192 o aelodau dros ein cynnig. Roedd hynny bron yn hanner cant yn fwy nag a bleidleisiodd yn erbyn mynd i ryfel sydd yn awgrymu'n glir bod llawer o Aelodau wedi dechrau ailfeddwl erbyn y ddadl hon ac yn amau cyfreithlondeb y cyrch yn ôl cyfraith ryngwladol.

Yn ddiddadl roeddwn yn y cyfnod hwn yn ddraenen barhaus yn ystlys y Prif Weinidog. Yn y *Times* Ionawr 16, 2003 dywedodd Ben Macintyre fel hyn wrth sôn am sesiwn cwestiynau'r Prif weinidog:

> Yesterday he became briefly, stirringly furious. The explosion was over Iraq, and what set him off was not the prodding of the doubters, on his own side, nor the limp flailing of Ian Duncan Smith, but a scornful remark from Elfyn Llwyd. He had the temerity to challenge Mr Blair's monopoly on moral rectitude.
>
> "The Prime Minister often say's that he likes to do things because they are right. How could it possibly be right to risk the lives of young British servicemen and women on a venture in Iraq which doesn't have the backing of international law, or the support of the British people?"
>
> "I'll tell him why I think it is right. It is because weapons of mass destruction, the proliferation of chemical, biological and nuclear weapons are a real threat to the security of the world and this country." He gripped the dispatch box as if preparing to hurl it at Mr Llwyd.
>
> Even Gordon Brown raised his great, heavy head from his deep brown thoughts at the commotion, as if noticing the Prime Minister for the first time.

Yn wir roedd yna waed drwg rhyngon ni ac ar y dyddiau pan fyddwn yn ei gwestiynu, bydde David Hanson A.S. ei Ysgrifennydd Seneddol Preifat (PPS) yn dweud 'Oh, I'd better rewind him to get his shillelagh (pastwn) out.'

Rhaid cofio bod Robin Cook a Claire Short wedi ymddiswyddo oherwydd penderfyniad y Llywodraeth i fynd i ryfel yn Irac ac araith Cook oedd un o'r pethau mwyaf syfrdanol a glywais yn y Siambr yn ystod fy 23 mlynedd fel Aelod Seneddol.

* * *

Yn ystod y flwyddyn honno cafodd Eleri a minnau wahoddiad i wasanaeth gorseddu Rowan Williams fel Archesgob Caergaint. Dychmygwch ein sioc o weld fod dwy sedd wedi eu cadw i ni yn y rhes flaen yn y Gadeirlan – rhes o flaen y Prif Weinidog a'r Cabinet. Mae'n rhaid bod Claire Short yn dal mewn swydd ar y pryd fel Ysgrifennydd Gwladol dros Ddatblygu Rhyngwladol, gan iddi bwyso ymlaen a sibrwd yn fy nghlust fy mod i siŵr o fod yn dduwiol iawn ac yn plesio cyn cael sedd mor ddymunol! Roedd Claire a minnau'n tynnu mlaen yn dda iawn ac roedd hithau, maes o law, yn mynd i ymddiswyddo gan iddi deimlo bod y Prif Weinidog Tony Blair wedi ei chamarwain. Roeddwn wedi credu erioed bod Claire yn berson o argyhoeddiad a'i bod yn hollol onest.

Wedi gwasanaeth hyfryd a chofiadwy, pan gafodd Cymru a'r Gymraeg le amlwg, fe'n gwahoddwyd i gael te yn un o dai'r esgobaeth o fewn gerddi eang Cadeirlan Caergaint. Cyraeddasom ein dau yn weddol fuan gan weld mai y Prif Weinidog Tony Blair a'i wraig Cherie Blair oedd yr unig ddau arall i gyrraedd cyn y gwnaethon ni. Roeddent yn sgwrsio gyda'r Archesgob Rowan a chan wybod nad oeddwn yn un o ffefrynnau Tony Blair, gan 'mod i'n ddraenen yn ei ystlys yn arbennig felly dros ryfel Irac, ni wnes ymuno â'r sgwrs. Maes o law daeth yr Archesgob at Eleri a minnau ac fe gawsom gyfle i'w longyfarch a chael sgwrs ddymunol iawn yn Gymraeg gydag o. Ymhen rhyw bum munud agorodd drws yr ystafell ac mi ddaeth yr Ysgrifennydd Cartref, David Blunkett, i mewn. Safodd am ychydig yn gwrando ar y sgwrs Gymraeg cyn dweud, 'What's this, some kind of a Welsh club or something?' Atebodd yr Archesgob ef a dweud y gwnâi sgwrsio gyda'r Ysgrifennydd Cartref yn y man, pan ddeuai'r cyfle. Swniai hyn fel cerydd ac rwy'n dal i gofio goslef llais yr Archesgob yn yngan y geiriau hyd heddiw!

Deuthum i gysylltiad â'r Archesgob ar sawl achlysur wedyn gan ei weld yn ddyn diddorol ac eang iawn ei orwelion. Yn wir, un o uchafbwyntiau'r Nadolig i mi fydde gwahoddiad i noson o garolau ym Mhalas Lambeth, lle y trigai pan oedd yn Llundain. Roedd eglwys fechan o fewn y Palas a chôr yr eglwys fydde'n arwain y carolau yng ngolau canhwyllau a bydde'n gorffen gyda glased neu ddau o win a mins pei. Lle hynod iawn a hynafol tu hwnt yw Palas Lambeth. Credaf iddo gael ei adeiladu yn 1435 ac mi fedrwch ddychmygu'r cyfoeth o lecynnau hanesyddol a phensaernïol diddorol sydd i'w gweld yn y Palas.

Pennod 6

Yn ystod 2004 roedd y protestiadau yn erbyn y cyrch yn Irac yn parhau a'r teimlad yn cryfhau y bu yna gamarwain dybryd ar fater o bwysigrwydd mawr. Gwahoddwyd fi i annerch sawl rali a chyfarfod protestio yn erbyn rhyfel Irac ac mi fu Adam Price hefyd yn brysur iawn yn annerch cyfarfodydd. Priodol oedd hi i'r protestiadau barhau o ystyried bod un rali yn Llundain wedi denu bron i ddwy filiwn o bobl. O leiaf, bydde'r Llywodraeth yn gweld ac yn sylweddoli bod barn gref iawn yn erbyn rhyfel Irac ymysg y cyhoedd a'r gobaith oedd y bydde camweddau ac anghyfiawnder o'r fath yn ddigwyddiadau llai tebygol yn y dyfodol.

Yn ystod yr haf, ces sgyrsiau efo Adam am ffyrdd o wynebu'r broblem, gan ein bod yn anfodlon iawn anghofio pethau, am fod milwyr a phobl gyffredin yn dal i gael eu lladd a'u clwyfo'n feunyddiol yn Irac. Credaf mai Adam grybwyllodd yn gyntaf y syniad o fynd ag achos uchelgyhuddo yn erbyn y Prif Weinidog. Holodd fi am fy marn ac mi roeddwn yn meddwl bod achos i'w ddadlau.

Unwaith yn rhagor, hoffwn bwysleisio nad oeddwn mewn unrhyw ffordd yn annheyrngar tuag at y milwyr a oedd allan yn Irac. Gwneud eu dyletswyddau mewn amgylchiadau anodd iawn roedden nhw. Bai y gwleidyddion oedd hyn ac i wneud pethau'n anos roedd llawer o filwyr yn parhau allan yn Afghanistan. Roedd cwynion, am nad oedd y bobl ifanc hyn yn cael llawer o orffwys gartref cyn mynd yn ôl i Irac a bod yn rhaid iddyn nhw aros allan yno'n llawer hirach na chynt.

Yn ogystal, roedd cwynion bod diffyg offer ar gael i'r milwyr. Doedd dim esgidiau priodol hyd yn oed ar eu cyfer a bu yn rhaid i unigolion a theuluoedd eu prynu!

Comisiynwyd dogfen yn rhestru holl weithrediadau y Prif Weinidog a wnaeth ei arwain at fynd i ryfel yn Irac. Awduron y ddogfen 100 tudalen oedd Glen Rangwala, darlithydd mewn gwleidyddiaeth ym Mhrifysgol Caergrawnt a Dan Plesh, cymrawd o Birkbeck, Prifysgol Llundain.

Ystyr uchelgyhuddo yw bod y Senedd yn cyhuddo unigolyn o gamweithredu, yna'n gweithredu fel erlyniad ac yn y diwedd Tŷ'r Arglwyddi'n gweithredu fel y Llys. Er bod y broses yn ganrifoedd oed, toedd yna ddim rhwystr i'w defnyddio yn yr oes hon, os oedd y ffeithiau'n ddigon difrifol i gyfiawnhau hynny. Dywedodd Adam ar y pryd fod mynd yn ôl i oes Fictoria ac edrych ar enghreifftiau o gyfnod Siarl y Cyntaf yn rhyfedd iawn, ond oherwydd ymddygiad y Prif Weinidog, nid oedd ffordd amgen arall gan y bobl a'r Senedd i 'amddiffyn sail ein democratiaeth'.

Cymerwyd cyngor arbenigol gan Fargyfreithwyr amlwg a oedd yn aelodau o siambr Matrix, Llundain, sef siambr y perthynai Cherie Blair C.F. iddi. Mi wnaed y rhan fwyaf o'r gwaith gan yr Athro Conor Gearty, aelod o'r Siambr, a hefyd Athro yn yr LSE Prifysgol Llundain. Roedd o o'r farn ei bod hi'n bosib dwyn y cyhuddiad. Cafwyd cyfarfod gydag o yn ei siambr i drafod y mater yn llawn cyn symud ymlaen. Cynhaliwyd cyfarfodydd gan ddenu llawer o gefnogaeth o rengoedd y pleidiau eraill: y Rhyddfrydwyr, Llafur a'r Ceidwadwyr. Roedd Tony Benn A.S. o'r blaid Lafur yn aelod brwd a hefyd Clare Short a Jeremy Corbyn ymysg eraill. Roedd Kenneth Clarke C.F. A.S. yn frwd, fel roedd Douglas Hogg C.F. ac Edward Garnier C.F. a ddaeth yn Dwrnai Cyffredinol yn ddiweddarach. Un arall o rengoedd y Blaid Geidwadol oedd Boris Johnson a ddywedodd y canlynol am y Prif Weinidog, Tony Blair, 'It does not mean that he would be forced to resign, (sydd yn anghywir, gyda llaw), only that he would have to explain himself... and say why he felt it necessary to be so reckless with the truth.' Dyma ni, rhyw bymtheng mlynedd yn ddiweddarach ac mae gynnon ni Brif Weinidog yn Boris Johnson sydd yn rheolaidd yn 'ddi-hid efo'r gwirionedd' ac sydd wedi cael ei feirniadu am hynny, hyd yn oed gan Farnwyr y Goruchaf Lys!

Fel mater o egwyddor, teimlem ei bod hi'n bwysig iawn sicrhau na fydde gweithred o'r math yma'n datblygu'n ymarfer rheolaidd. Cyn i ni lunio'r cynnig, cawsom gyfarfod efo'r Llefarydd, Michael Martin, a phrif Glerc Tŷ'r Cyffredin ar y pryd, Syr Roger Sands. Swyddog o gefndir cyfreithiol ydi'r Clerc a'i brif waith o yw cynghori'r Llefarydd ar faterion cyfreithiol, cyfansoddiadol a phrosesau ac ati. Roedd Adam a minnau yno a chredaf fod Alex Salmond A.S. hefyd yn bresennol. Pwrpas y cyfarfod oedd barnu a oedd ein cynnig – sef y geiriau roeddem wedi eu defnyddio yn dderbyniol. Cawsom dderbyniad cyfeillgar a pharchus gan y Llefarydd, ond roedd y Clerc yn bur ddirmygus ohonon ni a phan ddywedais wrtho bod yr Athro Conor Gearty wedi bod yn ein cynghori gwnaeth sibrwd o dan ei wynt, rhywbeth yn debyg i'r 'usual suspects'. Tysteb oedd hyn i'r ffaith fod Gearty yn eofn ac yn fodlon ymgymryd ag achosion nad oedd yn boblogaidd.

Gwnaeth y Clerc sylw i'r perwyl fod y broses uchelgyhuddo wedi hen farw a diflannu o weithrediadau'r Senedd. Soniodd fod y broses ganrifoedd oed ac wedi peidio â bod o ganlyniad. Atebais yn syth, gan fy mod yn teimlo iddo fod braidd yn ddigywilydd, fod y Magna Carta ganrifoedd oed a bod Habeas Corpus mor fyw heddiw ag erioed, yn yr un modd roedd y Mesur Iawnderau yn bodoli ers 1688 ac mi roedd yn berthnasol bob dydd yn Nhŷ'r Cyffredin ac mewn cyfraith gyfansoddiadol yn gyffredinol. Datblygodd rhyw densiwn yn y cyfarfod ac mi ddaru'r sgwrs orffen ychydig yn swta. Gwyddwn, wrth gwrs, y buase'r 'sefydliad' yn anfodlon a dyma brawf o hynny. Os rhywbeth, mi gryfhaodd hynny ein penderfyniad i fwrw ati a gosod y cynnig i lawr yn y Tŷ.

Roedd y cynnig wedi ei baratoi'n ofalus iawn ac yn cynnwys gofyn i Dŷ'r Cyffredin ddewis Pwyllgor o 13 Aelod i ystyried:

- Barn bendant grŵp Hans Blix ym Mawrth 2003 nad oedd gan Irac WMD a'i bod wedi cael gwared â nhw ers 1990.
- I'r Prif Weinidog gadarnhau ei fod yn anghywir yn hyn o beth, gan nad oedd WMD nac arfau cemegol ar gael i Irac fygwth gwledydd eraill.
- Barn Prif Ysgrifennydd y Cenhedloedd Unedig oedd bod y cyrch ar Irac yn anghyfreithlon fel oedd y rhyfela yn erbyn Irac a'i ymddygiad yn cynnal y polisi parthed y rhyfel yn Irac.
- Ystyried a oedd yna ddigon o dystiolaeth i Uwch Farnu'r Gwir Anrhydeddus Tony Blair ar gyhuddiadau o gamymddwyn dybryd wrth eirioli dros yr achos.
- I'r Pwyllgor o fewn 48 niwrnod adrodd ei benderfyniad i'r Tŷ ynghyd â mesur neu erthyglau Uwch Farnu neu unrhyw awgrymiadau eraill a fyddai ganddo.

Rhoddwyd y cynnig ar bapur trefn y Senedd ac mi fu cynnydd sylweddol yn y gefnogaeth iddo. Tua diwedd 2004 roedd yna sibrydion cynyddol y bydde etholiad buan ac efallai fod sylw llawer o'r Aelodau wedi cael eu denu tuag at yr Etholiad Cyffredinol hwnnw. Yn naturiol roedd llawer, yn arbennig y rheiny mewn seddi ymylol yn aros yn eu hetholaethau ar bob cyfle posib. Yn y diwedd, cynhaliwyd yr Etholiad Cyffredinol ar y pumed o Fai 2005 ond mae'n rhaid cofio bod cyfnod yr ymgyrch yn fisoedd a'r ymgyrch 'go iawn' yn bum wythnos neu fwy.

O edrych yn ôl, mi ddylasem fod wedi mynnu cael amser seneddol i gynnal y ddadl ar y cynnig, oherwydd wedi i'r Senedd newydd ymgynnull ym Mai 2005 roedd llawer o'r momentwm wedi ei golli ac wrth gwrs daeth dwsinau o wynebau newydd i'r Tŷ wedi i ddwsinau eraill ymadael, neu golli eu seddi. Wrth gwrs, tasg anodd iawn fydde ceisio cael mwyafrif o blaid y cynnig ac wedyn ei anfon i Dŷ'r Arglwyddi, ond yn ddi-os mi wnaeth y gefnogaeth godi'n sylweddol gydol hydref 2004

Llun o'r teulu wedi i mi ennill yr ymgiprys am enwebiad fel ymgeisydd Plaid Cymru ym Meirionnydd Nant Conwy yn 1991.

Areithio ar noson y canlyniad, 9fed Ebrill 1992, yn Nolgellau.
Mae Rhys Williams o'r Blaid Lafur a Ruth Parry o'r Rhyddfrydwyr yn y llun.

Gyda fy asiant ar noson yr etholiad. Bu Myrfyn Hughes yn asiant etholiadol eithriadol o weithgar a chyfaill da i mi mewn tair etholiad i gyd. Bu farw Myrfyn yn ddisymwth cyn ymgymryd â'r swydd yn etholiad 2005.

Eto, noson etholiad 1992 efo fy chwaer Angharad, fy ngwraig Eleri a'm merch Catrin. Roedd Rhodri yn rhy ifanc i aros ar ei draed!

Y pedwar ohonom, 12fed Ebrill 1992, yn cael cinio efo'n teuluoedd mewn tŷ bwyta yn Nolgellau. Yn y llun mae Elinor Wigley, Dafydd, Cynog a Llinos, Ieuan ac Eirian ac un o'r meibion, Eleri a minnau.

'Y pum Beatle' y tu allan i Dŷ'r Cyffredin. Methodd Rhodri Glyn Thomas â chael ei ethol yng Nghaerfyrddin o drwch blewyn ond fe gafwyd Rhodri arall yn y llun, sef fy mab.

Llun a dynnwyd ar 'Drên y Tri'. Mynd i lawr i San Steffan am y tro cyntaf, Ebrill 1992. Mae Ieuan Wyn Jones AS yn y llun hefyd.

Mynd trwy'r dyrfa fawr o gefnogwyr a ddaeth i lawr i Lundain yr wythnos ar ôl yr etholiad yn 1992. Gadael i fwrw fy mhleidlais seneddol gyntaf yr oeddwn a honno i ethol llefarydd, sef Betty Boothroyd AS.

Llun a dynnwyd gan Arwyn Roberts, ffotograffydd *yr Herald* yng Nghaernarfon, rhywbryd yn ystod y misoedd cyntaf yn y Senedd.

Areithwyr mewn cyfarfod coffa i nodi canmlwyddiant marwolaeth Tom Ellis AS yng Nghapel Cefnddwysarn ger y Bala yn Ebrill 1999. Yn y llun mae Emlyn Hooson, yr Athro Geraint Jenkins a Meg Elis, wyres Tom Ellis. Minnau yn yr ail reng.

Family moment: Returning Meirionnydd Nant Conwy MP Elfyn Llwyd celebrates with wife Eleri and son Rhodri, and above the candidates wait anxiously for the results.

Noson canlyniad Etholiad Cyffredinol 2001 yn Nolgellau. Rhodri yn ddigon hen erbyn hyn i aros ar ei draed yn hwyr!

FARMING

IN BRIEF

Gwenfair is next president

Milking the situation

Rival politicians finally get to grips with the problems of the Welsh dairy industry

By Ioan Hughes

THREE politicians grabbed real farming life with both hands on Friday when they took part in a hand milking competition.

Organised by NFU Wales to celebrate World Milk Day, the competition was held at three locations across Wales. And the task facing Plaid Cymru MP for Meirionnydd and Nant Conwy, Elfyn Llwyd, the Labour MP for Preseli, Pembrokeshire, Jackie Lawrence, and Liberal Democrat Mick Bates, who represents Montgomeryshire on the National Assembly, was to milk as much as possible by hand in 15 minutes.

The aim was to highlight milk as a source of energy and nutrition in a balanced diet, and to raise customers' awareness of high-quality local produce.

President of NFU Wales Peredur Hughes, who was the competition's official judge, said there was also a need for people to be fully aware of the difficulties facing dairy farmers.

"Farmers are paid between 12 and 14 pence per litre, and yet when it arrives on our doorsteps, we have to pay 80 pence a litre," he said.

"Customers must realise that these high prices don't end up in the farmers' pockets.

"We would urge consumers to check that the milk they buy from shops and supermarkets is produced locally, therefore supporting Welsh milk at a difficult time."

Elfyn Llwyd, who was the competition winner, said he had childhood memories of milking when he visited relatives in the Conwy Valley.

He added that the competition was a great experience and an opportunity to emphasise the importance of the farming industry.

He criticised the Government for failing to help dairy farmers during these difficult times. "£51m was available in European grants, but the Government decided not to take the support offered, because they would have had to make a contribution," he said.

"These farmers, who are prepared to work so hard, deserve better support."

At the end of the day Elfyn managed to collect 12.75 litres, at the Llwyn Goronwy Farm, Llanrwst.

Mick Bates worked at Jamesford Farm, Montgomery, and extracted 12.25 litres.

Jackie Lawrence, who visited Steynton Farm, Milford Haven, was in third place, with 11.5 litres.

The squeeze ... Meirionnydd MP Elfyn Llwyd topped the extraction league

NEWSDESK
01766 513809

MLC   *by* GWYN HOWELLS

CIG, a new periodical in magazine format aimed at providing information for meat buyers and suppliers in Wales was launched recently.

issue will be out in time for the Royal Welsh Show in Builth Wells in July.

The informative magazine is just one part of our Buy Welsh Meat campaign.

it is now time to step our efforts up a gear.

Local authority procurement, for example, falls under the rules as laid out under the Treaty of Rome

locally may offer improved certainty and flexibility of supply, and this is the message we are bringing to institutional food buyers and caterers.

Ennill cystadleuaeth odro yn erbyn gwleidyddion eraill! Mehefin 2002 yn ardal Llanrwst.

Strange tale of the Elfyn marble

MP took 'memento' from Saddam's palace

By MARK HOOKHAM
Parliamentary Correspondent

PLAID CYMRU leader Elfyn Llwyd defied a "snotty" Foreign Office mandarin to help bring home a unique memento of his recent fact-finding mission to Iraq.

Former Tory minister Boris Johnson recalled how he conspired with the Meirionnydd Nant Conwy MP to retrieve a souvenir from one of Saddam's bombed palaces.

According to Boris, the MPs "looted" a lump of marble from the rubble of a destroyed palace in Baghdad – despite a reprimand from a young Foreign Office pen-pusher.

Writing in the Spectator magazine, which he edits, Mr Johnson said: "I was baffled to find a hunk of white marble in my rucksack, and then remembered that my friend Elfyn Llwyd had looted it when we were in one of Saddam's pulverised palaces.

"To be accurate, he was in the process of looting it when he was interrupted by our young Foreign Office minder who said 'I don't think that is appropriate behaviour from an MP'.

"Elfyn thought, and I agree, that this was a touch snotty.

"I don't see how the FO can approve of initiating a war that has cost the lives of 17,000 Iraqi civilians... and then baulk at the removal of one Elfyn Marble."

The two MPs visited the war-torn country last month to witness the formal opening of the Iraqi Assembly.

Last night Mr Llywd insisted: "I was invited to take a piece by an American officer who was showing us around the palace.

"If Boris is a bit slow on the uptake, then that is not my problem."

m.hookham@central-press.co.uk

Elfyn Llwyd MP (left) and Boris Johnson MP (right) on the visit to one of Saddam Hussein's palaces during which a piece of marble was removed

Llun o'm hymweliad â phalas tanddaearol Saddam Hussein. Yn y llun mae Dr Lynne Jones AS a Syr George Howarth AS o'r Blaid Lafur, Boris Johnson AS a minnau. Ffantasi bur oedd stori Johnson amdanaf – arwydd o beth oedd i ddod?

Llun a dynnwyd yn Sioe Sir Meirionnydd yn dangos y diweddar Wil Edwards, Dafydd Elis-Thomas a minnau. Ninnau rhyngom wedi cynrychioli Meirionnydd ers dros hanner can mlynedd.

Yn fy lifrai fel Cadeirydd Pwyllgor Gwaith Eisteddfod y Bala gyda
Huw Eic a fu'n gadeirydd y flwyddyn flaenorol yng Nghaerdydd.

Welsh outpost saved by deal to win votes for schools Bill

By David Charter
Chief Political Correspondent

THE only Welsh language school outside Wales has been saved by a deal struck during the frantic horse-trading for MPs' votes over the Education and Inspections Bill.

Ministers were so desperate not to lose the timetable for their Bill that they agreed to secure the future of the school in exchange for abstentions from two Plaid Cymru MPs.

A few hours before the crunch vote and with the Government's majority hanging in the balance, Ruth Kelly, the Education Secretary, assured the two MPs that The Welsh School in Harlesden, northwest London, would be guaranteed funding.

Elfyn Llwyd and Adam Price agreed to abstain rather than vote against, The Times has learnt, and by a margin of just ten votes on Wednesday night the timetable was saved along with the school.

There was delight at Ysgol Gymraeg Llundain, a small primary school, yesterday that, after years of campaigning to secure its future, Ms Kelly said that the local education authority would fund it in future.

Adam Price, the MP for Carmarthen East & Dinefwr, said: "This is the only Welsh-medium school in the world outside of the territory of Wales, so symbolically it has a very special place in people's hearts in Wales. It has been in existence for almost 46 years and has never had a penny from the maintained education sector in England.

"There have been several attempts in the past to get them into the state sector because this is an anomaly. They are inspected by Ofsted, they teach the National Curriculum and they meet all the key criteria.

Elfyn Llwyd, one of the two Plaid Cymru MPs, at The Welsh School, Ysgol Gymraeg Llundain, after its future was secured

They happen to do it through the medium of Welsh.

"So we had to overcome the obstacle to Welsh language teaching and frankly we managed to do it largely because of the new political arithmetic we have in the Commons.

"Suddenly they discovered we exist. In the context of the night, only a few votes mattered. We had a meeting with Ruth Kelly on Tuesday, which was very, very helpful, and further discussion during the day of the vote and a discussion with the whips. We were lavished with attention, which we were not used to."

Ms Kelly gave the Welsh MPs a two-page letter confirming that she would help the school to join the state system even if the local education authority refused.

Mr Price added: "The LEA has to process the application. They can refuse but if they do refuse, they have to give reasons. It has to go to the independent schools adjudicator and the adjudicator has the right to overturn it based on advice from the Secretary of State."

The Welsh School was founded in 1958. It has been kept going with 30 per cent funding from the Welsh Assembly and money from parents, charitable donations and fundraising.

■ The locations of the first 100 city academies were announced by ministers yesterday. Ruth Kelly, the Education Secretary, published a list of 73 proposed academies, to be open by 2009, in addition to the 27 already operating.

Dehongliad y *Times* o waith Adam Price AC a minnau i arbed yr Ysgol Gymraeg yn Llundain.

Gydag Eleri mewn Burns Night yn Llundain. Fi oedd yn gwneud y brif araith yn y cinio mewn gwesty moethus yn y ddinas.

Llun a dynnwyd yn Aberystwyth yn ystod Cynhadledd Plaid Cymru. Daeth Martin Bell AS i'n hannerch! Roedd Martin yn derbyn 'chwip' y Blaid ac mi fûm yn gweithio'n agos ag o. Y gŵr arall yn y llun yw Reg Keys, a gollodd ei fab yn Irac drwy amryfusedd mawr ar ran y fyddin yno a diffygion mawr yn yr offer yr oedd yn gorfod ei ddefnyddio.

Dim byd gwaeth na rhywun ar eich ôl am lofnod byth a hefyd! Yn y llun mae Sean Connery. Deuthum i'w adnabod yn o lew drwy giniawa ag ef a'i wraig Micheline. Roedd yn galw i mewn yn Llundain gan ei fod yn gefnogwr brwd o'r SNP.

Llun a dynnwyd yn Nulyn ym Mawrth 2007. Dyma holl aelodau'r Corff Seneddol Prydeinig-Gwyddelig. Rydw i yn y cefn o dan y paentiad mawr.

"Rhaid gwneud rhywbeth" – gwleidyd...

Mae AS Plaid Cymru, Elfyn Llwyd, newydd ddychwelyd o un o feysydd brwydro mwya' gwaedlyd y byd. Fe fu'n ymweld â gwersyll ffoaduriaid yn Sudan ac yn holi gwleidyddion, gan gynnwys Arlywydd y wlad. Dyma'i gofnod o'i daith ...

Dydd Llun: Yn ystod y daith chwech awr a hanner i Khartoum, prifddinas Sudan, bu fy meddwl yn troi o gwmpas y pethau yr oeddwn wedi ei glywed eisoes am y wlad hon. Mae'n wlad fawr– y drydedd wlad fwyaf yn Affrica a'r ddegfed fwyaf yn y byd, medden nhw.

Ond yr hyn oedd ar flaen fy meddwl oedd rhanbarth Darfur. Dros bedair blynedd o ryfela chwyrn mae 200,000 o fywydau Affricaniaid du wedi eu colli, y mwyafrif llethol ohonyn nhw yn bobol ddiniwed heb unrhyw ran yn yr ymryson am bŵer.

"Dywedodd un person iddo gael ei guro rai nosweithiau ynghynt gan gang o ddynion mewn "bŵts" – hynny yw, milwyr y llywodraeth."

ddiogelwch wedi gwella, fod y boblogaeth wedi sefydlogi, os nad gostwng, a thorcyfraith yn llai. Dyfynnodd y ffigyrau herwgipio car: 141 yn 2005 a dim ond 18 yn 6 mis cyntaf 2007.

Roedd yr hyn a glywais gan drigolion y camp yn bur wahanol – roedd y boblogaeth yn cynyddu ac roedd gangiau arfog yn crwydro'r lle yn y nos. Dywedodd un person iddo gael ei guro rai nosweithiau ynghynt gan gang o ddynion mewn "bŵts" - hynny yw, milwyr y llywodraeth. Ar ben hyn roedd gofal meddygol a hylendid y camp yn sylfaenol dros ben. Rhaid gwneud rhywbeth, meddyliais.

Dydd Mawrth, 6.30 y bore: Hedfan i mewn i Darfur. Aethpwyd â ni i wersyll pobol oedd wedi eu gyrru o'u cartref. Doeddwn i ddim yn barod ar gyfer yr hyn â'm hwynebai. Y ffigwr swyddogol yn yr un camp hwn yw 50,000 o bobol – tua maint poblogaeth etholaeth Seneddol. Dywedir, serch hynny, fod y nifer yn sylweddol uwch mewn gwirionedd a'i fod yn cynyddu.

Mae yna nifer o gampiau tebyg yn Darfur, rhai ohonynt hyd yn oed yn waeth. Y diwrnod hwnnw roedd y llywodraethwr lleol, neu'r Walid, Osman Kibir, yn ein sicrhau ni fod y sefyllfa

Elfyn Llwyd gydag un o wrthwynebwyr y lladd yn Darfur

Llun ohonof gydag un o'r gwleidyddion a oedd yn gwrthwynebu'r gyflafan yn Darfur. Fe'i tynnwyd yn ystod fy ymweliad â Sudan yn 2007.

Salmond attacks PM on Scotland in Europe

Elfyn Llwyd of Plaid Cymru, left, and Alex Salmond of the SNP in Inverness yesterday. PICTURE BY SANDY MCCOOK

by Erlend Barclay

THE actions of the UK Government within European politics are failing the aspirations and needs of Scotland and Wales, SNP MP Alex Salmond claimed yesterday.

He accused Prime Minister Tony Blair of setting his own personal agenda within Europe instead of one based on the political needs of the two countries on a visit to Inverness yesterday.

The criticism of Mr Blair's style of government came before a joint meeting of the SNP and its Welsh counterparts Plaid Cymru where MPs, MSPs and MEPs were discussing the main campaign issues for both parties in the run-up to the elections for the European Parliament in June, 2004.

Mr Salmond was joined by his Plaid Cymru counterpart, the party's Westminster leader Elfyn Llwyd.

Both men claimed the two countries were suffering as a result of the Labour Party's political agenda in Europe. They also questioned the legality of the Iraq conflict and Mr Blair's credibility for leading the country into war.

"Our Prime Minister is prepared to give away entire industries or at least raise no serious objections with, for example, what is happening to the Scottish fishing industry," said Mr Salmond.

"Whatever priorities the Government has set itself in Europe, they are not the priorities of either Scotland or Wales. He seems to pick and choose the issues as he pleases."

Mr Llwyd said the Government had failed the Welsh agricultural community in areas such as the Common Agricultural Policy.

"It seems to me the Government doesn't do anything for the smaller and medium-sized farms."

He also criticised the Government's decision on Iraq and said it was unlikely weapons of mass destruction would ever be found.

"This seems to be a turning point in Mr Blair's until-now glittering career."

Efo Alex Salmond AS yn Inverness. Fi oedd y siaradwr gwadd o Blaid Cymru yng nghynhadledd yr SNP y flwyddyn honno.

Croesawu'r gwesteion i barti blynyddol Gŵyl Ddewi yn Llundain. Roedd y partïon yn dra hwyliog ac yn enwog drwy Dŷ'r Cyffredin a thu hwnt!

THE ODE BILL

Car-hating copper
Is causing despair
By blowing £4k
On a poet's chair

Controversial . . . top cop Brunstrom hands over chair to Elfyn Llwyd

EXCLUSIVE by GUY PATRICK

A TOP cop was blasted last night for spending more than £3,000 of police funds on a chair for a poetry competition.

Richard Brunstrom, notorious for his obsession with catching speeding motorists, spent £3,450 on the ornate "bardic" chair.

It was specially made for the winner at this year's Royal National Eisteddfod — a cultural festival in Wales.

Mr Brunstrom, North Wales Chief Constable, was made an honorary druid at the 2006 festival and given the bardic name Prif Copyn, meaning Chief Spider.

The chair has a spider carved in it and will be used at the event in Bala.

Last night Arthur Roberts, of pressure group People For Proper Policing, criticised Mr Brunstrom, 54, who has also set aside £750 for the winning poet.

He said: "I can't see why police are involved. They should be fighting crime."

A force spokesman said: "Sponsoring the chair strengthens the links with the Eisteddfod." Mr Brunstrom last month handed over the seat to MP Elfyn Llwyd, Chair of the Eisteddfod Working Committee.

g.patrick@the-sun.co.uk

Chief . . druid

Derbyn cadair Eisteddfod y Bala gan Brif Gwnstabl Heddlu Gogledd Cymru Mehefin 2009. Un o'm hymddangosiadau prin yn y *Sun*, diolch byth!

Derbyn Gwobr AS y Flwyddyn 2014 yn Neuadd y Ddinas, Caerdydd. Roedd yr achlysur yn arbennig o bleserus gan mai Gwenllian Griffiths oedd yn cyflwyno'r wobr i mi. Bu Gwenllian yn gweithio gyda mi yn trefnu'r wasg yn wych a gwneud peth ymchwil. Erbyn hyn, roedd hi'n ymgynghorydd gwleidyddol yng Nghaerdydd.

Tîm San Steffan gydag arweinyddion Plaid Cymru, yr SNP a'r Gwyrddion yn Llundain, 15 Rhagfyr 2014. Diwrnod o drafod y weledigaeth roedd y tair plaid yn ei rhannu i roi terfyn ar lymder, i gael gwared ar Trident ac i beidio cefnogi llywodraeth Dorïaidd mewn senedd grog.

Y 'job arall'.

Cartŵn a gefais am fy nycnwch yn gofyn cwestiynau'n aml am broses Ymchwiliad Chilcot. Yn y llun gwelir myfi a Syr John Chilcot! Yr artist Rhys Aneurin oedd yn gyfrifol. Anrheg ymddeol gan Catrin a Rhodri.

trwodd at y Nadolig, ond mi gollwyd cyfle i gael dadl bwysig a chyfle i'r Llywodraeth geisio esbonio pam roedden nhw'n dal i gredu mai mynd i ryfel yn Irac oedd y 'peth iawn i'w wneud'. Rhaid cofio, serch hynny, bod llawer o fainc flaen y Torïaid yn fwy brwd a chibddall dros ryfela na hyd yn oed y Prif Weinidog Tony Blair a'r giwed oedd yn ei ddilyn, waeth be oedd y dystiolaeth ac felly roedd y siawns o fynd â'r maen i'r wal yn isel o'r dechrau. Tydi hyn ddim i ddweud nad oedd y cam yn bwysig i'w gymeryd ac yn fodd o barhau i hoelio sylw ar y diffygion ac yn wir yr anwireddau a leisiwyd yn yr achos dros fynd i ryfel.

Croesawyd y symudiad gan lawer ledled Ynysoedd Prydain. Anerchodd Adam ddegau o gyfarfodydd, a minnau ychydig yn llai, ond mi gofiaf un ym Mangor yn Rhagfyr 2004 a oedd yn orlawn o bobl yn gefnogol ac yn teimlo'n gryf dros uchelgyhuddo rhag i ddemocratiaeth gael ei sarnu neu ei diraddio.

Mi ddaeth pecyn o bapurau i feddiant Adam a minnau o ffynhonnell a oedd yn amlwg iawn yn agos at beirianwaith y Llywodraeth. Papurau hollol gyfrinachol oedd y rhain yn nodi gair am air y sgwrs a fu rhwng George W. Bush, Arlywydd yr Unol Daleithiau a Tony Blair yn Texas ym Medi 2002. Roedd y ddau wedi taro bargen i fynd i ryfel doed a ddelo, drwy i Tony Blair gytuno â Bush y bydde Prydain yn sefyll ochr yn ochr â'r Unol Daleithiau pe bai'r penderfyniad o fynd i ryfel yn cael ei wneud. I fod yn fwy manwl, pan fydde'r penderfyniad i ryfela'n cael ei gymryd. Mi roedd hi'n hysbys fod y dogfennau yma gynnon ni ac mi achosodd beth syndod i mi na ddaru'r awdurdodau gysylltu â ni parthed y wybodaeth hon. Wedi'r cwbl, roedd y dogfennau yn gyfrinachol – uwch gyfrinachol i dderbyn y term cywir. Yna, dyma alwad ffôn yn dod i swyddfa Seneddol Plaid Cymru yn Adeilad Norman Shaw ger Tŷ'r Cyffredin. Galwad ydoedd gan Heddlu Llundain yn gofyn a fydde Adam a minnau'n cyfarfod â dau o'u swyddogion i gael sgwrs. Trefnwyd y cyfarfod ac mi ddaeth dau uwch-arolygydd o adran arbenigol y Met i'n gweld. Gofynnwyd i ni a oeddem wedi derbyn y papurau yma ac mi ddywedasom ein bod wedi cael y dogfennau drwy'r post, ond bod yr anfonwr/anfonwyr yn anhysbys ac nad oedd gynnon ni unrhyw syniad pwy oedd wedi eu hanfon atom. Wedyn, gofynnwyd a oedd y papurau'n dal yn ein meddiant a'n hateb oedd eu bod yn ein meddiant. Symudodd y swyddogion yn gyflym wedyn a dweud bod yn rhaid i ni roi y papurau yn ôl iddyn nhw yn syth.

Gwrthod gwneud hynny ddaru ni ac mi ddywedais nad oedd hi'n fwriad gynnon ni wneud y papurau'n gyhoeddus, ond os a phan y câi ymchwiliad llawn ei gynnal i ymddygiad y Llywodraeth a'r Prif Weinidog yn y cyfnod yn arwain at y rhyfela ac wedyn, yna byddwn yn mynd â'r papurau yn syth at yr Ymchwiliad hwnnw gan y bydden nhw o 'fudd i'r cyhoedd' gael gwybod eu cynnwys. Trwy hynny, roeddwn yn cyfeirio at amddiffyniad i unrhyw gyhuddiad o dan Ddeddfau Cyfrinachau Swyddogol. Dwi'n cofio i'r ddau adael yr ystafell am ychydig ac yna dychwelyd a dweud y bydde'n rhaid iddyn nhw gyfweld y staff seneddol yn ein swyddfa – fy ymateb oedd na chaent holi unrhyw aelod o'n staff ac os oeddent yn anghytuno, yna dylent fy arestio i yn y fan a'r lle ac Adam hefyd. Rhythu arnaf a dechrau cochi ychydig wnaeth y ddau swyddog. Credaf iddyn nhw sylweddoli fy mod wedi cael y gorau arnyn nhw a dyma'r ddau yn ymadael gan ffarwelio'n ddigon surbwch Ni chlywyd gair ganddyn nhw wedyn a rhybuddiais y staff i beidio â derbyn unrhyw wahoddiad i siarad efo Heddlu Llundain ar y mater hwn. Yn 2009 sefydlwyd Ymchwiliad Chilcot gan y Prif Weinidog, Gordon Brown. Maes llafur yr ymchwiliad hwn oedd edrych ar ymddygiad y Llywodraeth yn y misoedd yn arwain at y cyrch yn Irac a hefyd ei hymddygiad yn ystod y rhyfela ac yn dilyn hynny. Yn driw i'm gair cyflwynais y papurau i'r ymchwiliad.

Yn ystod y flwyddyn honno hefyd, mi ges fy apwyntio i'r Corff Seneddol Prydeinig a Gwyddelig a oedd yn cynnwys Aelodau Seneddol a Chynulliad o Gymru, yr Alban ac o Ogledd Iwerddon, yn ogystal ag Aelodau Seneddol o Loegr, Ynys

Manaw ac Ynysoedd y Sianel. Siambr ddadlau ydoedd, ond un hynod o ddiddorol gan roi cyfle i weld sut roedd y Siambrau eraill yn cael eu cynnal ac yn gyfrwng ardderchog i wybod rhagor am wleidyddiaeth rhannau o Ynysoedd Prydain a thu hwnt. Bûm yn awyddus i ymuno ers amser, ond dro ar ôl tro mi wrthodwyd cais y Blaid gan yr awdurdodau yn Llundain. Difyr oedd sylwi bod aelodau Iwerddon (De a'r Gogledd) yn cynnwys cynrychiolaeth o bob plaid ar wahân i'r DUP, a oedd am ryw reswm anesboniadwy, ond pwysig iddyn nhw efallai, wedi gwrthod cymryd eu seddi. Ar ôl cryn bwyso gwnaed cais arall, y tro hwn ar y cyd gyda phlaid genedlaethol yr Alban ac ar ôl cryn berswâd a dadlau bod ein gwahardd ni'n annemocrataidd, mi ddaeth gwahoddiad i gymryd fy sedd ac mi ges le, efo Alex Salmond yn ddirprwy i mi. Pan es i'r cyfarfod cyntaf yn Iwerddon ces gryn sylw oherwydd bod pobl yn ymwybodol bod Alex Salmond yn Seneddwr mawr a phrofiadol, ac mae'n rhaid fy mod i felly yn 'rhywbeth sbesial'. Daethon nhw i sylweddoli mewn byr amser nad oedd hynny'n wir!

Cofiaf un cyfarfod o'r corff yng nghanol Iwerddon wledig mewn gwesty reit foethus a oedd yn ymdebygu i gastell. Wedi swper mi es allan drwy'r ffenestri mawr yn yr ystafell fwyta grand i gael y glasied olaf o win a sigâr fach. Cywilydd! Eisteddais yn gyfforddus y tu allan a dyma fi'n clywed brigau'n torri a gweld dau neu dri'n symud trwy'r coed a oedd yn amgylchynu'r gwesty yn llechwraidd. Ar ôl mynd yn ôl i mewn dyma unigolyn yn esbonio mai milwyr o wasanaethau arbennig Iwerddon, fel yr SAS, oedd yno yn ein gwarchod.

Dro arall, cofiaf fod yn Belfast, ac ar ddiwedd eisteddiad llwyddiannus, ac unwaith eto wedi mwynhau swper ardderchog. Yno hefyd roedd Paul Murphy A.S. yr Ysgrifennydd dros Ogledd Iwerddon ar y pryd. Fel cyd-Aelod Seneddol Cymreig a chyn-Ysgrifennydd Gwladol Cymru, roeddwn yn gybyddus iawn â Paul ac roedden ni'n eithaf ffrindiau. Roedd Paul bob amser yn ddiffuant a gonest ac yn un hawdd delio ag o. Ar y pryd, roedd o hefyd yn mwynhau sigâr ar ôl swper a dyma'r ddau ohonon ni'n camu allan o'r gwesty i eistedd a chael llymed bach. Yn y man daeth Artur Morgan, sef Aelod o Sinn Fein ac Aelod o Senedd Iwerddon (TD) i ymuno â ni. Y tri ohonon ni'n eistedd ar fainc a chael sgwrs ddifyr a chyfeillgar a swyddogion diogelwch Paul yn cael cathod bach! Daeth un ato gan awgrymu na ddylsen ni fod yn eistedd yno ac ateb Paul oedd 'Be sy o'i le mewn tri ffrind yn eistedd a chael sgwrs?' Ymlaen aeth y sgwrs.

Rai blynyddoedd cynt yn Westminster, daeth Paul ataf a gofyn a allwn ei helpu. Roedd ei dad wedi cyrraedd Tŷ'r Cyffredin am swper efo fo ac mi roedd cyfarfod o Gabinet cysgodol y Blaid Lafur wedi ei drefnu ar frys ac ar fyr rybudd. Gofynnodd a allwn edrych ar ôl ei dad am awr. Mi aeth y Pwyllgor ymlaen am ddwy awr a hanner ac yn y cyfamser roedd Mr Murphy a minnau wedi mynd am lymed o gwrw. Roedd Mr Murphy yn hoff iawn o Guinness ac yn wir mi fwynhaodd sawl llymed. Pan ddaeth Paul yn ei ôl sylweddolodd yn syth bod ei dad wedi mwynhau ei hun yn fawr iawn! Drannoeth dywedodd Paul fod ei dad wedi sylweddoli nad oedd gan bob cenedlaetholwr Cymreig gyrn yn tyfu o'i ben. Efallai y peth rhyfedda am hyn, y tro nesaf y daeth ei dad i Lundain, rhyw ddau fis yn ddiweddarach, ei fod wedi gofyn amdana i er mwyn cael rhyw awr yn fy nghwmni cyn cyfarfod â Paul! Unwaith eto, y Gwyddel a'r Cymro'n deall ei gilydd i'r dim.

Tua diwedd y flwyddyn yn nechrau Tachwedd, ces wahoddiad i fynd i Lysgenhadaeth yr Unol Daleithiau yn Llundain yn ystod y noson pan etholwyd Barack Obama yn Arlywydd y tro cyntaf. Roedd Hywel Williams A.S. Arfon gyda mi ac wedi i ni gyrraedd, gwelsom ddwsinau o bobl yn mynd a dod a phawb yn mwynhau glasied o win neu gwrw wrth i'r canlyniadau ddod i mewn o'r Amerig. Aethom i mewn i neuadd eithaf mawr a chlywed band Americanaidd 'Blue Grass' yn chwarae. Wedi gorffen un gân dyma'r prif leisydd yn gweiddi i'n cyfeiriad a gofyn yn y Gymraeg, 'Hei, Elfyn sut maen nhw adra' yng Nghymru?' Ces sioc anferth a dweud y gwir ac wedi mynd ato am sgwrs wedyn, canfod ei fod yn enedigol o Gymru a'i rieni ac yntau wedi ymfudo i Tennessee pan oedd tua 10 oed! Yn amlwg, roedd yn parhau â diddordeb mawr yn ei famwlad. Hyd heddiw, credaf i Hywel feddwl fy mod wedi trefnu'r digwyddiad rhyfeddol hwnnw, ond fel yna y digwyddodd hi ac mi roedd yn gymaint o sioc i mi ag i bawb arall.

Digwyddiad trist iawn oedd marwolaeth Gareth Williams C.F. yr Arglwydd Williams o Mostyn. Bu farw'n ifanc iawn ac yn ddisymwth. Yn sicr ef oedd un o fargyfreithwyr disgleiriaf y ganrif ddiwethaf a pherson roeddwn yn falch o'i ystyried yn ffrind, er ein bod o draddodiadau gwleidyddol hollol wahanol. Ces wahoddiad i'r gwasanaeth coffa yn St. Paul's ac mi gofiaf yr achlysur am yn hir iawn. Wedi i ni gyfarfod yn y Llys a hefyd yn San Steffan – yn arbennig yn ystod y ddadl dros sicrhau rheithgorau dwyieithog, daethom yn gyfeillion eithaf da a byddem bob amser yn falch o weld ein gilydd mewn derbyniadau seneddol. Magwyd Gareth yn ardal y Rhyl – roedd ei dad yn ysgolfeistr ac un o'r pynciau a astudiodd oedd Cymraeg. Ar adegau, wedi i mi ddod i'w adnabod yn well, byddai'n ceisio llefaru ambell i frawddeg yn y Gymraeg. Cofiaf ei wên barod ac ef yn ddiddadl oedd un o'r meddyliai praffaf i mi erioed ei gyfarfod.

Yn gynnar yn y flwyddyn 2005 fe'm gwahoddwyd i gymryd rhan mewn dadl yn Undeb Caergrawnt, y 'Cambridge Union' ar y cynnig 'This House believes that Britain is still great'. Does dim rhaid dweud mai yn erbyn y cynnig roeddwn i'n siarad, ac er fy mod wedi paratoi araith eithaf da, gyda chymorth amhrisiadwy Delyth Jewell, a oedd yn ymchwilydd i ni yn Llundain ac sy'n awr yn Aelod Seneddol disglair iawn yng Nghaerdydd – colli oedd fy nhynged y noson honno. Efallai mai breuddwyd gwrach oedd i mi gredu y bydde hi'n bosib trechu cynnig o'r fath ym Mhrifysgol Caergrawnt o bob man! Yr hyn ddaru fy syfrdanu oedd pa mor debyg i siambr Tŷ'r Cyffredin oedd siambr ddadlau'r Brifysgol. Gallech yn hawdd gredu mai ar lawr Tŷ'r Cyffredin roeddech chi hyd yn oed ac yn siarad o 'despatch box' bron yr un fath ag yn Llundain a'r rheolau wrth ddadlau bron yr un fath hefyd. Does dim rhyfedd bod graddedigion Caergrawnt yn gyfforddus a hyderus yn Nhŷ'r Cyffredin! Amryw byd ohonyn nhw'n dod o ysgolion bonedd ac felly yn orlawn o hunanhyder – er efallai weithiau yn brin o ddeallusrwydd! Yr hyn y bydde Dennis Skinner, Aelod Seneddol am dros ddeugain mlynedd tan 2019, yn ei ddweud fydde 'Educated beyond their intelligence!'

O sôn am hynny, mi es i Dŷ'r Cyffredin yn credu nad oeddwn yn well na'r gweddill yno, ond eto bob amser yn credu 'mod i cystal â nhw. Yn ychwanegol, oherwydd fy nghefndir proffesiynol, byddwn bob amser yn paratoi'n fanwl a chywir cyn cymryd rhan mewn dadleuon a phwyllgorau yn Nhŷ'r Cyffredin. Cwestiwn a gawn i dro ar ôl tro ar ôl cwestiynu y Prif Weinidogion – 'Oeddech chi'n nerfus?' Fy ateb bob amser oedd – oeddwn, wrth gwrs, ond os ydych wedi paratoi'n drwyadl daw hynny â rhyw hyder i chi ac o ganlyniad byddwch yn llawer llai nerfus nag y dychmygwch. Roedd yr un peth yn wir pan fyddwn yn ymddangos gerbron barnwr cas neu flin pan oeddwn mewn practis. Yr allwedd oedd rhagweld cwestiynau anodd ac felly paratoi, ac mae'r un peth yn wir am y Siambr yn Llundain ag ydi o am Lys y Goron yng Nghaer neu ble bynnag.

Erbyn hyn, roeddwn wedi bod yn Aelod Seneddol ers ymron i dair blynedd ar ddeg ac wedi llwyddo i ennill y sedd yn Etholiad Cyffredinol 1992, ei chadw yn 1997, hefyd yn 2001 a 2005 ac yn falch o ddweud bod y mwyafrif yn cynyddu bron bob tro. Yn ystod y cyfnod hwn, derbyniais gynigion diddorol gan yr awdurdodau. Yn 2005 roedd gen i sedd ar Bwyllgor Dethol Cymru ac mi ges wahoddiad i ymuno â Phwyllgor Safonau a Breintiau Tŷ'r Cyffredin. Pwyllgor yw hwn sy'n plismona'r Senedd. Pan fydde cwyn am Aelod Seneddol yna'r pwyllgor yma fydde'n ymchwilio i'r mater ac os câi sylwedd y gŵyn ei phrofi, yna'r pwyllgor hwn fydde'n penderfynu ar y gosb briodol hefyd. Sicrhawyd fi na fydde yna lawer o waith i'w wneud – bydde cyfarfodydd o bryd i'w gilydd ond ddim yn rhy aml. Ar y sail hwnnw derbyniais aelodaeth o'r Pwyllgor. Popeth yn iawn. Yna, dyna warth a sgandal treuliau Aelodau yn taro'r penawdau. I ddyfynnu Laurel and Hardy, 'another fine mess!'

Ychydig wythnosau wedi i mi gymryd fy sedd ar y pwyllgor, dyma'r storïau gwarthus yn torri am y camddefnydd o dreuliau gan amryw o Aelodau Seneddol. Nid bod hynny yn unrhyw fath o gyfiawnhad o gwbl, ond mi roedd yna rhyw ddiwylliant yn y swyddfa gynghori ar dreuliau y gellid ystumio'r rheolau mewn ambell i achos. Pan ges i fy ethol gyntaf yn 1992, mi es i weld y swyddogion ac ymysg y cwestiynau a ges oedd 'a oeddwn yn bwriadu prynu lle i aros yn Llundain?' Fel pob Aelod arall, dywedais fy mod yn cadw llygad efo'r bwriad o brynu rhywle bach cyfleus a fforddiadwy. Ar hynny, dyma'r swyddog yn dweud wrtha i am ddod yn ôl ato i'w weld wedi i mi ddod o hyd i le y byddwn yn ei brynu. Gofynnais pam a'r ateb oedd y cawn gyngor ar sut i ddynodi'r tŷ neu'r fflat yn Llundain fel fy mhrif gartref. Fel cyfreithiwr, roeddwn yn deall beth oedd ganddo a dyma fi'n dweud wrtho, fel Aelod Seneddol Plaid Cymru a oedd o'n meddwl o ddifrif y buaswn yn dynodi fy fflat yn Llundain fel fy mhrif anheddle yn hytrach na'm tŷ yn Llanuwchllyn? Roedd ei ateb yn ddigon swta – Plesia dy hun, felly! Y pwynt roedd o'n ei wneud, pan fyddwn yn y dyfodol, yn dod i werthu'r eiddo yn Llundain, pe taswn i wedi ei ddynodi fel fy mhrif gartref, mi fyddwn yn arbed miloedd o bunnoedd o Dreth Elw Cyfalaf (*Capital Gains Tax*). Gwyddwn fod hyn yn wir a gwyddwn hefyd nad oedd yn iawn gwneud hynny. Yn y pen draw, pan werthais y fflat yn Llundain talais dros £56,000 mewn CGT ond mae fy nghydwybod yn glir. Gwn fod sawl aelod yn y Cabinet dros y blynyddoedd ac o leiaf ddau Lefarydd ac Is-Lefarydd hyd yn oed wedi manteisio ar hyn – mae hynny rhyngddynt hwy a'u cydwybod, ond peidied nhw â phwyntio bys at neb arall.

Dros y misoedd canlynol roedd yn y *Sunday Express* a'r

Telegraph straeon am gryn ddwsinau o Aelodau a oedd wedi tramgwyddo'n ddifrifol, drwy hawlio er enghraifft am gwt i gadw hwyaid, am lanhau *moat*, am forgeisiau a oedd wedi eu talu, am roi derbyniadau ffals i mewn ac yn y blaen. Roedd eu hymddygiad yn warthus ac yn ddychrynllyd a bu'n rhaid i ni, fel Pwyllgor, ymchwilio a gwrando ar dystiolaeth gan yr Aelodau hyn yn unigol cyn penderfynu ar eu cosb: mynnu eu bod yn talu'r arian yn ôl, gwahardd y person o'r Senedd am gyfnod, mynnu bod y person yn ymddiheuro'n llaes ar lawr Tŷ'r Cyffredin, neu roi dirwy o fath iddyn nhw. Buan iawn y daethon ni i sylweddoli y bydde'n rhaid cyflwyno sawl achos i'r heddlu oherwydd difrifoldeb y cyhuddiadau.

Roedd hi'n amlwg i mi bod rhai ohonyn nhw'n sicr o gael eu herlyn ac y bydde'n rhaid ystyried carchar mewn amryw o achosion. Y gwir oedd, wrth gwrs, petai unrhyw berson arall mewn swydd arall wedi gwneud yr un peth, yna bydde dau beth yn sicr – bydde'r troseddwr yn cael ei ddiswyddo ac mi fydde'r heddlu'n cael eu galw i ymchwilio. Pam roedd yna unrhyw reswm i drin yr Aelodau'n wahanol, meddech chi? Toedd yna ddim wrth gwrs, ond roedd sawl Aelod yn meddwl yn wahanol.

Yn ystod y cyfnod hwn, bûm ar raglen *Question Time* unwaith neu ddwy. Ar un rhaglen cododd yr holl fater o dreuliau ac mi ddywedais yn glir nad oedd unrhyw esgus, nac unrhyw reswm pam na ddylid erlyn rhai o'r achosion – ac yn wir, yn fy marn i, bydde rhai Aelodau'n wynebu cyfnod mewn carchar. Cofiaf ddweud fod yn rhaid carthu'r ysgubor yn lân cyn dechrau o'r dechrau. Ymhellach, credwn os na fydde hyn yn digwydd yn drwyadl a thryloyw, yna mi fydde ffydd y cyhoedd mewn gwleidyddiaeth a gwleidyddion yn diflannu. Y bore Llun canlynol ces sioc gan i bedwar neu bump o bobl o wahanol bleidiau fy nwrdio am ddweud y ffasiwn beth. Un yn dweud, 'Pwy ydech chi, cyfreithiwr bach o gefn gwlad, i ddweud y ffasiwn beth!' Roedd y drwg yn mynd yn ddyfnach nag roeddwn wedi ei ddychmygu, mae'n rhaid. Maes o law, mi aed ag achosion yn erbyn hanner dwsin neu fwy o Aelodau ac mi anfonwyd rhai i garchar.

Credaf i'r *Sunday Express, Daily Express* a'r *Telegraph* wneud tro da wrth ddatgelu hyn, serch y ffaith iddyn nhw dderbyn y wybodaeth drwy ffyrdd anghyfreithlon. Y piti oedd i'r holl gyfryngau neidio i mewn fel llwyth o bysgod rheibus a mynd ar ôl pob stori. Ces i fy meio am fy mod wedi prynu *hoover* i'r fflat yn Llundain a hynny am fod y ddynes glanhau'n mynnu bod yr hen un yn ddiwerth. Prynais un ail law gyda dau fag sbwriel sbâr. Yn y *Daily Post* rhai misoedd wedyn, ystyriwyd bod y weithred o'i brynu a'r *ddau* fag sbâr yn haeddu pennawd bras! Mam bach! Er ei fod o fewn y rheolau, a minnau'n prynu un ail law roedd y ddau fag yn ddigon i geisio creu stori! Proses o burdan oedd hwn ac mi roedd yn broses hanfodol yn fy nhyb i, neu mi fuase barn y cyhoedd am wleidyddiaeth a gwleidyddion yn is hyd yn oed nag y mae o ar hyn o bryd.

Oherwydd y swmp gwaith hwn, yn ogystal â'r Pwyllgorau eraill, roedd y cyfnod hwnnw yn un prysur eithriadol. Yn yr etholaeth roedd y galw am fuddsoddi ym maes awyr Llanbedr Meirionnydd yn parhau a chafodd sawl cyfarfod ei drefnu.

Yn y cyfnod hwn hefyd, deuthum yn ymwybodol o'r ffaith bod y ganran niferus o filwyr a fu yn Afghanistan ac Irac yn dioddef gwahanol broblemau o ran iechyd meddwl wedi iddyn nhw ddychwelyd. Wedi cael cyfarfod gydag un neu ddau cychwynnais ymchwilio i'r mater efo'r bwriad o ymgyrchu i roi chwarae teg i'r milwyr a anafwyd. Cofiaf gael cyfarfod efo Don Touhig A.S. pan oedd yn Weinidog Amddiffyn i drafod sut roedd ateb y broblem. Un cyfarfod o lawer oedd hwnnw ac mi ges gymorth gan sawl cyn-aelod o'r fyddin, megis y Cyrnol Terry English, a meddygon a seiciatryddion amlwg fel Dr Dafydd Alun Jones a oedd yn brofiadol iawn yn y maes arbennig hwn. Yn ystod y misoedd a'r blynyddoedd canlynol ces amryw o gyfleoedd i holi gweinidogion y goron ar y mater ac i gymeryd rhan mewn sawl dadl ar y pwnc. Ces gymorth amhrisiadwy gan fy nghyfaill, Harry Fletcher, cyn Is-Brif

Ysgrifennydd NAPO a thrwy ein gwaith darganfuwyd bod tua 9% o boblogaeth carchardai Prydain yn gyn-filwyr a llawer iawn ohonyn nhw'n dioddef o un neu ddau gyflwr ym maes iechyd meddwl. Y cyflwr sy'n denu'r penawdau yw PTSD ond mae yna gyflyrau eraill niferus yn effeithio pobl a wynebodd erchyllterau a hynny ar sawl achlysur.

Penderfynais fod angen ymgyrch ac i'r perwyl hwnnw sefydlwyd grŵp yn San Steffan oedd yn cynnwys cyn-filwyr unigol, ysgolheigion, gwŷr meddygol, y Lleng Brydeinig, SSFA ac eraill a dyma ddechrau cwrdd yn chwarterol o dan fy nghadeiryddiaeth. Cafwyd yn y Pwyllgorau gyfle i glywed yn uniongyrchol gan ddioddefwyr a chyn-aelodau o'r gwasanaethau milwrol.

Yn ystod y misoedd cyntaf hyn roedd yna ddealltwriaeth rhwng gweinidogion Llywodraeth y Blaid Lafur a mainc flaen y Ceidwadwyr bod angen tanseilio unrhyw awgrym bod yna broblem mewn gwirionedd. Y tric ganddyn nhw oedd ceisio fy nghyhuddo o gam-ddweud a gor-ddweud a hefyd bod codi cwestiwn ynglŷn â gofal cyn-filwyr rhywfodd yn annheyrngar ac yn effeithio'n ddrwg ar y milwyr oedd yn parhau allan yn Irac ac Afghanistan. Hyn, wrth gwrs, gan yr un Llywodraeth a fydde yn anfon y bechgyn yma i ryfel mewn cerbydau peryglus a hyd yn oed heb fod ganddyn nhw yr esgidiau priodol hyd yn oed. Cynllwyn rhyngddyn nhw oedd hyn er mwyn ceisio atal dadl synhwyrol, a dadl roeddwn i'n teimlo oedd yn bwysig ac yn fater o frys. Ar un achlysur, gofynnodd y Dr Dafydd Alun Jones a fuase hi'n bosibl i mi fynd i weld Dr John Reid, yr Ysgrifennydd Iechyd, i geisio cael arian i drin cleifion a oedd yn hanu o Ogledd Cymru. Roedd gan Dr Jones ganolfan iechyd yn Llandudno ac fe ystyrid ef yn un o'r prif seicolegwyr yn y maes. Ymateb John Reid oedd mai mater i'r Adran Amddiffyn oedd yr ariannu. Toc wedi etholiad 2005, apwyntiwyd John Reid yn Ysgrifennydd Amddiffyn. Mi es i'w weld yr eildro a gyda gwên ryfedd ac anweddus atebodd fi gan ddweud mai mater i'r Adran Iechyd ydoedd! Fe'm siomwyd yn ddirfawr o ystyried mai ceisio gwella amodau byw miloedd o bobl mewn gwewyr pur roeddwn i.

Yn sgil y gwaith hwn yn 2010 ces wahoddiad gan Syr John Nutting C.F. i fod yn rhan o gomisiwn a oedd yn craffu ar y sefyllfa hon, yn hel tystiolaeth ac yn adrodd i'r Llywodraeth yn y pen draw. Cawsom sawl cyfarfod buddiol iawn, ond efallai mai'r peth mwyaf rhyfedd am fy aelodaeth o'r gweithgor hwn oedd mai Syr John oedd un o hoff gyfreithwyr y Frenhines a'i theulu a hefyd mai uwchswyddogion o'r fyddin, yr awyrlu a'r llynges oedd y tri arall ar y gweithgor. Er bod pob un ohonon ni'n credu'n angerddol yn yr hyn roedden ni'n ei wneud, rhaid cyfaddef i mi deimlo yn ddigon anghymwys ar adegau, am fod fy nghefndir mor wahanol i'r lleill. Mi gwblhawyd y gwaith ac mi ddaru ni gynnwys amryw o argymhellion buddiol ac ymarferol yn ein hadroddiad terfynol.

Yn y cyfnod hwn bûm yn annerch cynadleddau cyn-filwyr ledled Ynysoedd Prydain. Yn amlwg, roedd tacteg y Blaid Lafur a'r Torïaid o gwestiynu fy nheyrngarwch a honni bod fy ngwaith yn effeithio'n ddrwg ar ein milwyr yn nonsens pur.

Ar ôl 2005 mi wnes sicrhau bod yna bolisïau yn ein maniffesto gogyfer ag etholiad San Steffan ac etholiad Senedd Caerdydd i wella triniaeth cyn-filwyr. Erbyn etholiad cyffredinol 2010, roedd pob plaid wleidyddol arall wedi'n dilyn ac wedi cynnwys polisïau tebyg. Mater o falchder mawr i mi ydi mai o'r egin ymgyrch gan Harri Fletcher a minnau y daeth hyn i fod ac ni chlywais unrhyw gyn-filwyr yn cwestiynu ein diffuantrwydd. Erbyn hyn, yn anffodus, rydym yn clywed bron yn wythnosol am gyn-filwyr sydd wedi datblygu cyflyrau meddyliol difrifol. Un o'r rhesymau am hyn oedd bod disgwyl i'r milwyr fynd allan i Irac – dod yn ôl am ysbaid fer – ac yna dychwelyd am fisoedd wedyn. Roedd y posibilrwydd o ddatblygu problemau iechyd meddwl felly yn llawer uwch, oherwydd cwtogi ar eu gwyliau adref.

Roedd amryw o bobl yn methu deall pam fod Aelod Seneddol Plaid Cymru yn arwain ymgyrchoedd i wella sefyllfa cyn-filwyr.

Yn wir, ces beth beirniadaeth gan rai o rengoedd fy mhlaid fy hun. Fy ateb i bob amser oedd – mae miloedd o bobl ifanc o Gymru yn gwisgo'r lifrau, a beth bynnag yw eich safbwynt ar ryfel Irac, nid y milwyr ddaru benderfynu ar yr ymosodiad, ond y gwleidyddion wrth gwrs ac ar y gwleidyddion hynny mae'r dyletswydd i edrych ar eu holau pan fo angen gwneud hynny.

Pennod 7

YM MAWRTH 2005, fe'm gwahoddwyd i fynd allan i Irac i weld drosof fy hun. Gwahoddiad gan y Swyddfa Dramor oedd hwn. Roedd pedwar ohonom wedi derbyn y gwahoddiad. Dau Aelod Seneddol a oedd fel minnau wedi pleidleisio yn erbyn y rhyfel, a dau a oedd wedi pleidleisio o blaid. Y pedwar ohonom oedd Dr Lynne Jones A.S. Llafur, Sir George Howarth A.S. Llafur a gŵr o'r enw Boris Johnson A.S. Roeddem i aros yn Basra a Baghdad o'r deuddegfed o Fawrth tan y deunawfed o Fawrth.

Wythnos cyn i ni hedfan allan o faes awyr Brize Norton fe'm gwahoddwyd i gyfarfod yn y Swyddfa Dramor ac wedi mynd yno gwelais mai pwrpas yr ymweliad oedd cael 'briff' am yr hyn y gallwn ddisgwyl ei wynebu yn Irac, ond hefyd i roi helmed ac arfwisg i mi rhag ofn i rywun geisio fy saethu. Roedd hyn yn sobri dyn ac yn boenus gan fy mod wedi cael fy sicrhau bod y rhan fwyaf o'r brwydro drosodd. Mwy poenus fyth oedd i'r swyddog ofyn i mi, cyn i mi ymadael o'r Swyddfa, beth oedd fy ngrŵp gwaed! Cyfaddefais na wyddwn yr ateb a gofynnodd i mi gael y wybodaeth cyn ymadael am Irac. Penderfynais na fyddwn yn poeni Eleri druan efo'r manylyn hwn!

Fore Llun canlynol, a minnau wedi gwneud apwyntiad yn Ysbyty Maelor Wrecsam ces y prawf priodol. Rwy'n cofio mai £15 oedd y ffi a daeth meddyg ataf i gymeryd y gwaed. Dywedodd hwnnw ei fod yn adnabod fy wyneb ac esboniais iddo fy mod ar fy ffordd i Irac. Edrychodd ar y nyrs a gofynnodd 'Ydi o wedi talu?' F'ymateb oedd chwerthin, ond mewn gwirionedd roedd y meddyg am i mi gael fy £15 yn ôl. Chwarae teg iddo!

Dyma fynd lawr i Brize Norton ar fore'r deuddegfed a hedfan allan mewn awyren fawr filwrol. Cymerodd y daith ryw saith i wyth awr cyn glanio ym maes awyr Basra. Cawsom ein tywys i ryw lolfa mewn adeilad ar y maes awyr a dyna pryd y clywais y geiriau, 'Incoming, Incoming' am y tro cyntaf. Disgynnodd bom mortar ychydig lathenni i ffwrdd. Mi grynodd yr adeilad a dyma rhyw chwarter nenfwd yr ystafell yn disgyn ar swyddog y llysgenhadaeth a oedd yno i'n tywys. Neidiais y tu ôl i gadair reit fawr ac yno ar y llawr wrth fy ymyl roedd Boris Johnson hefyd. Wedi i'r llwch gychwyn setlo gwelsom fod y swyddog wedi ei orchuddio gan lwch mân gwyn ac yn edrych fel ysbryd. Chwerthin ddaru ni, ond wrth gwrs toedd hynny ddim yn plesio'r swyddog. Beth wnaeth pethau yn waeth byth oedd y ffaith ei fod yn gwisgo siwt dywyll cyn cael ei orchuddio.

Yn Basra, mewn gwersyll milwrol, fy ystafell oedd rhyw fath ar garafán fechan iawn wedi ei gwneud o fetal ac yn chwilboeth yn y dydd ac yn oer yn y nos. Yr hyn y sylwais arno'n syth oedd y difrod difrifol iawn a wnaed, y garthffosiaeth wedi ei chwalu a charthion i'w gweld ar ymyl y ffyrdd. Ces air ag amryw o drigolion yn breifat ac roedden nhw'n honni na wnaeth y cynghreiriaid gadw at eu haddewidion i ailadeiladu'r isadeiledd a'r adeiladau a chwalwyd. Credaf hyd heddiw fod y teimlad hwnnw'n dal i fodoli. Yn ychwanegol, roedd y trydan yn gwbl annibynadwy a dŵr ffres yn brin – hyn oll wedi digwydd oherwydd y rhyfela. Mae'n wir dweud bod yna dipyn go lew o ailadeiladu wedi digwydd yn Baghdad a bod y contractau gwerthfawr iawn hyn wedi mynd i gwmnïau o'r Unol Daleithiau a oedd yn agos at yr Arlywydd Bush, gyda phobl fel Dick Cheney a'r Ysgrifennydd Amddiffyn, Donald Rumsfeld, yn gwneud arian mawr trwy'r cwmnïau hynny. Does dim rhyfedd iddyn nhw fod ar frys i fynd i ryfel yn Irac a hithau'n talu mor dda iddyn nhw!

Buom ar ymweliad â charchar yn Basra, a dyma'r carchar butraf a mwyaf cyntefig a welais i erioed. Mewn un gell roedd rhyw ddwsin o ddynion, ac yn y gornel gwelais hogyn ifanc yn gorwedd ar y llawr, yn amlwg yn brin o anadl. Dywedodd ein tywysydd ei fod yn dioddef o'r diciâu – yn union fel petai o'n sôn am rywun efo ychydig o annwyd. Roedd hi'n amlwg nad oedd unrhyw ddarpariaeth feddygol addas yn y lle ac nid gormodedd fydde disgrifio'r carchar fel uffern ar y ddaear.

Mewn cell arall roedd deg o ferched – llawer ohonyn nhw efo'u plant a hyd yn oed babis bach. Gofynnais pa droseddau roeddent wedi eu cyflawni, a methodd ein tywysydd ag ateb. Roedd y merched a'r plant mewn cyflwr truenus a dyma fi'n gofyn am weld prif swyddog y carchar. Mewn hir a rhawg daeth hwnnw i'r golwg a dyma ei holi am droseddau'r merched. Ar ôl cryn holi cyfaddefodd fod y merched a'u teuluoedd yma am eu bod wedi croesi pont i mewn i Basra o Iran ar eu ffordd i ŵyl grefyddol, a'r drosedd oedd nad oedd ganddynt y papurau cywir. Choeliwch chi ddim ond roedd y trueiniaid hyn wedi bod yn y ddalfa ers tri mis! Gwylltiais, a dywedais wrth y pennaeth ein bod yn mynd i fyny i'r Senedd yn Baghdad drannoeth ac os na fydde'r merched yna'n cael eu rhyddhau, yna byddwn yn trafod y mater gyda chadeirydd y Cynulliad a'r gweinidogion. Daeth y cyfarfod i ben yn swta iawn.

Trannoeth, roeddem yn hedfan i Baghdad ac wrth i ni ymweld â'r Senedd cawsom neges yn dweud bod y merched a'u teuluoedd wedi cael eu rhyddhau. Mater o orfoledd i ni oedd y newyddion, er mi roeddwn yn meddwl beth fydde eu tynged wedi bod, pe na baen ni wedi ymyrryd. Hefyd, roeddwn yn dal i feddwl am y creadur a oedd yn dioddef o'r diciâu, a beth fydde ei ddyfodol ef, tybed?

Cawsom ein derbyn gyda chryn seremoni yn y Senedd newydd. Aelodau a gawsai eu hethol yn yr etholiad cyntaf ers y rhyfel oedd yn y Senedd a sylwais fod pob cyhoeddiad yn ddwyieithog, sef yn iaith Irac a'r iaith Kwrdaidd. Wrth gael ein tywys o amgylch yr adeilad daeth un o weinidogion y llywodraeth newydd heibio a dywedodd ei fod yn ymwybodol bod un ohonom yn aelod o Blaid Cymru. Cyflwynais fy hun iddo a diolchodd i mi am ymdrechion glew Plaid Cymru dros y Kwrdiaid, gan ychwanegu iddo gael ei addysg ôl-radd mewn prifysgol yng Nghymru. Yn y fan hyn dylwn gofnodi diolchgarwch diffuant Plaid Cymru i Cynog Dafis a hefyd Hywel Williams. Y ddau wedi bod ac yn parhau i fod yn lladmeryddion cryf ac eofn dros achos cyfiawn y Kwrdiaid. Llai na phum munud wedyn dyma weinidog Kwrdaidd arall yn ein cyfarfod a dweud rhywbeth tebyg iawn. Roedd Boris Johnson o fewn clyw, ac efallai ei fod rhywfaint yn flin am nad ef a gawsai yr holl sylw. Dywedodd, 'No wonder the Welsh and the Kurds get on so well, you're both troublesome people from the mountains.' Ei anwybyddu oedd y peth gorau, ond os mai jôc ydoedd, un sâl iawn oedd hi. Rhaid i mi gyfaddef bod gen i synnwyr digrifwch go lew, ond gwendid yw methu â gwybod pa bryd i beidio â gwneud jôc – boed hi'n sâl neu beidio.

Dylwn nodi i minnau hefyd fod yn llafar ar ran y Kwrdiaid dros y blynyddoedd. Gwahoddwyd fi i gadeirio cyfarfod i lansio llyfr gan Abdullah Ocalan – Ocalan oedd un o sylfaenwyr y blaid Kwrdaidd, y PKK. Yn 1984, arweiniodd y blaid i godi arfau i amddiffyn y Kwrdiaid rhag yr ymosodiadau arnynt gan y Twrciaid. Fe'i daliwyd gan y Twrciaid a'i garcharu am oes yn 2002. Cyfrol oedd hon a ysgrifennodd pan oedd yn y carchar ac ynddi mae'n dadlau mai trwy ddulliau di-drais y dyle'r PKK weithredu bellach.

Trefnwyd ystafell yn Nhŷ'r Cyffredin yn ystod Gwanwyn 2002 ac mi roddwyd gwahoddiad i newyddiadurwyr o nifer o wledydd. Y noson cyn y digwyddiad, hysbyswyd fi drwy neges gan awdurdodau'r Tŷ, y Sergeant at Arms, nad oedd caniatâd bellach i'r lansio gael ei gynnal ar dir y Senedd oherwydd mai 'lansio llyfr am elw ydoedd'. Atebais drwy ddweud nad oeddwn wedi clywed am unrhyw un yn lansio llyfr i wneud colled! Yn ail, dadleuais ei bod hi'n ddigwyddiad digon cyffredin i lansio llyfrau yn y Tŷ Cyffredin, ond rown i'n amau fod Llysgenhadaeth y Twrciaid yn Llundain wedi rhoi pwysau ar yr awdurdodau i atal hyn rhag digwydd. Ble felly gallem gynnal y digwyddiad? Daeth Undeb y Newyddiadurwyr, yr NUJ, i'r adwy ac mi gynhaliwyd cyfarfod llwyddiannus iawn ym Mhencadlys yr Undeb yng Ngogledd Llundain.

Rai wythnosau wedyn, roeddwn mewn derbyniad yn y Tŷ Cyffredin yn mwynhau gwydraid o win ac yno'n bresennol roedd cynrychiolaeth o bob Llysgenhadaeth Dramor yn Llundain. O fewn rhyw ddeng munud wedi i mi gyrraedd yno, ces fy amgylchynu gan bedwar gŵr o Lysgenhadaeth Twrci. Ces fy mygwth ganddynt a'm rhybuddio y bydde'n rhaid i mi bellach 'watsiad fy nghefn' bob amser. Wedi'r noson honno, sylweddolais na allwn i byth wedyn ymweld â Thwrci. Pe bawn i'n mynd yno, byddwn i'n siŵr o gael fy arestio a chawn fy nhaflu i garchar a'm cadw yno am fisoedd tra bydde'r ymchwiliadau yn parhau. Gwyddwn y cawn fy rhyddhau yn y diwedd ac na chawn fy nghyhuddo, ond gwnaent yn siŵr y bydde'n rhaid i fi ddioddef cyfnod hir yn un o'u carchardai ffiaidd yn gyntaf.

Yn dilyn y bom ar ddiwrnod cyntaf yr ymweliad ag Irac, gwnes sylweddoli'n bendant nad oedd y rhyfela wedi dod i ben a chlywais ffrwydradau a sŵn arfau'n tanio droeon bob dydd tra o'n i yno. Fel arfer, bydden ni'n hedfan o le i le mewn hofrenyddion gan fod y rheiny'n fwy diogel i deithio ynddynt na modur. Ar un achlysur roedden ni'n hedfan yn ôl i adeilad y Llysgennad yn Baghdad, ble roeddem yn aros, pan daniwyd llwyth o fwledi mawrion – 'tracer bullets' at yr hofrennydd ac mi welsom y rhain yn methu'r awyren o droedfeddi yn unig.

Ambell dro cawn fy nhywys mewn modur mawr gyriant pedair olwyn a oedd wedi ei blatio â dur. Roedd dau berson diogelwch yn mynd â ni ac yn aros gyda ni drwy'r amser. Rhannwyd y pedwar ohonon ni'n ddau grŵp o ddau a Boris Johnson oedd gyda mi yn y modur. Esboniwyd i ni bod drylliau awtomatig o dan ein seddi 'rhag ofn' a hefyd *machetes* pwrpasol a hyd yn oed ffrwydradau megis *hand grenades*. Dychrynllyd ydi'r gair gorau, dwi'n meddwl i ddisgrifio'r sefyllfa. Yr awgrym oedd, pe tasai'r ddau yn y seti blaen yn cael eu lladd neu eu hanafu, mi fuasai'n rhaid i'r ddau ohonon ni yn y cefn frwydro'n ffordd wrth ddianc. Dim rhyfedd i'r Swyddfa Dramor holi cyn yr ymweliad beth oedd grŵp fy ngwaed!

Hefyd, yn Baghdad, ces dystiolaeth gan amryw bod teimlad o siom a dicter oherwydd i'r cynghreiriaid chwalu llawer o'r ddinas a gadael yr isadeiledd mewn llanastr llwyr. Yn wir, ces sgwrs gydag un person a oedd yn cynrychioli undebau llafur yn Irac i'r perwyl bod o'n cydnabod bod Saddam yn ddyn eithriadol o ddrwg a pheryglus ond, meddai, roeddech yn gwybod lle'r oeddech efo fo a hefyd roedd gynnon ni sustemau carthffosiaeth oedd yn gweithio, dŵr glân i'w yfed a digon o drydan. Holodd, pa bryd y dôi y gwasanaethau hynny'n ôl iddyn nhw gan eu bod yn ei dyb ef, wedi camu'n ôl i'r oesoedd a fu!

Cawsom lawer o gyfarfodydd gyda gwleidyddion lleol hefyd a'r bobl oedd yn cynrychioli amryw o fudiadau dinesig yn yr ardal, gan gynnwys grwpiau oedd yn cynrychioli'r merched ac mi roedd hynny'n galondid i'w weld. Roedd y pryder am yr oedi cyn ceisio adfer yr isadeiledd yn amlwg yn eu poeni hwy'n ddirfawr hefyd. Mae'n siŵr bod Llywodraeth San Steffan yn bur siomedig i ni dderbyn y dystiolaeth yma gan mai disgwyl roedden nhw y bydde pawb yn canmol eu lle ac yn 'ddiolchgar' am ymyrraeth y cynghreiriaid.

Cyfarfodydd eraill a drefnwyd ar ein cyfer oedd gydag arweinwyr byddin yr Unol Daleithiau a hefyd penaethiaid milwrol Prydain. Ar y pryd, roedd y Gatrawd Gymreig yn gwasanaethu yno ac mi gawsom farbiciw dymunol iawn yng nghwmni rhai ohonynt. Yn ddiddorol, roedd ambell i swyddog yn gostwng ei lais a holi beth oedd y farn gyfreithiol ar y cyrch o safbwynt cyfraith ryngwladol. Yn naturiol, poeni roeddent am unrhyw atebolrwydd pellach yn y dyfodol. Mi roedd rhai'n llawn ymwybodol o'm barn i cyn fy nghyfarfod ac nid oedd yn rhaid i mi ymhelaethu llawer ar y farn honno. Yn ystod y noson arbennig honno, a rhyw 30 i 35 o bobl wedi ymgynnull, sylweddolais bod wyth ohonon ni'n siarad Cymraeg. Daeth un ohonyn nhw ataf a'i wynt yn ei ddwrn. Cafodd ei gyflwyno i mi fel 'Taff'. Gŵr â'r mwstás mwyaf a welais erioed a lliw haul dwfn iawn ar ei wyneb a'i freichiau, fel tasa fo wedi bod allan yma ers talwm iawn. Ei waith oedd edrych ar ôl diogelwch pobl ac rwy'n siŵr mai cyn-aelod o wasanaethau arbennig y fyddin ydoedd – fel yr SAS neu'r SBS. Roedd ganddo ddryll yn ei felt ar un ochr a *machete* mawr ar yr ochr arall. Gofynnodd i mi a gâi o air – nid oeddwn mewn sefyllfa i'w wrthod hyd yn oed pe dymunwn wneud!

Gofynnodd i mi ai Elfyn Llwyd oeddwn a hefyd a oedd Meirionnydd yn rhan o'm hetholaeth. Atebais gan gadarnhau'r ddwy ffaith. Yna dywedodd, 'Mae fy nhad yn byw yn Harlech ac yn sefyll yn ymyl eich brawd yng Nghôr y Brythoniaid. Ar hyn o bryd mae'r hen foi yn cael ei boeni am fod rhyw berson sydd â thŷ haf yn y stryd yn parcio modur anferth o flaen ei ddrws bob tro y bydd o yn Harlech. Fedrwch chi wneud rhwbeth i'w helpu?' Atebais y gallwn ysgrifennu llythyr at yr ymwelwr ond toeddwn i ddim yn hyderus iawn y bydde'n cymryd unrhyw sylw ohonof. Diolchodd i mi gan ddweud 'gwnewch eich gorau, os gwelwch yn dda'. Wedi dychwelyd gartref, ysgrifennais at y sawl a oedd yn parcio o flaen y tŷ ac yn wir mi symudodd y modur ac addo na fuasai'n gwneud hynny wedyn. Da iawn, medda fi. Tua dwy flynedd yn ddiweddarach cwrddais â Taff ar y stryd ym Mhorthmadog a mynnodd brynu bocsiad o gwrw i mi am fy ymdrechion.

Er fy mod yn daer yn erbyn rhyfel Irac, yn ddi-os roedd Saddam yn ŵr dieflig a drwg. Roedd yna amheuaeth am ei iechyd meddwl, gan i lawer ystyried bod ei fryntni'n deillio o'i gyflyrau meddyliol. Ces gadarnhad fod rhywbeth mawr o'i le arno. Gwahoddwyd parti ohonon ni i ymweld â phencadlys tanddaearol neu balas tanddaearol Saddam Hussein yn Baghdad. Un o gadfridogion America oedd yn diogelu'r safle a rheoli pwy oedd yn cael mynediad i'r fangre. Wedi i ni gyrraedd y safle gwelsom fod y rhan fwyaf o'r adeiladau o amgylch yn swrwd o ganlyniad i effaith y bomio. I mewn â ni o dan ddaear i adeilad tanddaearol enfawr efo marmor ar y waliau ac ambell i handlen drws o aur. Roedd y lle fel tref danddaearol – yn tynnu at hanner milltir o ran hyd, a'i led yn o lew hefyd. Cadarnhad, os oedd angen, bod Saddam yn orffwyll ac mae'n sicr bod adeiladu'r fath le wedi costio degau o filiynau o bunnoedd, sef arian prin Irac. Gofynnodd y cyrnol Americanaidd a oedd yn ein tywys a hoffwn gael darn bach o'r marmor a oedd wedi disgyn oddi ar y waliau a chodais ddarn bach i gofio am yr achlysur. Ar hynny, dyma'r tywysydd Prydeinig yn dweud wrthyf am beidio – ond gan mai'r Americanwr oedd y prif swyddog fe'i hanwybyddais a'i gymryd. Dylwn bwysleisio mai marmor gweddol newydd oedd hwn – y math sydd ar gael mewn adeiladau Sofietaidd ac nid unrhyw beth hanesyddol.

Ychydig ddyddiau wedi dychwelyd gartref, gwelais fod Boris Johnson wedi ysgrifennu erthyglau yn ymwneud â'r ymweliad ag Irac yn y *Spectator* o dan yr enw 'The Elfyn Marbles' – un arall o'i jôcs, bid siŵr. Ychydig flynyddoedd wedyn daeth i'r fei bod Boris Johnson wedi pocedu bocs bach o sigârs yn perthyn i rif 2 Saddam, sef Tariq Aziz, ac ymddangosodd y wybodaeth honno pan oedd o'n ymgeisio am swydd Maer Llundain. Gallaf eich sicrhau nad y fi ddaru ddatgelu hyn, gan na wyddwn am y peth tan iddo ddod yn hysbys – a beth bynnag, tydi gwleidyddiaeth y gwter erioed wedi apelio ataf.

Dysgais lawer ar y daith honno, er na fu'r wybodaeth a gesglais mewn sgyrsiau preifat o fudd mawr i mi wrth barhau i geisio dod â'r Llywodraeth i gyfrif am drychineb Irac. Gartref, roedd ychydig o Aelodau Seneddol yn parhau i glochdar bod amodau byw pobl Irac yn llawer gwell ar ôl y cyrch nag ydoedd cynt. Nid dyna'r dystiolaeth a welais i'n bendant a hyd yn oed pe bai hynny'n wir, a oedd yna gyfiawnhad dros fynd i ryfel ar dystiolaeth anghywir neu gelwyddog? Choelia i fawr!

* * *

Yn Ionawr 2006 cafwyd Ail Ddarlleniad Mesur Llywodraeth Cymru 2006. Yn ei hanfod Mesur i ddiwygio'r ffordd roedd y Cynulliad Cenedlaethol yn gweithio oedd hyn gan hollti'r Cynulliad yn:

(i)   Llywodraeth Cymru
(ii) Cynulliad Cenedlaethol.

Roedd yna lawer ohonom yn feirniadol o'r model cynharach ble roedd y Cynulliad Cenedlaethol yn cynnwys pawb – y meincwyr cefn, y gwrthbleidiau a'r gweinidogion. Rwy'n cofio i mi gael cymorth gan Gwilym Prys Davies ar ddechrau'r trafodaethau ar y Mesur cynharaf ac unwaith eto, y tro hwn. Roedd ein cyfarfodydd yn y cyfnod diweddaraf yn rheolaidd a bydden ni'n cyfarfod mewn ystafelloedd te yn Nhŷ'r Cyffredin neu Dŷ'r Arglwyddi, gan anwybyddu unrhyw sylw a gaem gan y Chwipiaid. Ar wahân i'r ffaith fy mod yn mwynhau ei gwmni, roedd meddwl praff Gwilym a'i gymorth i ysgrifennu gwelliannau'n amhrisiadwy. Cawsom sawl diwrnod o ddadlau yn y Siambr ar y Mesur – a rhai Aelodau Seneddol yn gofyn pam bod angen hyn gan ein bod wedi 'cael' Cynulliad – be nesaf? Roedd rhannau pwysig eraill yn y Mesur hwn i hwyluso'r deddfu yn y Siambr yng Nghaerdydd.

Nid oedd y Mesur hwn yn dweud yn glir bod yna gydraddoldeb rhwng y Gymraeg a'r Saesneg yng ngweithrediadau a thrafodaethau y Cynulliad Cenedlaethol a'r Llywodraeth Gymreig arfaethedig. Roedd hynny o gryn siom i mi, yn ogystal ag i Aelodau Seneddol Plaid Cymru ac i Gwilym Prys Davies hefyd. Lluniais welliannau ar hyn a hefyd ar y diffyg dyletswydd ar y Cynulliad Cenedlaethol a Llywodraeth Cymru i hyrwyddo'r Gymraeg. Roedd sawl gwelliant technegol arall a'r hyn oedd yn ddiddorol oedd i Gwilym ailgyflwyno'r gwelliannau yn Nhŷ'r Arglwyddi gogyfer â'u dadleuon hwythau ac mi gafodd y ddau ohonom sicrwydd gan weinidogion, ar lawr y ddau Dŷ ar y materion hyn. Mi roedd hynny'n beth pwysig oherwydd yn y dyfodol, pe bai achos llys yn codi yn ymwneud â'r materion hyn, bydde areithiau gweinidogion yn

cael eu hystyried wrth benderfynu achos, os oedd amwysedd
– yr hyn a elwir yn rheol Pepper v Hart. Achos oedd hwnnw
lle'r oedd y gyfraith yn amwys a phenderfynwyd datgan cofnod
o Hansard ar y trafodaethau ar fesur trethiannol er mwyn
hwyluso dealltwriaeth y llys o fwriad y Llywodraeth.

Er gwaethaf y ffaith mai unwaith eto, tamaid i aros pryd
oedd y Mesur hwn roedd o serch hynny yn gam ymlaen.
Soniai'r Mesur am greu Gorchmynion Deddfwriaethol cymwys
a deddfu yng Nghaerdydd drwy'r broses o Orchymyn y Cyfrin
Gyngor. Hyn yn golygu osgoi llusgo'r mater drwy San Steffan
ac wrth gwrs osgoi pobl wrthwynebus rhag ceisio difetha'r hyn
roedd Aelodau'r Cynulliad – a oedd wedi eu hethol yn hollol
ddemocrataidd gan y Cymry – yn ceisio ei wneud er lles y wlad.
Hefyd, bydde'n golygu llai o oedi gan fod yna gryn bwysau ar
amserlen deddfu San Steffan fel ag roedd hi.

Roedd y Mesur yma hefyd yn rhagweld y bydde
Gweinidogion Cymru yng Nghaerdydd yn paratoi'r rhelyw o
Ddeddfwriaethau Eilaidd a hyn yn ymdebygu mwy i sustem yr
Alban a San Steffan. Yn bwysig iawn bydde'r hawl yn y dyfodol
gan y Cynulliad i gymeryd y grymoedd i greu deddfwriaeth
sylfaenol (*primary*) cyn belled â bod yr amodau canlynol yn
cael eu cyflawni:

i.   Bod dwy ran o dair o aelodau'r Cynulliad yn pleidleisio o
blaid hynny.

ii. Caniatâd Llywodraeth San Steffan i'r newid hwn.

iii. Refferendwm Cymreig yn ei gymeradwyo. Hyn oll, wrth
gwrs, yn rhoi cyfeiriad sicr at y dyfodol.

Roedden ni ym Mhlaid Cymru yn gwthio ymhellach i
gynnwys y grymoedd bryd hynny ond nid oedd y Llywodraeth
am symud ar y pryd. Yn anffodus, erys y broblem o'r hyn a
gyfeirir fel 'materion' h.y. yr ugain maes polisi roedd gan y
Cynulliad y grym a'r hawl i ddeddfu ynddynt. Roedd hyn
yn creu problemau gan fod rhai o'r meysydd hynny, megis
amaethyddiaeth ac iechyd yn rhannol yn faterion i'r Cynulliad
ac yn rhannol yn faterion San Steffan. Llawer haws, yn ein tyb

ni, fydde mabwysiadu'r model Albanaidd ble roedd y meysydd i gyd wedi eu datganoli'n llwyr os nad oeddent wedi cael eu heithrio. Yn ddi-os, un o'r problemau gyda chyfansoddiad llac anysgrifenedig yw bod yna ddigon o le i greu anghytundeb. Ymhellach, mae'r patrwm datganoli – un gwahanol i'r Alban a hefyd i Ogledd Iwerddon ac un gwahanol wedyn i Gymru yn fagwrfa dadleuon. Fel roeddwn yn cydnabod ar y pryd, mi fuasai parhau â'r model yma'n sicr o arwain at achosion llys rhwng Llywodraeth Caerdydd a'r Cynulliad Cenedlaethol a Llywodraeth y Deyrnas Unedig ac felly y bu. Cawsom sawl achos yn y Goruchaf Lys i benderfynu ar ffiniau cyfrifoldeb y ddwy ddeddfwrfa ac ym mhob un Llywodraeth Cymru a orfu. Mae hynny'n dda wrth gwrs ond rhaid oedd cofio bod achosion o'r fath yn creu oedi ac yn gostus hefyd. Yn bwysicaf oll, gallasent fod wedi eu hosgoi drwy fabwysiadu model o gynnwys popeth nad oedd wedi ei eithrio i fod yn gyfrifoldeb y Cynulliad.

Gyda llaw, mi roedd Ron Davies A.S., yr Ysgrifennydd dros Gymru yn ystod cyfnod cynnar datganoli, yn glir yn ei feddwl mai model cryfach o ddatganoli tebyg i'r un Albanaidd oedd angen arnon ni yng Nghymru ac mae lle i gredu bod Kim Howells A.S. ac un neu ddau arall o Gymru wedi mynd y tu ôl i'w gefn at Tony Blair i'w ddarbwyllo a'i berswadio i lesteirio'r cyfan. Dyna'r ddeuoliaeth barhaol sydd yn rhengoedd y Blaid Lafur yng Nghymru sy'n deillio o'r cyfnod pan oedd pobl fel Cledwyn Hughes A.S., John Morris A.S., Jim Griffiths A.S., Elystan Morgan A.S., T. W. Jones A.S. ac S. O. Davies A.S. yn bleidiol dros ymreolaeth gref ac ystyrlon ac yn wynebu pobl fel Neil Kinnock A.S., George Thomas A.S. a llu eraill oedd yn wenwynig tuag at unrhyw fesur o wir reolaeth i Gymru.

Fodd bynnag, mi aed â'r Mesur i Dŷ'r Arglwyddi ar ôl trafodaethau manwl yn Nhŷ'r Cyffredin ac yno bu ymdrechion glew gan Gwilym Prys Davies, Elystan Morgan, Dafydd Elis Thomas, Emlyn Hooson, Geraint Howells ac eraill. Mi chwaraeodd yr Is-Iarll Colwyn St. David ran adeiladol iawn ar ran y Torïaid a hefyd Martin Thomas ac eraill i'w ddiwygio, ond ni wnaed llawer o newidiadau ac mi gafodd sêl bendith Frenhinol yng Ngorffennaf 2006.

Ar ddechrau mis Chwefror ces dipyn o sioc wedi i mi ddarganfod fy mod wedi fy enwebu fel un o bedwar Aelod Seneddol gorau'r flwyddyn 2005 o fewn y gwrth-bleidiau gan Sianel 4 Lloegr. Roedd hyn yn fraint ac mi roeddwn yn falch bod y gwaith roeddwn yn ei wneud – ar Irac, cyn-filwyr, hawliau plant, cyfraith teulu a chyfraith a threfn yn cael sylw, am fod y pynciau yma'n bwysig ac yn haeddu sylw ac felly'n haeddu cael eu trafod yn fanwl. Ar ddiwedd y flwyddyn ces wahoddiad i weithredu fel un o feirniaid y wobr yn Sianel 4 y flwyddyn wedyn ac mi roedd hwnnw'n brofiad difyr dros ben.

Yn y flwyddyn 2006, bûm yn annerch cynhadledd Cymdeithas Swyddogion Carchar yn Portsmouth ym mis Mai ac mi ges ddeuddydd braf iawn yno. Byddwn yn ymwneud llawer ym meysydd cyfraith a threfn a thrwy hynny bûm yn annerch cynadleddau blynyddol NAPO a swyddogion prawf hefyd. Yn sgil fy niddordeb, gwahoddwyd fi i draddodi araith yn y Gymdeithas Frenhinol – Royal Society, yng Nghaeredin ar y testun o ddiwygio polisi penydio.

Hefyd yn y cyfnod yma, bûm yn cynorthwyo gyda'r ymgyrch i gael cofeb i Iolo Morganwg ar Fryn y Briallu yn Llundain sef y man, yn ôl y sôn lle cyfarfu'r Orsedd am y tro cyntaf. Rwy'n sôn am gynorthwyo gan mai Rhian Medi Roberts, rheolwr swyddfa Plaid Cymru yn Llundain gafodd y syniad ac mi roedd wedi ymgyrchu'n galed am gyfnod go lew cyn i mi geisio rhoi rhyw gymorth iddi. Cyn yr ymgyrch hon, nid oedd hi'n bosib gosod unrhyw gofeb ar Fryn y Briallu. Rhaid cyfaddef bod yr olygfa o'r Bryn bron yn 360° ar draws Llundain gyfan ac os cewch gyfle i fynd yno mae'r profiad yn un gwerth chweil.

Fodd bynnag, roeddem yn sylweddoli nad oedd hi'n mynd i fod yn hawdd cael caniatâd i osod cofeb yn y man arbennig yma. Roedd peth gwrthwynebiad yn lleol ac mi fu'n rhaid trefnu cyfarfod efo'r swyddog cynllunio priodol ac mi wnaed cais am gyfarfod ag Awdurdod y Parciau Brenhinol yn Llundain. Cafodd Rhian a minnau apwyntiad gweddol sydyn i weld y prif gynllunydd. Anodd oedd esbonio iddo pwy yn union oedd Iolo Morganwg. Cymeriad Marmite yw Iolo, ond mi wn am ysgolheigion disglair yng Nghymru sydd yn canu ei glodydd tra bod eraill yn ei ddifrïo'n llwyr. Wrth esbonio i'r cynllunydd pwy oedd ein harwr roedd ei lygaid i'w weld yn tyfu'n fwy bob munud ac efallai bod hanes bywyd Iolo mewn chwarter awr yn ormod iddo broscsu! Canlyniad y cyfarfod oedd ei fod o'n meddwl mai annhebygol iawn fydde cael caniatâd ond yn dweud wrthym bod croeso i ni anfon unrhyw wybodaeth bellach ato. Un peth ddaeth yn amlwg i Rhian a minnau oedd na fydde unrhyw golofn neu gerflun yn debygol o gael caniatâd ac mi aed ati i gomisiynu cofeb fydde'n gorwedd yn wastad ar y ddaear. Comisiynwyd y cerflunydd enwog, John Meirion Morris – oedd yn gymydog i mi yn Llanuwchllyn – i'w chynllunio. Daeth John â chynllun rhagorol yn dangos wyneb Iolo ar gylch pres a'r awgrym oedd suddo'r gwaith mewn carreg debyg i lechen. Comisiynwyd y crefftwr arbennig, Ieuan Rees, i wneud y gwaith ar y garreg fydde'n amgylchynu'r cerflun.

Anfonwyd llyfryn yn cofnodi hanes Iolo at y cynllunydd ac o fewn ychydig wythnosau daeth gwahoddiad i ni'n dau ei weld unwaith eto. Dywedodd y buasai modd rhoi cofeb nad oedd yn amharu ar y nenlinell na'r olygfa. O hynny ymlaen cafwyd ymdrech fawr i godi arian – Rhian wnaeth y gwaith unwaith eto. Cawsom sawl derbyniad yn Nhŷ'r Cyffredin ac yn y Senedd yng Nghaerdydd gyda haneswyr amlwg yn cymeryd rhan flaenllaw, sef yr Athro Geraint H. Jenkins a'r Athro Dewi Prys Morgan, y ddau yn awdurdodau ar hanes Iolo. Codwyd digon o arian ac mi benderfynwyd ei dadorchuddio'n swyddogol ar y bryn yn haf 2009.

Trefnwyd y digwyddiad ar heulsafiad yr haf a gwahoddwyd cymaint ag a fedrai fod yn bresennol o Orsedd y Beirdd. Ar y Sadwrn hwnnw daeth llond tri bws ynghyd ac mi gawsom oll gyfle i newid i lifrau'r Orsedd mewn capel cyfagos cyn gorymdeithio i fyny trwy dref Bryn y Briallu i fyny'r bryn ei hun at y gofeb. Roedd rhai o drigolion y dref mewn sioc o weld y ffasiwn beth ac eraill yn gwerthfawrogi. Cafwyd seremoni briodol ar y bryn – gyda'r Archdderwydd Selwyn Iolen yn arwain. Yn dilyn yr achlysur, cafwyd bwffe hyfryd wrth droed y bryn yn nhŷ bwyta Bryn – sef Bryn Williams, perchennog Odette's.

Pennod 8

WEDI DYCHWELYD YN ôl i San Steffan yn Ionawr 2006 ces alwad ffôn gan ysgrifennydd preifat y Llefarydd. Roedd y Gwir Anrhydeddus Michael Martin A.S. am gyfarfod â mi. Toedd hynny ddim yn anghyffredin gan i Michael bwysleisio bod ei 'ddrws ar agor' i bawb ohonom o bob plaid yn ôl y galw. Mi fu tipyn o feirniadu ar Michael adeg y ffrae ynglŷn â threuliau aelodau, gan fod angen ceisio beio rhywun am y llanastr. Fy marn i oedd iddo gael ei feirniadu'n annheg – roedd y beirniaid yn disgwyl iddo fel Llefarydd ddadwneud patrwm o gamymddwyn a oedd yn bodoli ymhell iawn cyn iddo fynd i'r gadair, fel petai. Mae gwleidyddion yn aml yn edrych am fwch dihangol er mwyn gwyro'r bai a'r cyfrifoldeb oddi wrthynt hwy ac i mi, dyna'n union a ddigwyddodd yn achos Michael – roedd ganddo ddiffygion, wrth gwrs, ond 'heb ei fai heb ei eni'. Mi grëwyd rhyw fomentwm mawr yn ei erbyn ddaru, yn y diwedd, ei orfodi i ymddeol fel Llefarydd.

Fodd bynnag, roedd Michael bob amser yn hael efo'i amser ac yn deg iawn yn ei ddosraniad o amser i ni fel plaid ac yn sicrhau y bydden ni'n cael ein galw ar y rhan fwyaf o achlysuron pan oeddem am holi gweinidog neu am ymateb i ddatganiad. Bydde'n aml yn f'atgoffa bod ganddo ddyletswydd i warchod buddiannau pawb yn y Siambr ac i ofalu bod y 'pleidlau llai' yn cael eu diogelu ac ni chefais unrhyw achos i amau ei ddiffuantrwydd yn hyn o beth.

Es i weld Michael yn Siambrau'r Llefarydd yn ôl ei gais. Roedd y cyfarfod braidd yn anghyffredin gan nad oedd gen i unrhyw syniad beth roeddem yn mynd i'w drafod. Wedi cael paned o goffi dyma fo'n dweud beth oedd ar ei feddwl. Roedd yn llawn sylweddoli bod adeilad ysblennydd newydd y Senedd (yr hen Gynulliad) yn mynd i gael ei agor yn swyddogol ar Fawrth y cyntaf. Ychwanegodd fod cais wedi dod iddo wneud araith ac mi roedd hi'n ddymuniad ganddo i draddodi honno yn y Gymraeg. Dyma ofyn i mi a fuaswn yn cyfieithu'r drafft oedd ganddo ac yn ei ddysgu i'w thraddodi yn y Gymraeg! Cytunais yn syth, yn arbennig felly gan iddo ddweud y gallwn newid ychydig ar yr araith fer pe bai angen. Rhoddais heibio fy nireidi naturiol a chytunais. Roedd o'n awyddus i mi ddod draw i'w 'diwtora' unwaith yr wythnos am yr wythnosau nesaf a hefyd i recordio'r araith ar dâp yn araf er mwyn iddo ymgyfarwyddo â hi. Mi wnes hynny wrth gwrs ac ar ôl rhyw dair sesiwn roedd ei ynganu'n bur dda ac mi roeddwn yn edrych ymlaen at yr agoriad swyddogol ysblennydd ymhen rhyw bythefnos go lew.

Dim ond wedyn y sylweddolais fod y cais hwn yn fraint mewn gwirionedd gan y gwyddwn fod tua ugain neu ddeg ar hugain o Aelodau Seneddol ac Aelodau Tŷ'r Arglwyddi yn siarad iaith y Nefoedd ac mai ata i y trodd y Llefarydd. Tynnais ei goes gan ofyn a fydde'n iawn i mi addasu fy ngherdyn busnes i roi 'Trwy Apwyntiad – tiwtor Cymraeg i'r Llefarydd'. Bu Michael yn chwerthin sawl tro wedi hynny o gofio'r cais od a rhyfeddol hwnnw!

Yn anffodus, nid oes diwedd hapus i'r stori hon gan i Michael gael ffliw difrifol tua diwedd Chwefror a methodd fynd i Gaerdydd ac yntau wedi dweud sawl gwaith wrtha i y bydde'n rhaid iddo fedru ynganu'r Gymraeg yn weddol gywir, 'O barch i'r Cymry a chithau,' meddai.

Dewiswyd Is-Lefarydd, Sylvia Heal A.S., a oedd yn hanu o Ogledd Cymru. Yn anffodus, nid oedd ei hynganiad hi'n dda iawn ac efallai, gan ei bod o dras Cymreig, iddi deimlo y gallasai ddarllen Cymraeg yn ddiymdrech. Nid felly bu hi, mae gen i ofn.

* * *

Yn 1958 sefydlwyd yr Ysgol Gymraeg yn Llundain ac ers hynny roedd rhieni a chyfeillion yr ysgol wedi gorfod ei hariannu drwy godi arian, derbyn rhoddion, cynnal nosweithiau a cheisio cymorth gan gyn-ddisgyblion. Roedd yr ysgol yn adnodd ardderchog, yr unig ysgol Gymraeg ei hiaith y tu allan i Gymru ar wahân i'r Wladfa, wrth gwrs. Yn ddi-os roedd yna barch tuag at yr ysgol ar draws y sbectrwm gwleidyddol ac unigolion o bob plaid wedi ymgyrchu i sicrhau arian 'canolog' gan y Llywodraeth i redeg yr ysgol gan fod y gwaith yn feichus iawn a'r costau'n anorfod yn cynyddu efo amser. Balchder i bawb oedd bod yr ysgol fechan hon yn llwyddo i roi'r addysg gynradd orau i'r disgyblion, ac wrth gwrs mae ei henw da yn parhau heddiw. Cofiaf fynd i weld yr Ysgrifennydd Addysg gyda dirprwyaeth oedd yn cynnwys John Morris A.S., Geraint Howells A.S. a Dafydd Wigley A.S. (y tri yn Nhŷ'r Cyffredin ar y pryd). Y broblem a rwystrai'r ysgol rhag cael arian 'canolog' oedd oherwydd bod yr Ysgol Gymraeg yn dilyn cwricwlwm Lloegr yn y Gymraeg. Ces gyfarfod gyda sawl deiliad swydd yr Ysgrifennydd Addysg a hefyd gyda Rhodri Morgan A.M., Prif Weinidog Cymru. Yn y cyfarfod gydag o yng Nghaerdydd nodais fod Llywodraeth Cymru yn gweithredu polisi o gynnig arian cymhorthdal i fyfyrwyr ifanc o'r Wladfa i ddod i Gymru i loywi eu hiaith. Gofynnais beth oedd y rhwystr felly i Lywodraeth Cymru ariannu'r ysgol er ei bod dros y ffin. Toedd Rhodri ddim yn elyniaethus ac mi ddywedodd y buasai'n siarad efo'i swyddogion. Pan glywais y geiriau yna, suddodd fy nghalon. Dros y blynyddoedd roedd Emlyn Hooson A.S. wedi gwneud llawer iawn o waith i gynorthwyo'r ysgol ond dro ar ôl tro daeth yn erbyn bwgan y cwricwlwm. Rhag ofn i mi gamarwain, roedd y Cynulliad Cenedlaethol yn cyfrannu 30% o gost yr ysgol cyn hyn, ond cais am sicrhau 100% oedd y rheswm i mi gyfarfod efo Rhodri Morgan.

Deallais fod dyfodol yr ysgol mewn perygl ac mi ges gyfarfodydd efo Cadeirydd yr Ysgol, David Parry-Jones, a oedd mewn oedran go lew ond yn dal yn ymgyrchwr tan gamp. Dyma oleuni'n codi dros y bryn sef Mesur Addysg ac Archwiliadau 2006. Ar y pryd ystyrid y Mesur yn un gweddol ddadleuol mewn mannau – yn creu mwy o fiwrocratiaeth ac yn gorlwytho rheolwyr ysgolion efo dyletswyddau trymion o gofio mai gwaith gwirfoddol ydoedd. Mi roedd yna sôn y buasai'r Ysgrifennydd Addysg yn methu â chael 'amserlen' y Mesur drwy Dŷ'r Cyffredin ac felly y bydde'r Mesur yn disgyn. Ar y pryd roedd y 'mathemateg' Seneddol yn golygu bod pleidleisiau'r Blaid yn hanfodol os oedd y Mesur i lwyddo. Yn llawn sylweddoli hyn, dyma drefnu cyfarfod efo'r Ysgrifennydd Addysg, Ruth Kelly A.S. a minnau a hefyd Adam Price A.S. yn bresennol.

Cawsom dderbyniad eithaf gwresog gan Ruth Kelly A.S. – efallai am y rheswm fod ein pleidleisiau mor bwysig iddi. Gofynnodd y ddau ohonom am sicrwydd y bydde modd ariannu'r ysgol fel pob ysgol arall yn Llundain, gan y cyngor lleol i ardal Harlesden. Toedd hi ddim yn rhy negyddol ac wedyn mi fu trafodaeth ar ba ffordd roedden ni am bleidleisio. Swm a sylwedd y mater oedd i Adam a minnau gytuno i ymatal rhag pleidleisio pe bai sicrwydd yn dod y buasai'n bosib i'r ysgol roddi cais i'r Cyngor lleol i'w hariannu. Gwyddem yn iawn fod safon addysg aruchel i'w gael yn yr Ysgol ac mi roeddem yn sicr y buasai'r ysgol yn llwyddo ar bob mesur a fydde'n hanfodol cyn derbyn arian gan y cyngor lleol yn Llundain.

Ymhen rhyw ddiwrnod neu ddau derbyniais lythyr gan yr Ysgrifennydd Addysg yn dweud y bydde hi'n rhoi ei chefnogaeth yn llwyr i gynorthwyo'r ysgol i ymuno â sustem llywodraeth leol, hyd yn oed pe bai'r Awdurdod Addysg yn gwrthod. Yn y llythyr hwnnw, dywedodd pe bai'r awdurdod yn gwrthod yna, mi fydde'n rhaid iddyn nhw roi rhesymau manwl am y gwrthwynebiad ac yna bydde'r dyfarnwr annibynnol yn ailedrych ar y cais ac mi fuase gan y dyfarnwr yr hawl i wyrdroi'r penderfyniad ar gyngor yr Ysgrifennydd Addysg. Dyna sicrwydd yn ein tyb ni.

Mi ddaeth y mesur ymlaen o fewn ychydig ddyddiau ac

wrth gwrs mi ddaru Adam a minnau gadw at ein gair ac ymatal rhag pleidleisio. Aeth y cynnig Amserlen drwodd efo mwyafrif bach iawn – 10 o bleidleisiau yn unig a dyna ddyfodol yr Ysgol Gymraeg yn ddiogel. Fel hyn y gwelai David Chester, Prif Ohebydd Gwleidyddol y *Times* y mater, 'Welsh outpost saved by deal to win votes for schools Bill' – 'The only Welsh language school outside Wales has been saved by a deal struck during the frantic horse-trading for MPs' votes over the Education and Inspections Bill... Elfyn Llwyd and Adam Price agreed to abstain rather than vote against, *The Times* has learnt, and by a margin of just ten votes on Wednesday night the timetable was saved along with the school.' Mae yna fwy nag un ffordd o fynd â Wil i'w wely!

Rwy'n ddiolchgar i Sioned Bowen, rhiant ac Is-Gadeirydd yr ysgol am y sylw canlynol yn llyfr hanes yr ysgol a gyhoeddwyd ar achlysur pen-blwydd yr ysgol yn drigain yn 2019, 'Mae dyled enfawr i'r Gwir Anrhydeddus Elfyn Llwyd, aelod o'r Cyfrin Gyngor. Ni ellir pwysleisio digon am y gwaith ers 1998 a chyfraniadau arbenigol Elfyn Llwyd dros nifer o flynyddoedd.' Y gwir oedd i mi fanteisio ar fod yn y 'lle iawn ar yr adeg iawn' gan i nifer fawr o bobl eraill ymdrechu'n galed i sicrhau sefyllfa ariannol yr ysgol dros y blynyddoedd.

Yn anffodus, ni lwyddwyd i wneud yr ysgol 'yn rhad ac am ddim' sef 'free school' yn 2011 ac felly symudodd yr ymgyrch yn ôl i Gaerdydd. Yn y cyfamser, ces gyfarfod gyda Gweinidog Addysg y Llywodraeth yn Llundain unwaith yn rhagor. Roedd Lord Hill yn cydymdeimlo'n fawr, ond mi wyddwn ar ei osgo nad oedd yna lwyddiant i ddod i sicrhau rhagor o arian.

Ymunodd Gweinidog Addysg Cymreig â'r ddadl ac mi welodd ei ffordd yn glir i warantu arian sylweddol i'r ysgol am o leiaf dair blynedd. Mae angen diolch i'r Gweinidog, Leighton Andrews AC, am ei ymyriad personol yn y mater hwn gan iddo berswadio Llywodraeth Cymru y gallai ariannu'r ysgol o dan bwerau oedd ganddo i hyrwyddo'r iaith Gymraeg a'r diwylliant oddi allan i Gymru. Yn y fan yma, mae angen talu diolchiadau diffuant i'm cyfaill a chyd-aelod o Gyngor Prifysgol Aberystwyth, y Dr Emyr Roberts a oedd yn uwch was sifil yng Nghaerdydd ar y pryd. Roedd yn amlwg yn gefnogol iawn a hefyd mewn sefyllfa ddylanwadol tu hwnt.

Hyfrydwch yw nodi bod yr em fechan yma'n parhau i ddisgleirio yng nghanol Llundain ac yn mynd o nerth i nerth. Un o'r pleserau mawr blynyddol yn San Steffan oedd gwahodd yr ysgol draw ar Ddydd Gŵyl Dewi i gyflwyno torch o gennin pedr i'r Llefarydd ac i gymryd rhan mewn oedfa yn yr eglwys danddaearol yn adeilad San Steffan (yr Undercroft). Gallasai Dafydd Iwan yn hawdd fod wedi meddwl am yr ysgol hon wrth ysgrifennu ei gân 'Yma o Hyd'!

* * *

Fel y bydd y darllenydd yn cofio, yn 2007 ac am fisoedd lawer cynt, roedd yna argyfwng enbyd yn Darfur. Talaith ddeheuol o'r Sudan yw Darfur ac ar y pryd roedd gwahanol ffacsiynau'n brwydro ac amheuon mawr bod llywodraeth y Sudan yn arteithio a lladd miloedd o bobl ddiniwed yno. Trwy gyd-ddigwyddiad, roedd Darfur yn dalaith dlawd heb fawr ddim i'w weld ynddi ond roedd hi'n hysbys bod yna ddigon o fwynau tra gwerthfawr yn y tir, sef aur a hefyd wraniwm. Ychydig cyn diwedd Tachwedd ces wahoddiad i ymweld â'r Sudan a Darfur er mwyn darganfod beth yn union oedd yn digwydd yno. Gan fod y drychineb yma, fel Yemen heddiw, yn un lle roedd y byd rhyngwladol yn gwybod amdano ond yn gwrthod ymyrryd, roedd gen i ddiddordeb mewn mynd a gobeithiwn adrodd yn ôl, rhoi hysbysrwydd cyhoeddus iddo a cheisio cael y Llywodraeth Brydeinig, trwy'r Cenhedloedd Unedig, i wneud rhywbeth cadarnhaol i warchod y miloedd yn Darfur.

I'r perwyl yma ces y manylion a chanfod mai ychydig o wleidyddion a wahoddwyd, sef David Steele A.S. – yr Arglwydd Steele erbyn hyn a chyn-arweinydd y Rhyddfrydwyr, Michael Howard A.S. – yr Arglwydd Howard rŵan a chyn-arweinydd y

Torïaid, a chyfaill i mi o Senedd Iwerddon, y Seneddwr Donal Lydon, a minnau. Wedi bwrw golwg dros amserlen y daith a'r teithlyfr, gwelais fod rhyddid i ni ddewis ambell i le yn Darfur y gallen ni ymweld ag o. Credwn fod hyn yn bwysig oherwydd fel arfer, bydd llywodraethau yn amheus ac am i ni weld yr hyn maen nhw'n credu y dylen ni ei weld a dim arall. Felly cytunais i fynd ar yr ymweliad. Cyn mynd cysylltais â'r BBC yng Nghymru ac mi ges gamerâu fideo arbennig ganddyn nhw i gofnodi rhannau o'r ymweliad. Hefyd, penderfynais gadw dyddiadur manwl o'r hyn roeddwn wedi ei weld, er mwyn sicrhau y medrwn adrodd yn ôl yn fanwl ac yn gywir wedi dychwelyd.

Ar y trydydd o Ragfyr 2007 dyma gychwyn ar y daith i'r Sudan a Darfur. Credwn y bydde'r profiad o fynd i Khartoum yn un difyr – lle hanesyddol, rhamantus braidd, ble mae'r ddwy Afon Nîl sef yr Afon Wen a'r Afon Las yn cyfarfod. Wedi taith o ryw chwe awr a hanner mewn awyren i Khartoum, prifddinas Sudan, bu fy meddwl yn troi o gwmpas y pethau roeddwn wedi eu clywed eisoes am y wlad hon. Mae'n wlad fawr – y drydedd wlad fwyaf ar gyfandir Affrica, a'r ddegfed fwyaf yn y byd, medden nhw.

Ond yr hyn oedd yn pwyso ar fy meddwl oedd y rhanbarth deheuol sef Darfur. Wedi dros bedair blynedd o ryfela chwyrn, roedd 200,000 o fywydau Affricanaidd du wedi eu colli, y mwyafrif llethol ohonyn nhw'n bobl ddiniwed, heb unrhyw ran yng ngwleidyddiaeth y wlad, nac yn yr ymryson ffyrnig am bŵer.

Ar yr ail fore, am 6.30 y bore roeddem yn hedfan i Darfur. Aethpwyd â ni i wersyll pobl oedd wedi eu gyrru o'u cartrefi. Rhaid cyfaddef nad oeddwn yn barod ar gyfer yr hyn a'n hwynebodd. Y ffigwr swyddogol am yr un gwersyll hwnnw oedd 50,000 o bobl – tua maint poblogaeth llawer o etholaethau seneddol! Dywedwyd, serch hynny, fod y niferoedd yn sylweddol uwch mewn gwirionedd a'i fod yn cynyddu.

Roedd nifer o wersylloedd tebyg yn Darfur, rhai ohonyn nhw

hyd yn oed yn waeth. Y diwrnod hwnnw roedd y llywodraethwr lleol, neu'r Walid, Osman Kilsir, yn ein sicrhau ni fod y sefyllfa o ran diogelwch wedi gwella a hefyd bod pob gwersyll wedi sefydlogi, os nad wedi gostwng mewn niferoedd a hefyd bod torcyfraith yn llai nag a fu. Rhoddodd yr argraff fod pethau yn gwella'n sylweddol ac mai'r rheswm dros fodolaeth y canolfannau hyn oedd er mwyn gwarchod y bobl ac i ddarparu cymorth dyngarol iddyn nhw. O edrych o gwmpas y gwersyll gwelais fod y sefyllfa'n druenus efo pobl yn byw mewn budreddi a rhyw esgus o ysbyty bach yn bodoli mewn un neu ddau o lefydd. Wedi mynd i mewn i'r meddygfeydd roedd hi'n amlwg nad oedd ganddyn nhw nemor ddim cyffuriau na hyd yn oed ddŵr glân.

Cawson ni gyfle i siarad yn breifat gydag un neu ddau o'r trigolion druan a chanfod bod 'dynion yn dod yn rheolaidd liw nos i'w curo' a châi ambell un ei ladd hyd yn oed. 'Dynion yn gwisgo bŵts oedden nhw'. Cadarnhad oedd hyn mai criw parafilwrol o dan reolaeth answyddogol Llywodraeth y Sudan oedd y rhain, sef y Janjaweed erchyll. Pwrpas y gorthrwm ciaidd oedd rhyddhau'r tiroedd lle roedd y mwynau gwerthfawr i'w cael a hefyd deuthum i sylweddoli mai gorthrymu'r Darfuriaid croenddu oedd bwriad y Llywodraeth. Roedd y Llywodraeth yn Arabiaid efo crwyn ychydig go lew yn oleuach ac mi ddaethon ni i'r casgliad annifyr bod hiliaeth yn chwarae rhan ganolog yn y gorthrwm. Daethon ni i'r casgliad hefyd fod y sefyllfa'n wirioneddol erchyll gan fod y gwersyll hwn yn un roedd y Llywodraeth yn hapus i ni ymweld ag o. Yn fy meddwl i, drwy gydol yr hanner diwrnod y bûm yno, roedd y geiriau 'mae'n rhaid gwneud rhywbeth' oherwydd ei bod hi'n amlwg fod gwersylloedd gwaeth mewn bodolaeth mewn sawl rhan arall o Darfur ac i mewn i'r Sudan.

Ces deimlad annifyr yn fy ystumog a chwestiynwn beth oedd rôl y Cenhedloedd Unedig yn hyn oll. Wedi'r cwbl roedd y Cenhedloedd Unedig wedi gweithredu yn Bosnia yn 1993 ac 1994 heb fandad Cyngor Diogelwch y Cenhedloedd Unedig, ar sail dyngarol, er mwyn gwarchod bywyd ac arbed cyflafan. Doeddwn i ddim mor naïf â chredu nad oedd yna ddiddordebau mawr eraill y tu ôl i'r gyflafan yma yn Darfur ac felly bydde mandad unfrydol y Cyngor Diogelwch unwaith eto'n anodd, os nad yn amhosib ei sicrhau, ond mi roedd y gweithredu yn Bosnia yn gynsail, yn fy nhyb i beth bynnag.

Cyfarfûm â chyrnol ifanc o Nigeria, a oedd yn rhan o warchodlu o dan nawdd yr Undeb Affricanaidd, ac a oedd yno i geisio cadw'r heddwch. Dywedodd wrtha i nad oedd y gwaith roedden nhw'n ei wneud yn effeithiol iawn, oherwydd diffyg cymorth awyrennau, meddai, a chyrffiw hedfan wedi chwech y nos. Doedd dim rhyfedd mai liw nos y bydde'r Janjaweed yn taro. Roedd o'r farn pe bai hi'n bosib cael chwe hofrenydd arfog yna mi fydde'n bosib cadw'r heddwch go iawn a gwarchod y trueiniaid hyn, ond er ei ymbil cyson nid oedd gan yr Undeb Affricanaidd yr awyrennau i'w sbario!

Cawson ni sgyrsiau â chyrff dyngarol megis Oxfam ac eraill i drafod y sefyllfa, ond y broblem oedd bod aelodau o'r cyrff hynny'n rheolaidd yn cael eu herwgipio a bod eu ceir, naill ai yn cael eu dwyn, neu'u cael eu rhoi ar dân. Roedd hi'n rhy beryglus iddyn nhw fod yno a gyda chalon drom iawn bu'n rhaid iddyn nhw ymadael â'r wlad ac mae'n hawdd deall hynny, er gwaethaf yr angen taer amdanynt. Yr un oedd tystiolaeth y Groes Goch. Eto, roedd y Walid bondigrybwyll am i ni gredu bod pethau'n gwella'n sylweddol. Gadewais Darfur yn teimlo'n anniddig a rhwystredig. Sut medrwn i beidio â cheisio estyn cymorth, o wybod bod rhai o'r bobl yno wedi gorfod treulio hyd at bedair blynedd yn byw dan amgylchiadau o'r fath?

Wedi cyrraedd yn ôl i Khartoum y noson honno mi gawson ni gyfarfod ag Arlywydd Sudan, Omar Hassan Ahmed al-Bashir. Ymysg ein cwestiynau iddo oedd pam nad oedd o wedi darparu hofrenyddion neu wedi galw ar yr Undeb Affricanaidd i'w darparu, er mwyn sicrhau gwarchodaeth go iawn i'r bobl yn y gwersylloedd ac eraill a oedd yn cael eu hel o'u cartrefi? O'r cychwyn rhaid dweud nad oedd al-Bashir yn gwmni difyr

115

iawn. Roedd yn ffroenuchel ac yn rhoi'r argraff mai dioddef ein presenoldeb ydoedd. I mi, roedd hynny'n ei gwneud hi'n haws gofyn cwestiynau pigog ac amlwg hefyd, os ca' i ddweud. Roedd ei atebion i bron bob cwestiwn yn hollol annigonol.

Fore trannoeth, bore Mercher ymwelson ni â'r Cynulliad Cenedlaethol yn Khartoum i gyfarfod â chynrychiolwyr nifer o weinidogion ac o gwleidyddion y gwrthbleidiau. Cadwodd y gweinidogion at y lein swyddogol na ddylen ni bregethu, gan honni ei bod hi'n amhosibl gwahaniaethu rhwng polisi tramor Ynysoedd Prydain a pholisi tramor yr Unol Daleithiau. Dywedais fy mod yno er mwyn canfod y gwirionedd am y sefyllfa yn Darfur. Cododd un gweinidog ei lais, gyda chefnogaeth eraill a dweud na ddylen ni ddod yno i bregethu, gan fod Llywodraeth Prydain wedi mynd i frwydro yn Afghanistan a hefyd yn Irac. Pwy felly roedden ni i bwyntio bys atyn nhw? Atebais ef yn syth a dweud fy mod i wedi pleidleisio yn erbyn mynd i ryfela yn Afghanistan a hefyd yn Irac ac ar hynny tawodd y gweinidog uchel ei gloch.

Barn y rhan fwyaf o wleidyddion Sudan oedd bod y Cytundeb Heddwch Cyffredinol, oedd wedi ei arwyddo gan yr holl bleidiau gwleidyddol a'u hesgyll milwrol, yn hanfodol. Ond roedd cyfranwyr y Gorllewin wedi addo $4.2 biliwn iddyn nhw pan gafodd y cytundeb ei lofnodi. Hyd at yr adeg hynny, dim ond 10% oedd wedi ei dalu a'r cwestiwn mawr ganddynt oedd 'Pam?' Yn bersonol, gallwn weld pam yn iawn, sef oherwydd eu triniaeth warthus o bobl Darfur, druan ohonyn nhw. Tan y bydde'r cyfranwyr yn fodlon gweld bod poblogaeth Affricanaidd ddu Darfur yn cael ei thrin yn iawn, roedd hi'n annhebygol, yn fy marn i, y bydde'r arian yn cael ei ryddhau.

Yn ddiweddarach y diwrnod hwnnw gofynnodd Michael Howard pryd roedden ni am gael cyfle i ymweld â gwersyll o'n dewis ni. Anwybyddu'r cwestiwn oedd y 'lein' swyddogol ac mi godais innau fy llais hefyd i'w gefnogi, gan mai dyna un o'r rhesymau y deuthum allan yno yn y lle cyntaf. Dim ond ni ein dau ddaru ddadlau am hyn, dau Gymro a dau fargyfreithiwr, ond y ddau ohonom o dras gwleidyddol tra gwahanol! Dim gair gan weddill y parti, mwya'r piti. Roedd hi'n amlwg i ni ein dau bod gan y bobl hyn lawer i'w guddio. Mi greodd yr Arlywydd argraff anffafriol iawn arnaf ac mae ei ymarweddiad trahaus wedi aros yn fyw yn y cof hyd heddiw. Erbyn hyn, cafodd ei drechu mewn brwydr filwrol fewnol ac mae o'n disgwyl sefyll ei brawf ar inditiad ger bron y Llys Troseddol Rhyngwladol, rhywbeth na fuase fo, ac na fuaswn i wedi ei ddychmygu yn y dyddiau pan oedd o'n tra-arglwyddiaethu ar gorn llawer iawn o'i bobl. Gobeithio yn wir bod ei droseddu yn mynd i gael eu datgelu yn y Llys ac y ceith ei haeddiant yn y pen draw.

Fore drannoeth, bore Iau, yn dilyn rhagor o gyfarfodydd gydag arweinyddion gwleidyddol mi ddychwelsom ar yr awyren tuag adref gyda'r un teimlad anesmwyth yn ein poeni ag a fodolai wrth gyrraedd. Roedd un peth yn amlwg, roedd yn rhaid i'r Llywodraeth a'r pleidiau gwleidyddol ddatgelu'r gwir am yr hyn oedd yn digwydd yno, ond pa obaith? Pa mor hir y gallai'r gymuned rhyngwladol ganiatáu i'r sefyllfa hon barhau? Ychydig funudau cyn ymadael ces ddogfen gan weithiwr corff dyngarol yn nodi llawer o ffeithiau ac yn datgan bod tua dwy filiwn o bobl mewn gwahanol wersylloedd. Dim rhyfedd, felly, nad oedd posib cael mynediad i'r rheiny.

Ar ôl dychwelyd adref holais y Prif Weinidog, Gordon Brown, am y posibilrwydd o berswadio y Cenhedloedd Unedig i weithredu a hefyd mi roddais gopi llawn o'm dyddiadur i'r Gweinidog Tramor, Kim Howells A.S. gan erfyn arno i geisio chwilio am atebion. Darlledwyd y sgyrsiau fideo ar y BBC yng Nghymru ac mi ymddangosodd erthygl yn *Golwg*. Dagrau'r sefyllfa yw i'r drychineb barhau am gyfnod hir wedi'r ymweliad.

Pennod 9

WEDI DYCHWELYD YN ôl i Lundain ar ôl y Nadolig 2007 roeddwn yn wynebu gorchwyl hollol newydd i mi. Ces wahoddiad i fod yn feirniad 'Llyfrau Gwleidyddol y Flwyddyn' Sianel Pedwar Lloegr. Ymysg fy nghyd-feirniaid roedd y newyddiadurwr John Sargeant, yr Arglwydd Charles Faulkner o'r Blaid Lafur, yr Arglwydd McNally o'r Blaid Ryddfrydol, ac roeddem o dan gadeiryddiaeth y diweddar Tessa Jowell o'r Blaid Lafur. Dros y Nadolig 2007 bûm yn darllen sawl llyfr, rhai ohonyn nhw'n llawer difyrrach nag eraill. Un a'm trawodd oedd dyddiadur Tony Benn A.S. Roeddwn yn adnabod Benn yn weddol dda gan y bydde'n aml yn eistedd ar y 'bwrdd Cymreig' yn yr Ystafell De yn Nhŷ'r Cyffredin. Roedd o'n amlwg yn rhywun â phrofiad helaeth iawn o wleidydda, yn berson difyr i siarad ag o ac yn areithiwr tan gamp. Yn wir, roedd Benn yn un a fedrai lenwi'r Siambr bob tro y bydde'n codi i siarad. Roedd ganddo'r abledd i hoelio sylw a bydde bron pawb yn Nhŷ'r Cyffredin yn falch iawn o gael cyfle i wrando arno. Tydi hynny ddim i ddweud bod pawb yn cytuno ag o, ond y farn gyffredinol oedd ei fod yn areithiwr pwerus iawn ac roedd ei wrthwynebwyr gwleidyddol hyd yn oed yn dweud na allent yn aml weld bai ar resymeg ei ddadl ond weithiau, neu yn aml, gallasent anghytuno efo'i gasgliadau! Doeddwn i ddim yn un o'r rheiny ac mi gawn bleser o wrando arno. Gyda llaw, mae ei fab, Hilary Benn yn aelod Llafur yn San Steffan ers sawl blwyddyn bellach ac mae o'r un sbit â'i dad, o ran ei lais a hefyd ymarweddiad. Mae'r tebygrwydd yn rhyfeddol, ond mae ei wleidyddiaeth yn dra gwahanol i'w dad. Tros y blynyddoedd, roedd Tony Benn yn ddraenen yn ystlys gweinidogion yn ystod teyrnasiad Tony Blair ac mi ddangosai bob amser ei fod yn eofn wrth holi gweinidogion a hefyd wrth areithio. Mae gen i barch mawr iddo.

Ar ôl y rhagymadrodd yna, nid yw'n syndod i mi benderfynu mai dyddiadur Tony Benn oedd y llyfr a oedd yn apelio fwyaf ataf ond mi roedd y tri aelod Llafur ar y panel yn daer yn erbyn ei wobrwyo. Eu dewis hwy oedd rhyw gyfrol ysgafn a diflas gan gyn-Aelod Seneddol a oedd wedi ei hanfon i Dŷ'r Arglwyddi bron drannoeth wedi iddi golli ei sedd mewn etholiad. Ffefryn Blair, mae'n rhaid. Dywedodd un o'm staff yn Llundain mai 'chick lit gwleidyddol' oedd y gyfrol, beth bynnag mae hynny'n ei olygu. Cymeraf nad gair o ganmoliaeth ydi'r disgrifiad hwnnw. Hyd y gwelwn i, yr unig beth nodedig am yr awdures honno oedd y bydde hi fel merch groenddu yn gwisgo gwisg liwgar draddodiadol Affricanaidd pan fydde'n eistedd y tu ôl i Tony Blair yn y sesiynau cwestiynau i'r Prif Weinidog ac yn gwisgo gwisg 'orllewinol' gyfoes fel siwt drowser ar bob achlysur arall. Roedd ei chymeradwyaeth i atebion y Prif Weinidog yn uchel ac yn gyson ac wrth gwrs mi gafodd ei gwobr yn syth drwy fynd i Dŷ'r Arglwyddi mewn byr o dro wedi iddi golli ei sedd yn Nhŷ'r Cyffredin. Mewn fflach, roedd Oona King wedi ei dyrchafu'n Farwnes am ei hymdrechion sinigaidd.

Deallais fod beirniaid Sianel 4 fel rheol yn gwobrwyo gweithiau yn unfrydol. Y tro yma, nid oedd posib gwneud hynny gan nad oeddwn yn fodlon gollwng fy mhenderfyniad i wobrwyo dyddiadur olaf Tony Benn. Cawsom doriad am baned cyn mynd yn ôl at y bwrdd. Yn y diwedd, mewn cryn rwystredigaeth cynigiodd Tessa Jowell gyfaddawd i mi. Pe bawn yn fodlon peidio â gwthio llyfr Tony Benn, mi fydden nhw'n creu gwobr arbennig 'Cyfraniad Oes i wleidyddiaeth' iddo a'i wobrwyo y flwyddyn honno. Yn y pen draw a heb ormod o frwdfrydedd, cytunais â'r fargen.

Ar yr 11eg Chwefror 2009 roeddwn ar fy ffordd i mewn i'r

noson wobrwyo yn Sianel 4, pan sylwais mai'r ddau y tu ôl i mi oedd Tony Benn a chynrychiolydd ei wasg. Trodd Benn at ei gyfaill a dweud, 'This is Elfyn and we are here tonight because of him.' Ni wn hyd heddiw pwy oedd wedi dweud wrtho mai fi oedd y prif ladmerydd o'i blaid, ond ta waeth!

Ces flwyddyn brysur iawn yn 2008 a'r hyn a oedd yn nodweddu'r flwyddyn oedd yr amrywiaeth o bethau y bûm yn ymwneud â nhw. Bûm yn annerch gwleidyddion o wledydd y Gymanwlad mewn cynhadledd yn Llundain, lle gofynnwyd i mi areithio ar 'Gwaith a Rhan Gwrthbleidiau'. Roedd y profiad yn un dymunol a diddorol ac yn gyfle i ganfod agweddau'r gwrthbleidiau eraill. Yn dilyn y gynhadledd honno bûm yn annerch cynadleddau o'r fath ddwy neu dair gwaith wedyn.

Bûm hefyd yn aelod o Bwyllgor Sefydlog y Mesur Cynllunio, a oedd yn fesur eithaf dadleuol ar y pryd, gan iddo gynnwys sefydlu comisiwn i benderfynu ar geisiadau o bwys cenedlaethol, neu ryng-genedlaethol yn ein hachos ni yng Nghymru. Cefndir y Mesur oedd y cwyno bod y broses o gynllunio'n rhy hir wyntog a bydde Llywodraeth Tony Blair yn gwrando'n astud ar y lobi gyfalafol sef y datblygwyr eiddo a byd busnes ac yn gwneud popeth i'w cadw o fewn cylch y Llafur Newydd. Felly, roedd yn rhaid iddo eu cynorthwyo.

Roeddwn yn poeni y gallai'r Comisiwn Isadeiledd yma wneud penderfyniadau na fydde'r farn leol yn cytuno â hi ac yn wir gallai nacáu llais lleol yn y broses gynllunio. Mi roedd y nodiadau ar y Mesur wedi eu paratoi gan y Llywodraeth yn eithaf plaen. Cais i gyflymu'r broses o gymeradwyo prosiectau isadeiledd mawr, er enghraifft meysydd awyr, ffyrdd, porthladdoedd, pwerdai niwclear a chynlluniau'n delio â gwastraff. Roedd y geiriau olaf yna'n arwyddocaol iawn i mi ac mi wyddwn y buase yna berygl y câi barn pobl Cymru ei anwybyddu pe bai angen codi pwerdy niwclear neu gladdu gwastraff ymbelydrol unwaith eto yn ein gwlad. Yn ei hanfod, roedd y bwriad yn annemocrataidd ac yn wleidyddol beryglus hefyd.

Roedd y syniad bod comisiwn o'r fath yn mynd i benderfynu ble i ganiatáu claddu gwastraff ymbelydrol yn dra sensitif i mi, fel ag i gannoedd o etholwyr rhanbarth Meirion. Yn yr wythdegau cynnar gwnaethon ni yn Llanuwchllyn rwystro gwyddonwyr rhag cael mynediad i'r bryniau uwch ben y pentref i 'arbrofi' ac i weld a oedd y tirwedd yn addas ar gyfer claddu'r gwenwyn hwn. Am fisoedd bydden ni'r rhieni ifanc yn yr ardal yn codi cyn y wawr ac yn rhwystro mynediad iddyn nhw rhag gwneud hynny. Beth wnaeth ein cythruddo ni'n fawr oedd na fu unrhyw drafodaeth efo'r gymdeithas leol cyn cymeryd y camau hyn. Dyma ddod lygad yn llygad â nhw, a hwythau, NIREX yn ein bygwth â gwaharddeb Uchel Lys. Ni symudwyd pobl Llanuwchllyn ac yn y diwedd, dyma'r bygythiad mawr yn cilio.

Yn y Mesur yma felly, ofnwn y medrai'r un math o gyrff mawr pwerus a chanddynt yr holl adnoddau berswadio'r Comisiwn ac wrth wneud hynny anwybyddu'r farn leol. Canolbwyntiais ar y dadleuon hynny ac mi dderbyniais rai atebion lliniarus ond parhau wnaeth fy amheuon am y mesur. Rŵan y ddeddf yma. Gwelir enghreifftiau heddiw lle mae'r Comisiwn yn penderfynu, gan anwybyddu barn pobl leol, megis maes awyr Heathrow, a HS2. A bod yn deg, roedd angen newid ychydig ar y cyfreithiau a'r rheoleiddiadau cynllunio ond yn sicr roedd y mesur hwn yn mynd yn rhy bell yn fy marn i. Bûm yn canolbwyntio arno am wythnosau gan i'r mesur fynd o wrandawiad i wrandawiad, o ddechrau'r flwyddyn tan iddo orffen mynd trwy Dŷ'r Arglwyddi yn hwyr yn Nhachwedd 2008.

Bûm hefyd yn chwarae rhan eithaf sylweddol ar Bwyllgor y Mesur Gwrthderfysgaeth ac roedd angen gwneud llawer o ymchwil ar y gwaith hwnnw. Roedd hyn yn ychwanegol at ryw hanner dwsin o bwyllgorau eraill roeddwn yn aelod ohonynt.

Eto fyth derbyniais wahoddiad yn 2007 i gadeirio Pwyllgor Gwaith Eisteddfod Genedlaethol y Bala, 2009 ac roedd rhai o'm cyfeillion yn cwestiynu pa mor ddoeth fydde derbyn, gan fod pobl yn darogan etholiad cyffredinol arall maes o law. Fel y digwyddodd, ni chafwyd etholiad cyffredinol tan 2010 ac er bod angen llawer o bwyllgorau yn ymwneud â'r Eisteddfod, ar nos Iau yn y Bala y cynhaliwyd y rhan fwyaf o'r rheiny, wedi i mi gyrraedd adref o Lundain. Yr hyn a wnaeth y gwaith yn ysgafnach o lawer oedd bod y Trefnydd, Hywel Edwards, a'i ddirprwy Alwyn M. Roberts o Lanuwchllyn yn eithriadol o drefnus a phroffesiynol gan leihau'r baich arnaf yn sylweddol iawn. Roedd y gwaith yn symud yn llyfn iawn wrth i bawb gydweithio'n wych a chan fod pobl fel Elfyn Pritchard, y Prifardd Elwyn Edwards a'm cefnder, Ian Lloyd Hughes, Trysorydd Eisteddfod y Bala, ymysg y dwsin a mwy eraill ar y Pwyllgor Gwaith, yn eithriadol o brofiadol ym myd yr Eisteddfod.

Yng Ngŵyl Gyhoeddi Eisteddfod y Bala ym Mehefin 2008 ces sgwrs gyda'r Prifardd Dic Jones a oedd yn Archdderwydd. Wrth gamu o'r maen llog dyma fi'n gofyn i Dic a oedd o a Siân, ei wraig, am gampio yng Nglanrafon ger y Bala, fel y gwnaethant yn ystod eisteddfod 1967. Yn dilyn hynny mi drodd y sgwrs tuag at Glanrafon. Dywedodd Dic na fydde'n aros yn yr ardal honno ond ei fod yn ailddarllen un o'i hoff gyfrolau gan feirdd gwlad, sef *Cerddi'r Geufron*. Gyda balchder mawr dywedais wrth Dic mai fy nhaid oedd yr awdur, sef H. Ll. W. Huws, 'Huws y Geufron'. Roedd hyn yn arbennig o ddifyr i mi gan i mi gofio fy nhad, a oedd yn englynwr da iawn ei hun, yn canmol gwaith Dic Jones i'r entrychion gan ddweud nad oedd yna fardd tebyg iddo.

Yn ystod y cyfnod paratoi, roedd angen gwahodd unigolyn i Lywyddu'r Eisteddfod ac mi ddewiswyd fy nghyfaill Gwilym Prys Davies yn unfrydol. Gŵr o Lanegryn, Meirion, ydoedd Gwilym ac er iddo ymgartrefu yn ardal Pontypridd a Llundain, ar lawer ystyr nid oedd erioed wedi gadael ei annwyl Lanegryn.

Pan glywodd Gwilym fod yr Eisteddfod yn ei wahodd i dderbyn y Llywyddiaeth, ces alwad ffôn ganddo ac mi roedd o'n sicr o'r farn mai fi wnaeth 'drefnu' hynny. Wrth gwrs, mi roeddwn yn hollol gefnogol iddo ond ni 'threfnwyd' y peth o gwbl. Roedd y bleidlais yn unfrydol a'i ddewis ef wedi bod yn boblogaidd iawn. Yn anffodus, ni wnâi Gwilym dderbyn hynny ac ar sawl achlysur mi wenai arnaf a gofyn i mi 'gyffesu'! Yn ôl y disgwyl, cafwyd araith wych ac ysbrydoledig ganddo ac mi gawsom eisteddfod hynod o gofiadwy yn y Bala yn 2009.

Rhoddwyd y gadair gan Heddlu Gogledd Cymru. Ar y pryd, y Prif Gwnstabl oedd Richard Brunstrom, un â diddordeb dwfn iawn mewn dal pobl a fydde'n gyrru'n rhy gyflym. Yn wir, mi alwyd o'n *'Traffic Taliban'* gan rai papurau newydd dros y ffin! Cystal yw dweud bod ei bwyslais ar y troseddau hyn yn enwog drwy Ynysoedd Prydain. Rhyw fore, dyma gymydog i mi'n ffonio yn weddol gynnar a gofyn a oeddwn wedi darllen y *Sun*. Atebais nad oeddwn erioed wedi gwneud hynny. Dywedodd fy nghyfaill y dylswn nôl copi gan fod 'eich llun chi ynddo'. Ces gopi maes o law a dyna lle roedd llun ohonof i a Richard Brunstrom uwchben y gadair odidog. O dan y llun, ymddangosodd y canlynol:

Car hating copper
Is causing despair,
By blowing £4k
On a poet's chair.

Dwn i ddim pwy oedd y rhigymwr, ond mae'n hawdd credu nad oedd yn enw cyfarwydd i feirniaid yr Eisteddfod Genedlaethol! Ar y pryd, roeddwn hefyd yn Gynghorydd Seneddol i Ffederasiwn yr Heddlu ac ar sawl achlysur ces fy atgoffa o'r darlun a'r rhigwm.

Yn y cyfnod hwn bûm yn annerch Cynhadledd Flynyddol Ffederasiwn yr Heddlu a chyn gwneud ces gynghorion doeth gan fy mrawd, Alun, ar rai o'r problemau cyfoes ymysg yr heddweision. Roedd Alun ar y pryd yn Uwch Arolygydd yn Heddlu Gogledd Cymru a'i glust, wrth gwrs, yn agos iawn at y ddaear. Yn amlach na pheidio wrth annerch y Ffederasiwn byddwn yn cychwyn gyda'r un fath o jôc. Roedd fy nhad, un ewythr, brawd a dau gefnder yn aelodau o'r heddlu ac mi fyddwn yn nodi mai teulu lled ddiddychymyg oeddem. Doeddwn i, serch hynny ddim wedi ceisio ymuno â rhengoedd yr heddlu gan 'nad oeddwn, o reidrwydd eisiau cyflog mawr a gwyliau hir', ond yn hytrach mynd yn gyfreithiwr wnes i. Pe na bawn yn dod o deulu efo cysylltiad mor glos efo'r heddlu, efallai y buasai'r llinellau agoriadol yna'n rhy beryglus i agor fy anerchiad! Bûm mewn cynadleddau ledled Prydain, megis yn Bournemouth, Scarborough, lleoedd na fûm ynddynt cyn hynny. Ar yr un pryd hefyd bûm yn annerch Cynadleddau Blynyddol yr NFU ac Undeb NAPO.

Roeddwn yn parhau i ymgyrchu am well adnoddau i gyn-filwyr gawsai eu niweidio mewn gwahanol ryfeloedd ac yn sgil hynny bûm mewn sawl cynhadledd ac ar ymweliadau â charchardai a geisiai ddelio â niferoedd o gyn-filwyr – tystiolaeth bendant bod yna wir broblem yn bodoli. Cofiaf i mi gael cymorth gan unigolyn o Dde Lloegr, sef y Cyrnol Terry English, a thrwy ei ddylanwad ymwelais â charchardai yn Ne Lloegr, sef HMP Grendon a Springhill a oedd wedi ceisio'n galed iawn i wynebu'r sefyllfa a chwilio am atebion. Yn y ddau garchar cymharol fychan yma, a oedd yn ffinio ar ei gilydd, roedd canran uchel iawn o gyn-filwyr wedi eu trosglwyddo o lefydd eraill ac mi roedd yna waith aruthrol o dda'n digwydd yno a bydde pob cyn-garcharor yn gadael mewn llawer gwell cyflwr na phan ddaethon nhw yno. Mewn gwrthgyferbyniad llwyr â charchardai eraill, wrth i'r cyn-filwyr adael bydde swyddi parod a lle i aros wedi eu paratoi iddyn nhw. Roedd llawer o'r gwaith yn arloesol iawn ac yn batrwm eithriadol o dda i garchardai eraill. Yn ddiddorol, roedd amryw o swyddogion ac uwch-swyddogion y carchar hwn yn dod o gefndir milwrol a hefyd yn cydweithio'n glos â swyddogion prawf. Canlyniad hyn oll oedd bod graddfa aildroseddu gan y carcharorion hyn yn isel iawn, a theimlwn y buase'n well petai cynrychiolwyr y ddwy blaid fawr yn San Steffan yn canolbwyntio ar bethau positif fel hynny, yn hytrach na gwadu bod problem yn bodoli a cheisio bychanu'r rheiny ohonom oedd yn ddiffuant yn ein hymgais i wella'r sefyllfa. Hyn eto'n enghraifft o bolisïau cibddall y pleidiau mawr ym maes polisi penydiol a thystiolaeth eto eu bod yn poeni mwy am benawdau'r papurau 'tabloid' yn hytrach na gwneud gwir ymdrech i chwilio am atebion. Tan y bydd y pleidiau mawr yn rhoi heibio'r awydd i ddawnsio i dôn y tabloids, ni chawn bolisi penydiol synhwyrol a fforddiadwy ym Mhrydain.

Roedd cau'r llysoedd barn yn ymgyrch arall y bûm yn ymwneud â hi. Pan ges fy ethol gyntaf yn 1992 roedd Llysoedd Ynadon o fewn etholaeth Meirionnydd Nant Conwy yn y Bala, Blaenau Ffestiniog, Dolgellau, Y Bermo, Tywyn a Llanrwst. Heddiw, nid oes yr un ohonyn nhw'n ar ôl. Ie, gwlad y 'menig gwynion'. Gwyddoch, mae'n siŵr bod hen drefn i'w chael lle'r oedd Llysoedd Chwarterol yn cael eu cynnal ar gylchdaith Cymru a Chaer (fel yr oedd). Pan fydde'r barnwr ar daith yn dod i fan lle nad oedd yna drosedd gwironeddol ddifrifol ar ei restr, mi fydde'n gwisgo menig gwynion. Felly, mater o froliant ydyw mai dyna oedd llysenw Cymru. Heddiw serch hynny, mater o gywilydd ydyw bod yn rhaid i ddiffynyddion a thystion deithio ar yr un bysiau o waelodion Meirionnydd i'r llys yng Nghaernarfon neu'r Wyddgrug a hynny erbyn deg o'r gloch y bore. Prawf pendant o'r ffaith bod uwch weision sifil Llundain yn hollol anystyriol o ddaearyddiaeth Cymru wrth iddyn nhw wneud penderfyniadau tebyg i hyn.

Yr hyn sydd yn poeni dyn fwyaf ydi'r ffaith nad ydynt yn fodlon derbyn dadl resymol. Pan oeddwn yn Is-Gadeirydd y Pwyllgor Cyfiawnder yn San Steffan, byddwn yn aml yn holi prif farnwyr yr ynys ar wahanol faterion ac ar un achlysur daeth yr Arglwydd Prif Ustus Judge o'n blaenau. Roedd y Prif Ustus yn falch bellach mai ei deitl oedd Prif Ustus Lloegr a Chymru gan iddo wrthod y teitl Prif Ustus Lloegr, a fydde'n cwmpasu Cymru hefyd. Gwyddwn fod ganddo gysylltiadau â Phen Llŷn a gofynnais iddo a fydde dileu llys ynadon ym Mhwllheli yn gam ymlaen. Atebodd yn ddiflewyn-ar-dafod nad oedd yn cytuno â hynny o gwbl gan ddefnyddio'i holl ddadleuon mewn ffordd glyfar, fel y buasech yn ddisgwyl gan Farnwr mor ddisglair. Anfonais gopi o'r cofnod o Hansard at yr Ysgrifennydd Cyfiawnder, Chris Grayling, ond ni ches y cwrteisi o nodyn hyd yn oed yn cadarnhau iddo ei dderbyn. Mae yna 'ddiwylliant' o'r math mai nhw yn unig sydd yn deall ac yn gwybod ac yn yr Adran Gyfiawnder roedd hynny yn ddiarhebol bron.

Yn ogystal â'r materion hyn roedd meysydd fy mhrif ddiddordebau'n parhau i fynd â'm hamser, megis parhau i wrthwynebu'r rhyfela oedd mor agos at galon Tony Blair a'i gyfeillion. Cofiaf sawl cyfarfod enfawr yn Llundain ac mi ges y fraint o gadeirio cyfarfod mawr 'Make War History' yn Llundain yn Rhagfyr 2009.

Roeddwn yn parhau â'm diddordeb o sicrhau pob chwarae teg i'n plant ac yn y cyfnod hwn gwelais fod y swydd Comisiynydd Plant Cymru yn mynd o nerth i nerth ac yn cael cryn ddylanwad ar ddarparu gwasanaethau i blant a phobl ifanc Cymru. Ces sawl cyfarfod efo'r Comisiynydd ar y pryd, sef Keith Towler. Nid peth hawdd oedd dadlau ar y dechrau am greu'r swydd hon, ond unwaith eto mewn gwleidyddiaeth, 'dyfal donc a dyr y garreg'!

* * *

Cafwyd Etholiad Cyffredinol ar y chweched o Fai 2010 ac mi gedwais fy sedd gyda mwyafrif parchus, diolch i'r tîm o wirfoddolwyr glew sydd gynnon ni yn Nwyfor Meirionnydd. Hwn oedd y tro cyntaf a'r tro olaf i mi ymgiprys am sedd Dwyfor Meirionnydd a braint a phleser oedd cael adnabod ardal Dwyfor, lle bûm yn blentyn bach yn byw yn swyddfa'r heddlu yn Sarn Mellteyrn, flynyddoedd maith yn ôl bellach. Yn anffodus, mewn byr amser trodd balchder a gorfoledd y tîm lleol o gefnogwyr brwd a ffyddlon yn sioc a gwae.

Cyn-brifathro yn ardal y Bala ac yn byw yn Llanuwchllyn

oedd Llew Gwent a theg dweud mai fo fydde un o'r cyntaf i fynd allan i ddosbarthu taflenni a chanfasio, waeth beth fydde'r tywydd. Gŵr oedd Llew a fydde'n sicr o orffen bob tasg a osodwyd, heb iddo ystyried yr amser a gymerai na pha mor galed ydoedd – person ffyddlon a hollol ddibynadwy. Un o'i ddiddordebau oedd mynydda, a rhyw ddiwrnod neu ddau ar ôl yr etholiad bu'n mynydda gyda rhai o'i gyfeillion ym mynyddoedd Eryri lle digwyddodd damwain erchyll ac fe'i lladdwyd. Roedd torf enfawr yn ei gynhebrwng ar y 14eg Fai. I bobl fel Llew mae'r diolch bod Plaid Cymru'n gadarn iawn yn Nwyfor Meirionnydd a'i bod wedi tyfu'n blaid gref gyda chynrychiolaeth drwy Gymru gyfan. 'Da was, da a ffyddlon'. Diolch i ti Llew.

* * *

Ar ôl ymadawiad Tony Blair fel Prif Weinidog yn 2007 daeth Gordon Brown yn Brif Weinidog gan wireddu a chyflawni'r cytundeb rhyngddynt ym Mwyty'r Granita flynyddoedd cyn hynny, yn syth ar ôl i John Smith A.S. farw'n ddisymwth.

O'r cychwyn cyntaf roedd gen i amheuon a fydde Gordon Brown yn llwyddo i wneud Prif Weinidog llwyddiannus. Yn ddios, roedd ganddo alluoedd ymenyddol sicr ac yn amlwg roedd yn ddyn deallus iawn. Efallai mai ei wendidau ddaru ddod â'i dymor i ben yn 2010. Ei wendidau amlycaf oedd ei dymer a'i bellter rhyngddo a phobl eraill. Mwy nag unwaith ces atebion sbeitlyd ganddo wrth ei holi mewn sesiynau 'Cwestiynau i'r Prif Weinidog' ac i mi mae ateb sbeitlyd yn dangos gwendid bron bob amser.

Wedi dweud hynny, roedd ei areithiau cyntaf fel Prif Weinidog yn awgrymu cyfnod addawol iddo ef ac i ni. Yn bennaf, roedd o wedi synhwyro'r anfodlonrwydd llwyr efo'r modd y llusgwyd llawer o Aelodau Seneddol i gefnogi'r cyrchoedd yn Afghanistan ac yn Irac. Addawodd y buase'n rhaid cael pleidlais ar lawr Tŷ'r Cyffredin cyn awdurdodi unrhyw ryfela a hefyd mi ddywedodd y buase'n llacio'r rheol oedd yn rhwystro'r Tŷ rhag gweld barn y Twrnai Cyffredinol ar gyfreithlondeb unrhyw gyrch yn y dyfodol. Hyn wrth gwrs oedd yr alwad yn y ddadl fawr a arweiniais pan gafwyd pleidlais sylweddol iawn o blaid datgelu barn y Twrnai yng nghyswllt Irac.

Dyma Gordon Brown wedyn yn mynnu, yn ddigon teg, bod angen corff annibynnol i oruchwylio materion yn ymwneud â threuliau Aelodau, eu hymddygiad ac yn y blaen. Gwir yw dweud ei bod hi'n hen bryd symud ar hynny. Felly, ym Mehefin a Gorffennaf 2009 cafwyd drafft o'r Mesur Safonau Seneddol 2009 a oedd yn sefydlu Awdurdod Annibynnol Safonau Seneddol, sef panel i oruchwylio'r holl faterion ac unrhyw gwynion ac i blismona. Popeth yn iawn efo hynny hefyd ac wedi derbyn drafft o'r Mesur fe'm gwahoddwyd, fel pob arweinydd Seneddol arall, i gymryd fy lle mewn Pwyllgor i adolygu'r Mesur ac ychwanegu neu ddiddymu rhannau yn ôl yr angen. Mewn geiriau eraill, roedd hwn yn Bwyllgor Sefydlog i drafod y Mesur. Yr unig wahaniaeth oedd mai arweinyddion y pleidiau, gweinidogion Llafur a chynrychiolwyr o'r pleidiau yn Nhŷ'r Arglwyddi oedd yr aelodaeth. Arwydd oedd hyn, ddyliwn i, bod Gordon Brown ar frys enbyd i ddod â'r achos i fwcl. Dim llawer o'i le efo hynny chwaith, ond efallai'n dangos un arall o wendidau'r Prif Weinidog, sef rhuthro i mewn i bethau. Mae'n hen ystrydeb yn San Steffan bod deddfu ar frys yn golygu edifarhau wedyn, 'Legislate in haste, repent at leisure.'

Diwrnod neu ddau cyn eisteddiad cyntaf y pwyllgor mi wahoddwyd arweinyddion y pleidiau i gyfarfod yn siambrau'r Llefarydd, Michael Martin. Yno hefyd roedd y Prif Weinidog. Gofynnodd y Llefarydd am yr amserlen ddichonadwy ar y Mesur hwn ac mi roedd hi'n amlwg bod Brown eisio gweld y mater wedi ei gwblhau mor fuan â phosib, 'ddoe os yn bosib'. Gofynnodd y Llefarydd i bawb gadw cynnwys y cyfarfod yn gyfrinachol, ond gwrthododd Gordon Brown gan ddweud ei fod yn bwriadu cynnal cynhadledd i'r wasg yn ddiweddarach y prynhawn hwnnw. Erfyniodd y Llefarydd arno i bwyllo, ond gwrthod wnaeth Brown gan ddangos ei dymer enwog. Gadawodd hyn y Llefarydd mewn lle annifyr iawn ac mewn cryn embaras, ond toedd hynny'n poeni'r un iot ar y Prif Weinidog.

Os cofiaf yn iawn roedd y cyfarfod hwnnw ar brynhawn Mercher neu Iau ac mi roedd y pwyllgor am gael ei sefydlu ac i fod yn weithredol erbyn canol yr wythnos ganlynol. Toedd hyn ddim yn rhoi cyfle gwirioneddol i Aelodau Seneddol astudio'r drafft yn ofalus a'r goblygiadau a ddeilliai ohono.

Dros y penwythnos mi fûm yn craffu'n ofalus ar y Mesur gan baratoi nodiadau eithaf manwl. Wrth wneud hynny, fe'm syfrdanwyd i weld cymal oedd yn dweud y bydde popeth a gâi ei ddweud mewn araith ar lawr Tŷ'r Cyffredin gan Aelod Seneddol yn dystiolaeth y gellid ei ddefnyddio mewn llys barn. Ar yr olwg gyntaf, ac o ystyried y cefndir o gamymddwyn gan Aelodau, digon teg. Wedi meddwl ychydig ymhellach dyma sylweddoli y bydde'r cymal hwn, mewn un funud wan, yn golygu nacáu darnau pwysig o'r Mesur Iawnderau 1688 ac yn llwyr danseilio braint seneddol!

'Braint Seneddol' ydi'r hawl a roddir i bob Aelod Seneddol leisio barn yn eofn heb boeni y buase fo neu hi yn gorfod amddiffyn ei hun rhag enllib neu rhag achosion eraill. Mae'n hanfodol bod Aelodau'n teimlo'n gwbl gyfforddus yn gwneud hyn ar lawr y Tŷ. Prysuraf i ddweud nad yw'n ddoeth ei ddefnyddio'n aml gan gofio efallai i mi wneud hynny rhyw dair gwaith mewn ymron chwarter canrif o wasanaeth yn San Steffan.

Dyma enghraifft i chi pam bod y breintiau hyn yn bwysig. Daeth etholwr ataf i ddweud ei stori yn 1984. Roedd ei gŵr yn gyfranddaliwr mewn tŷ tafarn enwog yng Ngogledd Iwerddon. Mi werthwyd y dafarn ac mi gynrychiolwyd yr etholwr a gweddill y cyfranddalwyr gan ffyrm adnabyddus o dwrneiod o Belfast, sef McCartan Turkington Breen a'r cyfrifyddion oedd Pannell Kerr Foster o'r un ddinas. Toedd yr etholwr ddim yn hapus â'r ffordd y gwerthwyd yr eiddo. Rhyngddo ef a'i fam roedden nhw'n dal hanner y cyfranddaliadau. Ymysg y cwynion, pris isel a roddwyd am fusnes llewyrchus. Yn 1996 darganfu'r etholwr bod y dafarn wedi ei phrynu gan ddau bartner o McCartan Turkington Breen – y twrneiod oedd wedi eu cynrychioli a hefyd partner o gwmni'r cyfrifyddion, Pannell Kerr Foster, a roddodd gyngor ar y pris i'w ofyn.

Gwnaeth yr etholwr ysgrifennu at Gymdeithas y Gyfraith yng Ngogledd Iwerddon ond heb fawr o lwc. Darganfuwyd bod sawl partner yn y cwmni cyfreithiol wedi bod, ac yn parhau i fod, yn aelodau blaenllaw o brif bwyllgor Cymdeithas y Gyfraith Gogledd Iwerddon. Yn wir, roedd Mr Turkington o McCartan Turkington Breen ar y Pwyllgor pan wnaed y gwerthiant a chafodd ei ddyrchafu yn 1986, ddwy flynedd wedyn, yn Llywydd y Gymdeithas. Gwadodd Goruchwyliwr Cymdeithas y Gyfraith Gogledd Iwerddon, yr Athro Vincent Mageean, fod unrhyw beth o'i le.

Ysgrifennais at Weinidog Gogledd Iwerddon – yntau yn cydnabod bod yna 'gyhuddiadau difrifol'. Wedyn at Swyddog Cyfreithiol Cynulliad Gogledd Iwerddon yn Stormont – yr un ymateb llugoer. Rhaid oedd gwyntyllu'r mater yn y Senedd yn San Steffan drwy ddadl a gosod yr holl achos yn eglur. Dydw i ddim yn credu i'r etholwr gael iawndal ond yn sicr gwnaeth hyn efallai rwystro camymddwyn o'r fath rhag digwydd wedyn. Un o'r problemau efo derbyn iawndal oedd y ffaith i'r mater ddigwydd yn 1984 ac ni dderbyniais y gŵyn tan rhyw bymtheng mlynedd wedyn.

Yn amlwg, petaswn wedi gwyntyllu'r stori druenus yma y tu allan i Dŷ'r Cyffredin mi fuaswn ar fy mhen mewn llys yn wynebu honiad o enllib. Waeth beth fydde'r amddiffyniad, bydde wedi costio'r ddaear i wneud hynny.

Gyda llaw, ychydig ddyddiau wedi'r ddadl yn Nhŷ'r Cyffredin derbyniais lythyr ar bapur ysgrifennu *Private Eye* gan un o'm harwyr, y newyddiadurwr Paul Foot. Mae'r llythyr yn dal gen i ac mae'n darllen fel a ganlyn:

Dear Mr Llwyd,
18/12/2003
It must come as a bit of a shock to you to find your picture in the
Eye in a wholly flattering context. Many congratulations on your
adjournment debate. XXX contacted me years ago, but I hadn't got
the guts (or the endurance) to do anything without protection of
privilege. If anything else comes again to add to this story, please
let me know.
    Fraternally,
    Paul Foot

Gellwch weld felly bod y fraint hon yn arf bwysig i'w
defnyddio o bryd i'w gilydd gan Aelodau Seneddol. Gellid
dadlau y bydde colli'r fraint yn tanseilio'n llwyr yr ychydig
iawn o rym sydd gan Aelod.
    Pan gyfarfu'r Pwyllgor Sefydlog i drafod y Mesur mewn
ystafell danddaearol yng nghrombil yr hen adeilad, roedd
rhyw ugain o bobl yn bresennol efo Harriet Harman C.F. A.S.
yn cadeirio. Yn eistedd yn union ar ei chyfer roedd Jack Straw
A.S. a fu'n Ysgrifennydd Cartref o dan Tony Blair tan 2001 ac
wedyn yn Ysgrifennydd Tramor o 2001 tan 2006. Yn bwysicach,
yn y cyswllt hwn, roedd o'n fargyfreithiwr ac yn deall y Senedd
i'r dim. Wrth fynd trwy'r Mesur gymal wrth gymal deuthum
at y cymal rhyfeddol dwi eisoes wedi cyfeirio ato. Dywedais fy
marn mai dyna fydde'r farwol ar rai o'r hawliau gwarantedig o
dan y Mesur Iawnderau 1688 ac yn ddiwedd hefyd ar y fraint
Seneddol. Atebodd Harriet Harman yn syth gan ddweud nad
oedd hynny'n wir. Roedd yna aelod Torïaidd o Dŷ'r Arglwyddi
wrth fy ochr – yntau'n fargyfreithiwr ac yn farnwr rhan amser
– roedd o'n cytuno â mi. Ni ddywedodd eraill o amgylch y
bwrdd air – dim cymorth gan fy nghyfaill Angus Robertson
o'r SNP oedd yn meddwl bod y cymal yn iawn, 'am nad oedd
yna freintiau o'r fath yn Senedd Caeredin'. Mewn eiliad neu
ddau wedyn dyma Jack Straw yn ymateb, 'No, Harriet, Elfyn
is correct.' Toedd hi ddim yn gyfforddus efo'r ffaith iddi fod
yn hollol anghywir ar bwynt o gyfraith cyfansoddiadol mor

bwysig. Wedi hyn, a thrwy gydol y broses, ces wrandawiad gwell ganddi ond efo wyneb sur fel petasai hi'n sugno lemwn. Y peth pwysig oedd sicrhau na fydde perygl y bydde'r Mesur hwn yn tanseilio peth mor hanfodol bwysig â braint seneddol, a da o beth oedd hynny.

Gyda llaw, er fy mod yn hollol gefnogol i sefydlu corff annibynnol roedd y corff yma, IPSA, yn ofnadwy i ddelio â nhw – yn rhannol oherwydd y rhuthr i'w sefydlu, diolch i'r Prif Weinidog, ac yn rhannol gan eu bod yn ystyried bod pob Aelod Seneddol yn llai na gonest. Y canlyniad oedd iddyn nhw ymfalchïo mewn ceisio parddu Aelodau – hyd yn oed rhai cwbl onest a diffuant. Rhaid dweud ei bod hi'n amhosibl siarad â nhw ar y ffôn oherwydd bod diffyg staff yn yr adran, yn eu hôl hwy. Ond, ar yr un pryd roedd y corff wedi cyflogi tri neu bedwar yn yr adran cysylltiadau cyhoeddus i wneud yn sicr y bydde unrhyw hanner stori anffafriol am unigolyn yn cael sylw'r cyfryngau'n syth.

Ces gerdyn ganddynt, fel pob Aelod arall ac mi roedd y cerdyn i'w ddefnyddio i dalu treuliau fel teithio ar drenau yn ôl ac ymlaen i Lundain a llefydd hanfodol eraill. Ddaru fy ngherdyn i ddim gweithio ac mi fethais ei ddefnyddio am fis. Ceisiais ffonio ddwsinau o weithiau ac ar un achlysur mi ges ateb. Dywedodd y person y buasai Mr X, oedd yn delio â fi, yn fy ffonio. Hyd heddiw rwyf yn dal i aros am yr alwad. Yn y diwedd mi es i lawr i Fictoria yn Llundain ac i'w swyddfa. Sôn am foethusrwydd – cadeiriau esmwyth lledr, pob man wedi'i awyru, waliau gwydr, peiriannau coffi drudfawr ac yn y blaen. Gofynnwyd i mi a oedd gen i apwyntiad ac atebais nad oeddwn wedi llwyddo i wneud hynny. Ychwanegais y byddwn yn aros yno tan y cawn weld rhywun. Ymhen tua ugain munud, daeth dau ddyn i'r golwg ac fe'm tywyswyd i un o'r swyddfeydd. Dywedodd yr ieuengaf o'r ddau y buasai'n sicrhau bod fy ngherdyn yn gweithio o fewn tri diwrnod gwaith ac mi roddodd ei gerdyn busnes i mi gyda ei rif ffôn i gysylltu ag o os bydde problem bellach. Y dydd Llun canlynol ceisiais dalu am docyn trên yn Crewe a wyddoch chi be, doedd o ddim yn gweithio. Mewn peth tymer ffoniais y rhif i gael gafael ar y person ac mi ddywedwyd nad oedd y rhif yna'n weithredol, 'discontinued'. Felly, yn y dyddiau cynnar teimlwn mai rhan o waith y corff hwn oedd gwneud bywyd Aelodau Seneddol mor anodd â phosib. Ar yr un pryd roedd yna gannoedd o Aelodau'n cwyno am achosion tebyg i fy mhroblem i. Dwi'n siŵr y bydde'r helyntion a achosodd y corff hwn, wedi gwneud llyfryn diddorol tase gan rywun yr amser i wneud hynny. Erbyn hyn, deallaf fod sustemau IPSA yn hollol fiwrocrataidd, er efallai fod y naws gwenwynig wedi'i lesteirio, a diolch am hynny.

Pennod 10

MAE'R SEFYDLIAD A enwir yn 'Cyfrin Gyngor' yn bodoli ers y canol oesoedd ac er hynny nid yw'n sefydliad mae llawer yn ei ddeall, nac ychwaith yn gwybod llawer amdano. Mae hynny'n beth od braidd o ystyried bod gan y Cyfrin Gyngor ddylanwad eang trwy gydol hanes Ynysoedd Prydain. Ychydig o bobl, heblaw am wleidyddion ac academyddion sydd yn gwybod beth mae'r cyngor yn ei wneud a pha mor rymus ydyw. Erbyn heddiw, rhaid cyfaddef mai ychydig iawn o rym sydd yn perthyn i'r Cyfrin Gyngor.

Ar ôl dweud hynny, mae Pwyllgor Barnwrol y Cyngor yn gweithredu fel llys apêl olaf i unrhyw un a gafodd ei ddedfrydu i farwolaeth mewn sustemau cyfreithiol sydd yn bodoli hyd heddiw mewn llawer o wledydd a elwir yn Diriogaethau Tramor Prydeinig, megis, Antigua a Barbuda, Anguilla, y Bahamas, Bermuda ac amryw byd o leoedd eraill.

Ychydig flynyddoedd yn ôl, roeddwn yn cynrychioli rhai o fyfyrwyr Prifysgol Bangor a fu'n protestio yn erbyn rhai o gynlluniau'r Brifysgol. Doeddent hwy, ac nid oeddwn i'n hapus â'r driniaeth a gawsant gerbron pwyllgor disgyblu'r Brifysgol ac roeddem yn edrych sut i apelio. Y broses ym Mhrifysgol Cymru, fel roedd hi'r adeg honno, oedd i gysylltu â swyddfa'r Cyfrin Gyngor yn Llundain ac y byddent hwy wedyn yn apwyntio Cyfrin Gynghorydd fel Ymwelydd i benderfynu'r apêl. Hyd heddiw, hon yw'r broses mewn ffrae o'r fath mewn rhyw bymtheg o brifysgolion.

Yn ddiweddar iawn, ceisiodd y Llywodraeth ffrwyno'r

wasg drwy geisio sefydlu pwyllgor o Gyfrin Gynghorwyr trwy Siarter. Mae Cyfrin Gynghorwyr yn gweithredu ar bwyllgorau Seneddol sydd yn arbennig o sensitif, megis y Pwyllgor Seneddol sydd yn goruchwylio gweithrediadau y Gwasanaethau Cudd a Diogelwch. Mae disgwyl i Gyfrin Gynghorydd wrth ddelio â materion ar 'dermau Cyfrin Gynghorwyr' gadw'r sgyrsiau hynny'n hollol breifat gan wrthod datgelu unrhyw wybodaeth i unrhyw un.

Erbyn heddiw, corff ydyw sy'n cynnig cynghorion i'r Frenhines neu i'r Brenin a bydd ymgynghori bob amser pan fydd yna sôn am fynd i ryfela. Ymhellach, mae'n rhaid i'r Cyfrin Gyngor roi sêl bendith i unrhyw un sydd i olynu'r Frenhines neu'r Brenin ac i'r perwyl hwn mae'n rhaid cadarnhau sut mae cael gafael ar y 600 aelod ar frys ar achlysur marwolaeth deiliad y goron. Drannoeth y farwolaeth, anfonir gwŷs i bob aelod i orchymyn iddyn nhw ymgynnull yn Llundain i drafod yr olyniaeth.

Wrth adolygu llyfr David Rogers ar y Cyfrin Gyngor yn 2015 dywedodd Nigel Nelson, Golygydd Gwleidyddol y *Sunday People*: 'The Privy Council's roots date back to William the Conqueror, yet this mysterious body is still hugely powerful today.'

Wn i ddim beth am hynny, ond yn Ionawr 2011 ces fy nyrchafu i'r Cyfrin Gyngor ac mi dderbyniais. I mi toedd yna ddim llawer o apêl mewn cael y teitl, 'Gwir Anrhydeddus' am fy oes, ond yn hytrach mi roedd y breintiau Seneddol yn apelio. Ystyr hyn yw bod Cyfrin Gynghorydd yn cael ei alw neu'i galw mewn dadleuon yn llawer cynt nag eraill ac yn bwysig iawn yn medru cael cyfarfodydd gyda Gweinidogion mewn byr o dro yn hytrach na gorfod aros am wythnosau fel sy'n rhaid i feincwyr cefn eraill. Hefyd, caiff y sgyrsiau eu cynnal ar 'dermau Cyfrin Gynghorydd' fel yr awgrymais. Ar y termau hynny, mae'r Gweinidog yn gorfod ateb bob cwestiwn yn llawn ac yn gwbl onest heb unrhyw gymylu neu 'droelli' fel sy'n gyffredin. Yr unig amod yw nad oes gan yr unigolyn, fi yn yr achos hwn, yr hawl i ailadrodd yr hyn a gafwyd mewn ymateb gan y Gweinidog air am air ond mae rhyddid gen i i gyfleu'r ystyr yn glir! Gwelwch felly fod yma fanteision ymarferol a sylweddol i Aelod Seneddol wrth dderbyn dyrchafiad i'r Cyfrin Gyngor.

Byddaf yn manylu ar ambell ymgyrch y bûm yn ei chynnal ac sydd wedi newid cyfreithiau pwysig er lles pobl Cymru a thu hwnt. Toes gen i ddim llawer o amheuon bod y tasgau hynny wedi bod ychydig yn ysgafnach wedi i mi dderbyn aelodaeth o'r Cyfrin Gyngor. Rhaid cyfaddef nad oeddwn yn esmwyth efo'r syniad o orfod mynd i Balas Buckingham i dyngu'r llw gerbron y Frenhines, ond wedi'r cwbl roeddwn wedi gorfod tyngu llw pur debyg i gymhwyso fel cyfreithiwr a bargyfreithiwr ac mi wnes hynny, er mwyn gallu gwneud y gwaith yn ymarferol. Rhaid oedd tyngu llw Seneddol wedi'm hethol.

Wythnos cyn i mi fynd i'r Palas, ces sgwrs ffôn gan glerc y Cyfrin Gyngor. Gofynnodd a oedd popeth yn iawn efo'r dyddiad ac a oedd gen i unrhyw gwestiynau iddo. Dywedais fy mod yn awyddus i ddefnyddio Testament Newydd Cymraeg gogyfer â'r seremoni. Dywedodd y buasai'n gwneud bob ymdrech bosib i gael un ac mi ddywedais na fyddwn yn hapus efo testament Saesneg. Ar y diwrnod rhoddwyd testament bychan yn fy llaw a hwnnw yn y Gymraeg. Mae wedi'i ardystio efo'r dyddiad ac ati a llofnod 'Lord President of the Council' sef yr Is-Brif Weinidog Nick Clegg ar y pryd.

Gyda llaw, cyn mynd i'r Palas, gofynnwyd i mi fynd i Swyddfa'r Cyngor yn Horseguards Row yn Llundain. Oddi yno wedyn mewn cerbyd ac er bod yna dri ohonom yn cael ein dyrchafu, aeth pob un ohonom mewn car ar wahân. Wedi holi am hyn – y traddodiad oedd fesul un rhag ofn i'r tri ohonon ni gael ein llofruddio ar yr un pryd. A'm helpo!

Trwy gyd-ddigwyddiad, y noson honno, roeddwn yn westai yn Llysgenhadaeth Iwerddon yn Llundain a oedd, gyda llaw, yn agos at y Palas. Wedi cyrraedd yno gwelais amryw o ffrindiau a chydnabod ac mi ddaeth un ohonynt ataf gan ddweud yn Saesneg, croeso y Gwir Anrhydeddus Elfyn Llwyd. Ces sioc braidd ei fod yn gwybod yn barod. Cyfaill o'r enw Herve Regent ydoedd, sef Llydäwr balch a gadwai un o'r tai bwyta pysgod gorau yn y ddinas. Gofynnodd i mi a oedd gen i waith y noson honno ac a oeddwn yn gorfod mynd yn ôl i Dŷ'r Cyffredin ac atebais fy mod yn rhydd. Mi awgrymodd ein bod yn gadael y parti am 8.30 pm ac yn mynd i'w fwyty ac y bydde fo'n talu am bryd o fwyd. Ces wledd o bum cwrs o bysgod a bwyd môr a gwinoedd addas gyda phob cwrs. Bythgofiadwy yn wir! Yn ystod y noson gofynnais iddo sut y gwyddai fy mod wedi cael fy nyrchafu. Roedd yr ateb yn un reit syml ac amlwg pe buaswn wedi canolbwyntio ychydig. Yn y prynhawn, ffoniodd fy swyddfa yn Llundain a chan fod y staff yn gwybod ein bod yn ffrindiau da, dyma nhw'n dweud wrtho ble'r oeddwn wedi mynd.

Un atodiad bach, roedd y seremoni yn y Palas yn od, gan fod pawb yn gorfod sefyll ac yn ystod y sgwrsio wedyn am tua hanner awr, parhau i sefyll wnaeth pawb. Y traddodiad ydi bod pawb mewn pob cyfarfod Cyfrin Gyngor yn sefyll drwy'r amser. Peidiwch â gofyn!

Ond yn ôl at waith. Yn dilyn y ffraeo ynghylch rhyfel Irac mi sefydlwyd Ymchwiliad Chilcot i edrych ar yr holl dystiolaeth o'r cyfnod cyn hynny ac yn ystod cyrch Irac. Yn driw i'm gair mi es i â'r nodiadau uwch gyfrinachol o'r sgyrsiau rhwng Tony Blair a George Bush yn Texas i ysgrifennydd yr Ymchwiliad a oedd mewn swyddfa yn Stryd Fictoria. Fe'm tywyswyd i mewn i swyddfa'r Ysgrifennydd a chyflwynais hwy i ddynes ganol oed a oedd yn edrych yn ddig arnaf. Wrth roi'r papurau iddi, dywedais nad oeddwn yn bwriadu chwarae gwleidyddiaeth ynghylch y peth a dyma hi'n rhythu arnaf a dweud, 'I should damn well hope not!'

Ces dipyn bach o ysgytwad gan nad yw'n hi'n arferol o gwbl i was sifil profiadol ddefnyddio'r fath iaith tuag at Aelod Seneddol, er gwaethaf y ffaith bod temtasiwn o ddifrif i wneud hynny'n aml! Roedd iaith ac ymarweddiad hon yn syfrdanol ac mi holais pwy oedd hi – yr enw oedd Margaret Aldred. Ymhen amser deuthum i sylweddoli pam bod y ddynes yma mor elyniaethus tuag ataf.

Mi gofiwch i Tony Blair ac Alastair Campbell hel pwyllgor bach at ei gilydd i geisio creu sail gref i ymosod ar Irac. Wel, Margaret Aldred oedd ysgrifennydd a chlerc y gweithgor hwnnw. Rŵan roedd hi'n glerc i'r Ymchwiliad oedd yn mynd i farnu ar weithrediadau amheus y gweithgor yna! Dyna wrthdaro buddiannau os bu un erioed ac yn anhygoel o amrwd. Roedd miloedd o bobl yn gobeithio darganfod y gwir drwy gyfrwng yr Ymchwiliad yma, a dyma finna'n cael fy siomi yn y ffordd fwyaf dramatig. Wedi'r diwrnod hwnnw, nid oeddwn yn disgwyl y byddai gormod yn cael ei ddatgelu yn adroddiad Syr John Chilcot a'i banel wrth iddyn nhw edrych ar y 'Dodgy dossier'.

Trefnais i gael dadl ar y pwnc ar y 25ain Ionawr 2011. Mi ddyfynnaf o'r gwreiddiol, fel mae'n ymddangos yn Hansard. Tua diwedd araith o dros chwarter awr yn cwestiynu holl broses Chilcot dywedais:

> To conclude, Ms Aldred routinely chaired the Iraq senior officials group; she met US officials in October 2008 to discuss Iraq; she was implicated in or knew of the rendition policy; she had the leaked document showing that she was copied in with respect to the rendition policy (h.y. mynd â charcharorion o Irac ar draws y byd a chael eu harteithio); and she flew to Washington for discussions with counterparts three weeks before the inquiry was announced. The following questions must in my view be answered. It may be difficult for the Minister to do so today, but clearly if he can write to me in due course that will suffice. I do not want to put him on the spot.
>
> Is Ms Margaret Aldred's role at the inquiry as central as her role in Iraq policy at the Cabinet Office? Did Sir Gus O'Donnell detail Mrs Aldred's involvement in Iraq policy precisely to Sir John Chilcot and when she was appointed and the appointment was announced why was there no mention of her previous experience with Iraq policy? She is the gatekeeper to the inquiry. Does she advise on lines of inquiry? Does she liaise with the Government

about evidence? We know that she liaises with the Government about the publication of information. Was she involved in the drawing up of the protocol that has stymied the process? It was published a month after she took up her role. Is she likely to draft the report?

Obviously, justice must be seen to be done. Transparency and openness are paramount. They are concepts that are signally absent from the inquiry process. I regret that one conclusion that can easily be drawn is that the inquiry process is flawed and compromised from the very beginning.

Y Gweinidog Nick Hurd oedd yn ateb ar ran y Llywodraeth Dorïaidd erbyn hyn. Cychwynnodd drwy ddweud, 'We should recognise that the Hon. Member for Dwyfor Meirionnydd (Mr Llwyd) has been one of the leaders of the debate on the legality of the war. He should be congratulated on his part in the democratic process.' Wedi hynny, yn anffodus, defnyddiodd yr hen dric o geisio fy nghael i sarhau aelodau Panel yr Ymchwiliad. Roeddwn wedi bod yn Aelod yn ddigon hir i wrthod yr abwyd, a fodd bynnag, nid Aelodau'r Panel oedd yn fy mhoeni ond Mrs Aldred a fu'n rhan annatod o'r broses o baratoi tystiolaeth ffug i berswadio'r Senedd yn Llundain i fynd i ryfel yn Irac.

Ni chefais atebion derbyniol i'r un cwestiwn bron ac mae hynny, ddylwn i, yn dweud y cwbl. Ar ôl hyn bûm yn parhau i godi cwestiynau ar broses yr Ymchwiliad ac mi ges gartŵn gan Catrin a Rhodri yn cyfeirio at hyn.

Pan oedd yr Ymchwiliad yn holi tystion bodlonodd y panel ar ofyn cwestiwn neu ddau yr un, a fydden nhw ddim i weld yn dilyn yr atebion hynny gyda chwestiynau mwy treiddgar. Mi fuasai Cwnsler i'r Ymchwiliad wedi trawsnewid pethau ac wedi cael llawer mwy o wybodaeth o'r broses o ganlyniad. Oedd, mi roedd Adroddiad yr Ymchwiliad yn feirniadol o bobl, ond wedi gweld perfformiad Tony Blair o flaen y panel gwelais sut y cafodd ei ffordd ei hun heb neb i'w weld yn pwyso'n drwm arno. At ei gilydd siomiant oedd yr Adroddiad o ystyried bod yr Ymchwiliad wedi ymgynnull yn 2009 ac wedi cymryd tan 2016 i adrodd – ond o ystyried rôl Mrs Aldred a oes unrhyw syndod?

* * *

Yn ystod hanner cyntaf fy ngyrfa yn San Steffan, bydden ni'n cau am yr haf tua dechrau Gorffennaf ac yn dychwelyd yng nghanol mis Hydref. Y gred oedd ei bod hi'n bwysig torri am yr haf pan fydde tymor saethu grugieir yn ei fri, a dychwelyd pan fydde'r tymor pysgota eogiaid wedi dod i ben. O adnabod y lle'n bur dda, synnwn i ddim nad yw hynny'n wir.

O ganlyniad i hyn roeddwn yn parhau â rhyw gymaint o bractis, yn gyntaf fel cyfreithiwr ac ers 1998 fel bargyfreithiwr. Yn y gwaith hwnnw roeddwn yn arbenigo ym maes trosedd, a chyfraith teulu a phlant. Cyfeiriais yn barod yn y llyfryn hwn fy mod wedi gweld bod angen amlygu llais y plant mewn sefyllfa o ysgariad cyd-rhwng y rhieni ac mi lwyddais i wneud hynny.

Yn yr un modd, daeth hi'n amlwg i mi fod llawer iawn o gyn-filwyr mewn sefyllfa fregus iawn. Cofiaf fod yn Llys y Goron Caer yn cynrychioli rhywun yn ystod un o'r toriadau hir yna dros yr haf. Wrth aros i'm hachos gael ei alw, clywais bedwar achos o drais eithaf difrifol ac mewn tri ohonynt roedd y diffynyddion yn gyn-filwyr wedi bod yn Irac ac Afghanistan ac yn amlwg wedi eu creithio'n feddyliol gan y profiadau hynny. Mewn un achos roedd cyn-filwr yn aros am bysgodyn a sglodion pan ddigwyddodd rhywun arall, a oedd yn aros ei dro, ei gyffwrdd yn ysgafn ar ei ysgwydd. Trodd y diffynydd a rhoi cweir ddifrifol iawn i'r person hwnnw, heb iddo fod yn unrhyw fath o fygythiad iddo ef. Y canlyniad, os cofiaf yn iawn, oedd tair blynedd o garchar. Roedd y ddau achos arall yn debyg, o ran trais eithafol a heb wir reswm. Dyma oedd yr ysgogiad i mi ymgyrchu o blaid gwell ymdriniaeth i gyn-filwyr.

Un peth arall a welwn yn aml mewn llysoedd troseddol a hefyd mewn llysoedd teulu oedd yr ymddygiad a adwaenir heddiw fel stelcian. Gŵr neu gyn-bartner yn dilyn y ferch, gan mai y ferch gan amlaf oedd y dioddefwr, ac nid yn unig yn ei dilyn ond yn anfon dwsinau o negeseuon ati a gadael iddi wybod bod rhywun yn gwylio pob symudiad o'i heiddo, ddydd a nos. Wrth gwrs, bydd ymddygiad o'r fath yn achosi i'r dioddefwr fod yn ofnus iawn ac yn medru difetha ei bywyd. Y syndod oedd nad oedd trosedd o stelcian yn bodoli ym Mhrydain. Roedd yna rai mesurau y gellid eu hystyried i geisio delio ag ymddygiad o'r fath, ond nid y drosedd uniongyrchol o stelcian. Mae'n rhaid i mi gyfaddef nad ydwyf yn hapus iawn gyda'r gair 'stelcian' ond dyna sy'n cael ei dderbyn i gyfateb i'r gair Saesneg, 'stalking'.

Dyma drafod y diffyg hwn gyda rhai Aelodau eraill a chanfod fod pawb bron yn cytuno â mi bod yna wendid amlwg yn y sustem ac mi fuasai'n dda cywiro hynny, gan ddod â'r drosedd stelcian o fewn cyfreithiau trais yn y cartref a oedd yn bodoli eisoes. Wrth ddechrau ymchwilio i'r mater deallais fod dwy neu dair merch yn cael eu llofruddio'n wythnosol gan unigolion a oedd wedi bod yn eu stelcian cyn hynny. Mi roedd hwn yn ystadegyn brawychus ac efallai yn anodd i'w gredu, ond serch hynny mi roedd yn wir.

Edrychais ar y modd roedd gwledydd eraill yn delio â'r mater yma, ac yna sylweddoli bod enghreifftiau o droseddau yn ymwneud â stelcian yn bod mewn sawl gwlad ac mewn sawl talaith yn yr Unol Daleithiau. Roedd enghreifftiau priodol yn nes adref ac ar dir mawr Ewrop hefyd. Mae'r drosedd i'w chael yn Awstria, yr Almaen, Gwlad Belg, Denmarc, y Weriniaeth Siec, Hwngari, Iwerddon, yr Eidal ac yn y blaen. Mae'n bodoli yn Queensland, Awstralia, ers 1993.

Credwn mai'r ffordd ymlaen oedd cyflwyno Mesur Preifat Deng Munud ger bron y Senedd i weld faint o gefnogaeth fydde'n bosibl ei gael. A sôn am gefnogaeth, roedd gen i ddau ymchwilydd eithriadol o alluog ac egnïol, un yn Delyth Jewell a'r ail oedd fy hen gyfaill, y diweddar Harry Fletcher, oedd hefyd yn wybodus iawn yn y maes hwn.

Wedi gosod y Mesur Preifat gerbron, y canlyniad oedd i Aelodau Seneddol o bob plaid gefnogi'r egwyddor o greu stelcian yn drosedd. Ffurfiwyd pwyllgor o Aelodau trawsbleidiol o dan fy nghadeiryddiaeth ac mi gawsom gyfarfodydd i benderfynu sut i gael y maen i'r wal.

Cafwyd cyfarfodydd cyntaf y panel yng ngwanwyn 2011 ac mi wyddwn na fuasai'r Llywodraeth ar y pryd yn cytuno â ni tan ein bod mewn sefyllfa i brofi ein hachos drwy ddarparu tystiolaeth ddibynadwy i'w gefnogi, hynny yw, 'evidence based'.

Felly, ym Mai 2011 penderfynasom ein bod am gynnal ymchwiliad trwyadl ac annibynnol i'r angen am greu stelcian yn drosedd, yn hytrach na dibynnu ar gymalau o'r Ddeddf Diogelu Rhag Aflonyddu 1997 – Protection from Harassment Act 1997. Roedd hi'n glir i mi ac i eraill nad oedd y ddeddf yn addas. Yn ddi-os, roedd y ddeddf honno wedi ei chroesawu ar y pryd ac yn haeddiannol felly, ond mae natur stelcian yn hollol wahanol i aflonyddu. Dyma, rwy'n cyfaddef oedd fy rhagdybiaeth ar gychwyn y broses o ymgyrchu.

Galwasom am dystiolaeth ac mi roedd yr ymateb yn galonogol iawn. Cafwyd pum sesiwn i wrando ar dystiolaeth ac mi dderbyniwyd tystiolaeth ysgrifenedig gan Wasanaeth Erlyn y Goron, Action Scotland Against Stalking, Cymdeithas yr Ynadon Heddwch, Cymdeithas Prif Swyddogion yr Heddlu, NAPO, Cymorth i Ferched ac eraill.

Yn y sesiwn gyntaf clywsom gan y Suzy Lamplugh Trust, Seicolegwyr ac ysgolheigion. Yn dilyn hynny, clywsom gan ddioddefwyr. Wedyn cawsom dystiolaeth gan Gomisiynydd y Dioddefwyr, Louise Casey, Cadeirydd Cymdeithas Ynadon Cymru a Lloegr, cyfreithwyr, bargyfreithwyr arbenigol a swyddogion yr heddlu. Dilynwyd hyn gan sesiwn o dystiolaeth gan ymgyrchwyr, swyddogion prawf ac aelodau eraill o'r heddlu. I orffen clywsom gan gymdeithas yn ymwneud â dioddefwyr stelcian, a hefyd cynrychiolydd o Gymorth i Ferched.

Saif tystiolaeth dau yn glir iawn yn fy meddwl hyd heddiw. Daeth Tricia Bernal i ddweud hanes ei merch Clare wrthym a gafodd ei saethu'n farw yn Siop Harvey Nicholls yn Llundain ym Medi 2005. Ar ôl perthynas fer iawn efo gŵr o'r enw Michael Pech, daeth y berthynas i ben. Roedd o'n anfodlon, a dechreuodd anfon negeseuon testun ati ddwsinau o weithiau bob dydd. Arferai ei dilyn ar y trên i'w gwaith ac mi geisiodd ei rhwystro rhag gadael y trên. Dywedodd Clare y buasai yn mynd at yr heddlu os na fuasai'n stopio. Atebodd yntau, 'Os meiddi di, mi ladda i di ac os na chaf i ti, yna fydd neb arall yn medru dy gael di chwaith.' Cyhuddwyd ef o dan Adran 2 o Ddeddf 1997, ac mi dorrodd amodau ei fechnïaeth ar amryw o achlysuron. Wrth iddo aros am ei achos yn y llys ar ddydd Mawrth 13eg o Fedi, cerddodd i mewn i siop Harvey Nicholls, ble roedd Clare yn gweithio, a'i saethu bedair gwaith yn ei phen cyn troi'r dryll ato ef ei hun a chyflawni hunanladdiad.

Yn achos Tracey Morgan, roedd Tracey yn ddynes briod hapus tan i unigolyn ddechrau ei stelcian yn feunyddiol. Bydde'r unigolyn yn parcio dros nos o flaen ei thŷ ac mi barodd hynny am dros ddeng mlynedd. Tan i'r ymgyrch hon lwyddo, dywedodd Tracey nad oedd unrhyw beth y gallai hi wneud i ddelio â'r mater. Dyfynnaf, 'Toes neb yn cymeryd y dioddefwyr o ddifri, ddim yr heddlu, na'r llysoedd, na'r sustem gyfiawnder droseddol. Beth fyddaf yn ei glywed gan gyd-ddioddefwyr ydi'r un pethau oedd i'w clywed bymtheng mlynedd yn ôl. Beth sydd wedi newid? Rhaid gwneud mwy. Mae angen atal llofruddiaethau!' Yn yr un sesiwn roedd yr heddwas a oedd yn delio â'r achos yn bresennol ac mi roedd o, hyd yn oed, yn cytuno'n llwyr.

Felly, roedd hi'n amlwg nad oedd Deddf 1997 hyd yn oed yn cychwyn ateb y gofynion. Mae'n rhaid cofio bod stelcwyr, at ei gilydd, yn dioddef o salwch meddwl ac felly yn achosion anoddach i ddelio â hwy, yn galw am ffyrdd unigryw ac yn gofyn am driniaethau i'r troseddwyr er mwyn 'cywiro' eu hymddygiad bygythiol. Mae'n wir dweud mai rhyw ugain o seicolegwyr cymwys sydd yna yn Ynysoedd Prydain ac yn meddu ar y gallu a'r sgiliau i wella pobl o'r fath. Yn amlwg, doedd anfon rhywun i garchar ddim yn mynd i'w gwella oherwydd y tebygolrwydd oedd y byddent yn ailgychwyn stelcian wrth gael eu rhyddhau.

Daeth y panel neu'r pwyllgor i'r farn unfrydol bod angen deddfu i greu stelcian yn drosedd. Y cam nesaf oedd paratoi llyfryn yn cynnwys yr holl dystiolaeth a gasglwyd, ein bwriadau i ddeddfu a drafft o'r ddeddf arfaethedig ynghlwm. Yna dosbarthwyd y llyfryn hwn, a gafodd ei argraffu'n ddeniadol iawn gyda chymorth ariannol NAPO. Aed â chopïau i bob swyddfa yn Nhŷ'r Cyffredin lle y câi'r Aelodau eu hadroddiadau, papurau trefn, agendas ac yn y blaen. Maes o law, dyma ŵr oedd yn gweithio yn un o'r swyddfeydd yn fy ffonio a dweud nad oeddent yn gallu eu dosbarthu nhw bellach oherwydd bod un Aelod wedi cwyno nad oedd y pwyllgor yn bwyllgor swyddogol yn y Tŷ. Ces fy syfrdanu fod unrhyw Aelod mor gul a phlentynnaidd ei meddwl i chwarae gwleidyddiaeth efo pwnc mor anhraethol bwysig. Wedi'r cwbl, bydde dwy neu dair merch yn cael eu llofruddio bob wythnos! A phwy oedd yr Aelod hwnnw? Neb llai na Priti Patel A.S., yr Ysgrifennydd Cartref presennol! Ceisiodd hyd yn oed y Blaid Lafur ein rhwystro yn ogystal.

Yn dilyn hyn, awn i gyfarfod â sawl Gweinidog o'r Weinyddiaeth Gyfiawnder a hefyd yn y Swyddfa Gartref. Mae un cyfarfod yn sefyll yn y cof. Cofiaf yn iawn i mi gyfarfod â Gweinidog o'r Swyddfa Gartref a dau o'i weision sifil. Cyn dechrau'r cyfarfod, sibrydodd, 'Elfyn, nid fi mae angen i ti ei berswadio ond y nhw,' gan droi rownd at y ddau was sifil! Yn ôl y disgwyl roedd gweision sifil San Steffan yn daer yn erbyn unrhyw newid ac yn canu clodydd Deddf 1997 – deddf a oedd yn nhyb y dioddefwyr, academyddion, cyfreithwyr, ynadon, swyddogion prawf ac amryw o'r heddlu wedi methu'n llwyr â delio â'r broblem.

Ces gyfarfod efo'r Ysgrifennydd Cartref ar y pryd, y Gwir

Anrhydeddus Theresa May A.S. a chyflwynais y llyfryn i'r drafft fesur iddi. Chwarae teg iddi, nid oedd yn rhaid i mi draethu'n hir iawn cyn iddi ddweud fy mod yn gywir a'i bod wedi ei pherswadio o'r angen am ddeddfu. Ychwanegodd Theresa May fod y drosedd yn fath o artaith ar ddioddefwyr, ac mi roedd hynny'n wir.

Er mwyn sicrhau deddfu ar frys dywedodd Theresa May y bydde hi'n hapus i gynnwys y mesur drwy ei atodi at Fesur y Llywodraeth, sef y Ddeddf Gwarchod Rhyddid 2012 a oedd eisoes ar daith drwy'r prosesau Seneddol. Roeddwn wrth fy modd, ac mi roedd Delyth Jewell a Harri Fletcher hefyd ar ben eu digon, fel roedd aelodau'r Pwyllgor hwythau, wrth gwrs.

Roedd hi'n bwysig cael sicrwydd gan y Blaid Lafur y buasent yn fodlon cefnogi'r Mesur ac mi drefnais i weld Yvette Cooper A.S. oedd yn gysgod Ysgrifennydd Cartref yr wrthblaid. Ces siom aruthrol gan ei bod hi'n ceisio dweud bod y mesur yn ddiffygiol mewn rhyw ffordd ac y buase hi'n well peidio â bwrw ymlaen. Ces wybod gan un neu ddau o fewn y Blaid Lafur Seneddol mai chwarae gwleidyddiaeth oedd hyn. Bwriad Yvette Cooper oedd peidio â'i chefnogi ar y pryd ac yna ailgyflwyno mesur yn enw'r Blaid Lafur yn y dyfodol. Gwaeth fyth, ces wybod ei bod yn fwriad gan y Blaid Lafur yn Nhŷ'r Arglwyddi i bleidleisio yn erbyn y cymalau hyn a rhwystro'r cwbl. Y Farwnes Royall oedd yn arwain ar y mater ar ran y Blaid Lafur yn Nhŷ'r Arglwyddi.

Deallais fod y mesur i'w drafod o fewn yr wythnos ac fe'm hatgoffwyd y gallwn, fel Cyfrin Gynghorydd, eistedd i mewn yng nghanol Siambr Tŷ'r Arglwyddi ar y grisiau sy'n arwain at yr orsedd ble mae'r Frenhines yn eistedd ar ddiwrnod Araith y Frenhines. Beth bynnag, mi es yno a phan eisteddais gwelais fod mainc flaen Llafur wrthi'n brysur yn siarad efo'i gilydd ac yn edrych i'm cyfeiriad. Syllwn, neu yn wir rhythwn yn ddi-baid arnynt, ac yn arbennig ar y Farwnes Royall ac yn y man dyma hi'n codi i ymateb i'r cymal perthnasol. Yn lle dweud eu bod yn gwrthwynebu, edrychodd i'm cyfeiriad gan fy llongyfarch ar fy ymgyrch i sicrhau'r Mesur pwysig hwn ac ychwanegodd y bydde'r Blaid Lafur yn ei gefnogi. Rydw i wedi bod yn meddwl ambell dro, beth yn union fasa wedi digwydd pe na bawn i yn Siambr Tŷ'r Arglwyddi y noson honno?

Felly, mi grëwyd y drosedd ar ddwy lefel, fel roeddem wedi paratoi. Stelcian yn y Llys Ynadon ar gollfarn carchar hyd at 51 wythnos a dirwy ar lefel 5, neu'r ddau.

Mae Cymal 4A yn fwy difrifol ac yn ymdrin ag achosi gofid ac amharu ar fywyd bob dydd y dioddefwr. Yn Llys y Goron gellir dyfarnu hyd at bum mlynedd o garchar a neu ddirwy. Eto, mi aed â'r maen i'r wal a bob mis bydd yna ddwsinau o erlyniaethau ledled Prydain, serch y ffaith bod 'Syr Humphreys' y byd yma'n dweud nad oedd angen unrhyw newid yn y gyfraith.

Erbyn 2017-18 dengys fod y nifer o droseddau cofrestredig yn 10,214 yn ôl ffigyrau'r Swyddfa Gartref ond mae'n bryder bod heddluoedd, eto fyth, yn dod ag amryw o gyhuddiadau o dan y Ddeddf Diogelu Rhag Aflonyddu 1997 am fod yr heddlu'n tybio bod y cyhuddiadau hynny'n haws i'w profi mewn llys barn. Tydi hyn ddim yn ddigon da. Mae parhau i droi at Ddeddf 1997 yn arwain at ganlyniad anaddas i ddioddefwyr ac mae angen sicrhau tegwch a chyfiawnder iddynt gan ddefnyddio'r ddeddf stelcian yn briodol.

Lansiwyd y Mesur yn Rhif 10 Stryd Downing ar Ddiwrnod Rhyngwladol y Merched 2012 ac fe'm gwahoddwyd yno i ddathlu hyn gan y Prif Weinidog, David Cameron. Yno hefyd roedd amryw o'r dioddefwyr, a fu'n tystio'n eofn i'n cynorthwyo, ac mi roedd hi'n wych eu gweld hwy i gyd.

Rwyf am orffen ar nodyn hollol bersonol. Daeth un ferch ger ein bron, i adrodd hanes blynyddoedd o stelcian a bygythiadau, yn ystod haf 2011 pan oeddem fel pwyllgor yn cymryd tystiolaeth. Roedd hi'n amlwg bod y ferch yma'n eithriadol o nerfus, yn crynu ac yn ymddangos fel petasai ei hysbryd bron â thorri. Roedd hi'n ddigon dewr i ailadrodd ei hanes erchyll ac yn amlwg mi roedd y broses yn anodd iawn iddi. Ymbiliodd arnom i geisio gwneud ein gorau i sicrhau y Mesur a'r Ddeddf gan nad oedd hi wedi derbyn unrhyw gymorth na chyfiawnder o dan y cyfreithiau a oedd yn bodoli. Roedd hi'n gwbl ddihyder ac yn amlwg bod y broses yn anodd iawn iddi.

Y tro nesaf i mi ei gweld oedd yn angladd fy nghyfaill Harri Fletcher yn Llundain yn Ionawr 2020. Daeth ataf, a gafael amdanaf a rhoi ei cherdyn i mi. Mae hi, Clare Waxman, yn awr yn Gomisiynydd Dioddefwyr yn Llundain ac yn ferch hyderus a bodlon ei byd. Mae'r stori fach yna'n unig yn cyfiawnhau'r misoedd o ymgyrchu a'r gwyddbwyll gwleidyddol a wynebwyd wrth sicrhau'r ddeddf.

Pennod 11

ROEDD GWEDDILL 2011 a thrwodd i 2012 yn gyfnod eithriadol o brysur i mi. Ces wahoddiad i annerch sawl cynhadledd ar hyd a lled Cymru a Lloegr ar y testun o wella amodau cyn-filwyr. Mae dau yn aros yn y cof, un a drefnwyd yn Wrecsam ble'r oedd cynulleidfa fawr iawn wedi ymgynnull ac un arall a drefnwyd yng Ngharchar Doncaster a oedd hefyd dan ei sang. Os oedd yr hyn a ddywedwn yn gywir, bod nifer fawr o gyn-filwyr yn garcharorion, pam tybed bod y trefnwyr wedi dewis Carchar Doncaster fel lleoliad? Cyfarfod arall dwi'n ei gofio'n dda oedd yr un a drefnwyd ym Manceinion ac fe'm cyflwynwyd gan y diweddar bellach, Paul Goggins A.S. a fu'n gefnogol i'm hymdrechion drwy gydol yr ymgyrch, er gwaethaf agwedd elyniaethus ei fainc flaen tuag ataf. Roedd Paul wedi bod yn Weinidog mewn o leiaf dwy weinyddiaeth ac mi roedd yn effeithiol heb unrhyw arwydd o ymddygiad 'llwythol'. Os oedd rhywbeth yn swnio'n iawn iddo, toedd hi ddim yn bwysig pa blaid roedd yr Aelod yn perthyn iddi, y pwnc oedd yn bwysig, fel y dylai fod wrth gwrs. Yn drist iawn bu Paul farw yn ddisymwth o drawiad ar y galon ac mi roedd amryw ohonom yn gweld ei golli fel cydweithiwr ac fel cyfaill.

Bûm mewn sawl cynhadledd a drefnwyd gan Ffederasiwn yr Heddlu ac fe'm gwahoddwyd i annerch ynddynt. Yng ngwanwyn 2011 bûm hefyd yn annerch eu cynhadledd flynyddol yn Bournemouth.

Yn ogystal â dod â'r ymgyrch cyfraith stelcian i fwcl, roedd y Llywodraeth wedi cyhoeddi y mesur LASPRO (Cymorth

Cyfreithiol, Dedfrydau ac Erlyn Troseddwyr) a oedd yn lobscows o fesur. Y prif fwriad mae'n amlwg oedd arbed arian i'r Ysgrifennydd Cyfiawnder, Chris Grayling A.S. Yn wahanol i'w ragflaenwyr toedd Grayling ddim yn gyfreithiwr ac yn bersonol roedd yn ddyn rhyfeddol o oeraidd. Roeddwn erbyn hyn yn gweithredu fel Is-Gadeirydd Pwyllgor Dethol Cyfiawnder y Senedd a'r Cadeirydd oedd Syr Alan Beith A.S. Yr hyn nad yw'n hysbys efallai, yw bod Alan yn rhugl yn y Gymraeg. Mae hyn yn rhyfeddol mewn gwirionedd, gan nad oes ganddo unrhyw gysylltiad â Chymru. Roedd ei sedd seneddol ar y ffin rhwng Lloegr a'r Alban yn ardal Berwick on Tweed ac ni fuasai wedi dod ar draws y Gymraeg yno'n aml! Beth a ysgogodd Alan i ddysgu yw iddo rannu ystafelloedd yng Nghaergrawnt gyda myfyriwr arall oedd yn digwydd bod yn siarad Cymraeg. Dyna oedd egin ei ddiddordeb. Rhaid cyfaddef bod Alan yn dipyn o ieithydd ac mae ganddo wybodaeth o'r iaith Daneg ac o Norwyeg yn ogystal.

Fel rhan o'n gorchwylion ar y Pwyllgor Cyfiawnder bydden ni'n cyfarfod â'r Ysgrifennydd Cyfiawnder yn rheolaidd a thrwy'r broses hon deuthum yn reit gyfeillgar efo Ken Clarke C.F. A.S., rhagflaenydd Chris Grayling. Er ein bod yn dadlau o begynau gwahanol bron bob amser, deuthum yn ddigon o ffrindiau â Ken a'i ddiweddar wraig, Gillian, a buont yn swpera efo Eleri a minnau ar fwy nag un achlysur. Dwi'n dal i dderbyn llythyr yn achlysurol ganddo. Rhaid cyfaddef fy mod hefyd yn medru ymwneud â Jack Straw A.S. pan oedd o yn Arglwydd Ganghellor Llafur ac mi ddaethom i ddallt ein gilydd yn weddol dda.

Nid cymeriad felly yw Grayling ac rwy'n cofio ar un achlysur iddo ymddangos o flaen y Pwyllgor Cyfiawnder i ateb cwestiynau. Roedd un o'i atebion yn hollol anghredadwy ac am yr unig dro yn fy ngyrfa yn San Steffan dywedais wrtho, 'Tydw i ddim yn eich coelio, Weinidog.' Roedd ei atebion 'ffwrdd â hi' yn sarhad arnom fel Pwyllgor mewn gwirionedd.

Felly, toedd neb yn disgwyl y buase hi'n hawdd ymdrin â

Chris Grayling wrth iddo lywio Mesur LASPRO trwodd. Fel y dywedais, rhyw lobscows oedd y Mesur ac mi roedd yna sawl elfen iddo. Ymysg y pethau derbyniol ynddo roedd yr hawl i roi rhagor o ryddid a rhyddhad amodol i bobl ifanc oedd wedi troseddu am y tro cyntaf. Ynddo hefyd roedd y bwriad o godi pwynt cychwyn wrth garcharu llofruddion, lle roedd casineb yn erbyn person anabl neu drawsrywiol yn elfen. Yn wir, roedd y ffigwr yn codi i 30 mlynedd ond mi brofwyd bod hyn yn eithafol. Hefyd, roedd yr hawl i anfon troseddwyr difrifol yn ôl i'w gwledydd gwreiddiol wedi iddyn nhw fod yn y carchar am hyn a hyn o amser. Mae'r materion uchod yn weddol synhwyrol, ond roedd hi'n bwysig ffrwyno'r Gweinidog a'r Llywodraeth rhag eithafiaeth yn y meysydd hyn. Roedd yna, wrth gwrs, ragor yn y Mesur.

Problem fwyaf y Mesur oedd ei fod yn torri ar y Cymorth Cyfreithiol. Yn y Mesur, ni fydde cymorth Cyfreithiol ar gael mewn meysydd megis problemau tai, problemau budd-daliadau a nawdd cymdeithasol, esgeulustod meddygol, cyfraith cyflogaeth, cyfraith yn ymwneud â dyledion nac ychwaith cyfraith yn ymwneud â mewnfudwyr. Ond y darnau mwyaf dinistriol a negyddol a gafodd lawer iawn o sylw oedd diddymu cymorth cyfreithiol i'r rhan fwyaf o achosion cyfraith teulu preifat, megis mam neu dad yn ceisio cael eu plentyn i fyw gyda nhw, neu'n ymgeisio am orchymyn i'w galluogi i weld plentyn. Roedd hyd yn oed yn torri'n ôl ar gymorth cyfreithiol mewn achosion o drais yn y cartref, ar wahân i rai oedd yn dod o fewn categori cul eithriadol a gofynion anodd i'w cyflawni. Roedd yna bryder eithriadol am y cymalau hyn ac wedi'r cwbl toedd cyfraddau cymorth cyfreithiol ddim wedi codi llawer ers dros ddeng mlynedd. Yn y cyswllt Cymreig, ofnid bod llawer o gyfreithwyr yn mynd i roi'r gorau iddi ac felly na fydde cyfreithwyr cyfraith teulu ar gael mewn sawl rhan o'r wlad – yr enwog 'ddiffeithwch Cymorth Cyfreithiol'. Roedd yr anghyfiawnder yn amlwg i bawb gan mai y bobl leiaf breintiedig mewn cymdeithas fydde'n dioddef fwyaf. Roedd hyn yn rhybudd o'r hyn fydde'n dod yn y ddegawd nesaf, efallai.

Tua'r un pryd, daeth Syr Nicholas Wall, sef barnwr teulu eithriadol o brofiadol a Llywydd Cyfadran Teulu yr Uchel Lys a hefyd Pennaeth Cyfiawnder Teuluol drwy Lloegr a Chymru ger ein bron fel Pwyllgor Cyfiawnder. Gofynnais iddo a oedd o'n gyfforddus efo'r toriadau i Gymorth Cyfreithiol. Gan ei fod yn dal yn ei swydd, nid oeddwn yn disgwyl llawer o ymateb ganddo, ond fe'm syfrdanwyd braidd. Dywedodd nad mater o fethu â chael cymorth cyfreithiol i ddod ag achos llys am ddamwain i'ch car oedd hwn. Achos llys yn ymwneud â'r peth mwyaf gwerthfawr yn eich bywyd ydoedd, sef eich plant. Aeth ymlaen i ddweud na fydde rhiant yn ildio ac y buasem maes o law yn gweld miloedd o rieni'n hunangynrychioli gan fynd â llawer mwy o amser y llys a chreu cost ychwanegol, ond yn bwysicach, drwy gyflwyno eu hachosion a hwythau heb unrhyw hyfforddiant cyfreithiol roedd yna berygl mawr bod amryw o'r achosion hyn yn mynd i arwain at anghyfiawnderau difrifol mewn dwsinau os nad cannoedd o achosion. Roedd hyn yn hollol amlwg i mi yn y practis. Pan fyddwn yn gweithredu fel bargyfreithiwr ar ran un o'r partïon a'r llall yn hunangynrychioli roedd achos, a ddylai barhau am ddau neu dri diwrnod, yn mynd i barhau am saith niwrnod a mwy, yn amlach na pheidio. Economi ffals, oherwydd yn y pen draw ychydig iawn o arbed arian a fyddai yn y diwedd, ond bydde'n achosi loes difrifol i rieni, eu plant a'u teuluoedd.

Penderfynais fod yn rhaid ceisio gwrthsefyll yr anghyfiawnderau yma ac mi wnes gais i fynd ar Bwyllgor Sefydlog y Mesur ac o ddechrau Gorffennaf 2011 bûm mewn pwyllgorau yn dadlau ac yn cynnig llu o welliannau ddwy waith yr wythnos, gyda dau eisteddiad y dydd am ryw dair i bedair awr, hyd at ganol Hydref 2011. Er gwaethaf pob dadl synhwyrol gan bobl a oedd yn deall y sustem, yn gyfreithwyr a bargyfreithwyr gwrthod bron pob gwelliant ddaru'r Llywodraeth, efo Chris Grayling a'i eilydd Jonathan Djanogly prin yn gwrando ar y dadleuon. Un peth, ac un peth yn unig oedd ar feddwl Grayling, a hynny oedd arbed arian i'r Adran Gyfiawnder er mwyn ennill rhyw glod iddo ef ei hun yn y Cabinet. Yn ystod y Pwyllgor cawsom gannoedd o lythyrau ac adroddiadau gan bobl fel Cymdeithas y Gyfraith, Cyngor y Bar, NAPO, Shelter, Cymorth i Ferched BMA ac yn y blaen, ond mae'n amlwg i mi nad oedd gan y Llywodraeth Dorïaidd yma unrhyw ddiddordeb mewn gwrando, na cheisio ymateb yn synhwyrol, nac yn wir mewn dangos unrhyw barch i'n hargymhellion.

Yn ystod bron i chwarter canrif yn Senedd San Steffan, bûm mae'n siŵr ar tua phump ar hugain i ddeg ar hugain o bwyllgorau sefydlog o'r math. Hwn oedd yr un mwyaf chwerw y bûm yn aelod ohono ac mi roedd rhywun yn meddwl pam fy mod wedi neilltuo cannoedd ar gannoedd o oriau i baratoi gwelliannau, dadleuon a darllen llythyrau ac adroddiadau i gael clust fyddar fel hyn. Wedi i mi fod mewn ychydig o wewyr am gyfnod, yr effaith parhaol a gafodd arnaf oedd i'm gwneud hyd yn oed yn fwy penderfynol o gael llwyddiant yn y dyfodol.

* * *

Yn ystod y cyfnod yma, ym mis Mai 2011, daeth yr Arlywydd Obama draw i Lundain ar ymweliad swyddogol. Un o'i gyhoeddiadau oedd annerch Aelodau Tŷ'r Cyffredin a Thŷ'r Arglwyddi yn Neuadd Westminster yn y Senedd. Mae'r Neuadd yn anferth ac yn dyddio'n ôl i'r 14eg ganrif, medden nhw. Roedd gwahoddiad swyddogol i mi fel Arweinydd Seneddol ac mi wahoddwyd Eleri hefyd. I sicrhau ein seddau aethon ni i'r Neuadd tua awr cyn i'r Arlywydd gyrraedd. Wedi eistedd a gwneud ein hunain yn gyfforddus daeth un o swyddogion Tŷ'r Cyffredin ataf a dweud bod lle i Eleri a minnau yn y rheng flaen.

Dyma ufuddhau a symud tua ugain rhes i lawr i'r tu blaen ac eistedd unwaith yn rhagor. Ymhen rhyw bum munud dyma Eleri'n sibrwd yn fy nghlust 'Ew, ma hwnna'n edrych fel Tom

Hanks.' Ychydig wedyn, sylweddoli mai'r actor Tom Hanks oedd o! Ymhen rhyw chwarter awr dyma Obama'n cyrraedd ac mi gawsom araith tan gamp ganddo ac oedodd am yn hir wedyn yn ysgwyd llaw efo cymaint ag y medrai, cyn i'r swyddogion cudd o'i amgylch ddechrau mynd yn anesmwyth.

Rwyf eisoes wedi sôn am gyfeillion da oedd gen i yn Llundain, ac yn wir roedd gen i gyfeillion o fewn pob plaid wleidyddol ac rwy'n teimlo'n freintiedig o fod wedi eu hadnabod. Un o'r rheiny oedd Emlyn Hooson, yr Arglwydd Hooson C.F. I fod yn fanwl gywir, roeddwn yn ei adnabod ers rhai blynyddoedd cyn mynd i'r Senedd. Emlyn oedd y bargyfreithiwr, Cwnsler y Frenhines, mwyaf profiadol ar gylchdaith Cymru a Chaer fel roedd hi bryd hynny. Bûm yn cydweithio ag o ar dri neu bedwar o achosion dros y blynyddoedd, wedi ei ffeindio'n hawdd siarad ag o a bydde fo'n hynod o ddifyr bob amser. Emlyn, mae'n debyg, oedd y croesholwr gorau a adwaenwn a phan fydde Emlyn yn gwenu wrth ofyn cwestiynau yn y llys, mi fydde rhywun mewn trwbl!

Ces gynghorion doeth gan Emlyn o'r cychwyn cyntaf yn Llundain. Pe gwelwn ef ar un o'r coridorau bydde'r wên lydan yna'n dod dros ei wyneb ac yn amlach na pheidio'n dweud, 'Fachgen, sut rwyt ti – wyt ti awydd paned?' Pleser o'r mwyaf fydde derbyn, hyd yn oed os byddwn ychydig yn hwyr yn cyrraedd y cyfarfod nesaf. Ni allai neb ei wrthod, a hawdd gweld sut roedd ei gymeriad hoffus a'i ymarweddiad parchus yn ei gynorthwyo yn ei waith fel bargyfreithiwr.

Ar un o'r achlysuron hapus yma dyma Emlyn yn gofyn beth oedd gen i ar y gweill. Dywedais wrtho fy mod yn mynd ar ymweliad â'r Congo a Sierra Leone yr wythnos ganlynol. Trodd ataf, ac mi welais fod ei wyneb yn dechrau cochi. 'Oes gen ti wn?' holodd. 'Nagoes, siŵr', medda finne. 'Wel paid â mynd 'ta,' meddai. Y prynhawn hwnnw ffoniais y trefnwyr i ddweud nad oeddwn yn gallu mynd i'r Affrig, wedi'r cwbl.

Dro arall ces alwad gan Emlyn yn fy ngwahodd am de efo fo a Geraint Howells yn Nhŷ'r Arglwyddi. Atebais ei bod hi'n anodd gan fod Rhodri'r mab a'i ffrind Gareth gyda mi ar brofiad gwaith. Ateb Emlyn oedd i ddod â nhw gyda mi. Y canlyniad oedd i dri oedolyn drafod y byd a'r betws gan gyfeirio bob hyn a hyn at wleidyddiaeth Cymru, a dau berson ifanc yn eu harddegau cynnar yn edrych braidd yn anfoddog, er eu bod yn cael te ar deras Tŷ'r Arglwyddi. Dwi'n meddwl bod Rhodri'r mab yn dal i gofio'r achlysur ac rwy'n falch o hynny.

Mi fu farw Emlyn ym mis Chwefror 2012 ac roedd ei gynhebrwng yn y capel yn Llanidloes yn llawn o gyfreithwyr, bargyfreithwyr a gwleidyddion, llawer ohonyn nhw wedi bod yn ymladd achosion yn ei erbyn a phawb yno o barch i ŵr arbennig iawn.

Un noson, roeddwn yn ciniawa ym mwyty Tŷ'r Arglwyddi yng nghwmni Syr Roderic Evans C.F., sef barnwr Uchel Lys, a'r Arglwyddi Dafydd Wigley ac Elystan Morgan. Cawsom ymgom fywiog a difyr. Ar ryw bwynt yn y sgwrsio dyma Syr Roderic yn gofyn i'r tri ohonon ni pa un oedd yn wahanol. Roedd Elystan yn aelod o'r Blaid Lafur a Dafydd a minnau yn perthyn i Blaid Cymru ac felly hwnnw oedd yr ateb amlwg. Na, meddai Syr Roderic, Elfyn yw'r eithriad. Mi rydych eich tri wedi ceisio ennill sedd Seneddol Meirionnydd a dim ond y fo ddaru lwyddo. Pwffian chwerthin wnes i a sylweddoli maes o law wrth edrych o gwmpas y bwrdd mai fi oedd yr unig un yn chwerthin.

Ym Mehefin, daeth Aung San Suu Kyi i Lundain ar ymweliad. Ar y pryd roedd hi'n ffigwr gwleidyddol dylanwadol yn ei gwlad, sef Myanmar. Mi gofiwch iddi gael ei charcharu a'i chadw'n gaeth yn ei chartref am gyfnodau hir iawn. Heb or-ddweud roedd hi'n dipyn o arwres gan lawer trwy'r byd. Daeth hi i Lundain ac mi gafodd y cyfle i annerch Tŷ'r Cyffredin a hefyd Tŷ'r Arglwyddi. Ces wahoddiad i wrando arni. Ychydig cyn mynd i'r neuadd i glywed ei hanerchiad, ces alwad ffôn gan Ysgrifennydd Preifat y Llefarydd, John Bercow. Gwahoddiad oedd hwn i gael te gyda hi a'r Llefarydd yn ei siambrau wedi'r anerchiad. Cafwyd te, ychydig i'w fwyta a sgwrs ddifyr iawn gan fy mod ar y pryd yn ei hedmygu'n fawr. Erbyn hyn, o weld beth sydd wedi digwydd i'r trueiniaid yn Rohingya yn Myanmar teimlaf gywilydd i mi fod yn ei chwmni. Taswn i'n gwybod sut Brif Weinidog fydde hi, faswn i ddim wedi trafferthu croesi'r ffordd i wrando arni ac yn sicr byddwn wedi gwrthod yfed te yn ei chwmni.

Gyda llaw, caiff lawer o bethau negyddol eu dweud am y cyn-Lefarydd, John Bercow. O 'mhrofiad i roedd o wastad yn deg â'r pleidiau llai, yn rhoi pob cyfle i ni areithio ac i holi gweinidogion. Credai fod yn rhaid i bob plaid yn y Siambr gael tegwch bob amser. Enghraifft o hynny, siŵr o fod, oedd y gwahoddiad i de wedi sgwrs Aung San Suu Kyi.

Mae'n rhaid i mi gyfaddef na welais ef yn ymddwyn yn annheg tuag at unrhyw un yn y blynyddoedd roeddwn i yn y Senedd. Gwn ei fod wedi gwneud gelynion rhyfeddol o fewn ei blaid ei hun, sef y Torïaid, ac mae gan y sefydliad ffyrdd o ddial nad ydyn yn hollol amlwg i chi a mi. Fedra i ddim dweud a oes sail i'r cwynion hynny, ond welais i ddim unrhyw beth o'r fath yn ystod fy nghyfnod i.

Pennod 12

YN NECHRAU 2013 bu trafodaeth ar effeithiolrwydd y Gwasanaeth Prawf. Fel cyfreithiwr ifanc mi welswn enghreifftiau lu o Swyddogion Prawf yn mynd ati i gydweithio'n agos efo troseddwyr, yn cynnig cefnogaeth a chyfeillgarwch hefyd iddyn nhw. Gwelais enghreifftiau o bobl ifanc yn cychwyn llithro i fywydau troseddol, ond gwnaeth ymyriad y Swyddogion Prawf atal hynny ac o fewn ychydig, llwyddo i wyrdroi ymddygiad gwrthgymdeithasol a pherswadio pobl bod ffyrdd llawer gwell o fyw ac o gyfrannu i'r gymdeithas. Felly, roeddwn yn gefnogol iawn i'r gwaith pwysig roedd y Gwasanaeth Profiannaeth yn ei gyflawni.

Mae Swyddogion Prawf yn bobl sydd wedi eu hyfforddi i ddelio â throseddwyr ac i asesu'r perygl neu'r risg y gall unigolyn droseddu unwaith yn rhagor. Maent hefyd yn gymwys i wneud profion i weld a fydde unigolyn yn debygol o aildroseddu ac a fydde'r troseddu yn dwysáu ac yn datblygu'n fwy difrifol neu'n fygythiol. Drwy brofiad hir maen nhw wedi datblygu medrusrwydd eang a dibynadwy yn y meysydd arbenigol hyn. Yn nechrau'r 2010au mi ddyfarnwyd Medal Aur i'r gwasanaeth am eu perfformiad gwerthfawr a phroffesiynol.

Pam felly ddaru'r Gweinidog Cyfiawnder, Chris Grayling, benderfynu mai rhywsut, bai y Gwasanaeth oedd hi bod cymaint o bobl yn aildroseddu? Mae'r rhan fwyaf ohonon ni sydd yn hyddysg yn y maes yn gwybod yn iawn bod y lefelau cymharol uchel o aildroseddu i'w priodoli i'r ffaith bod Swyddogion Prawf yn delio â llawer gormod o achosion a hefyd nad yw carcharu yn llwyddo. Nid yw carchar heddiw yn llwyddo i gyflwyno cyrsiau addysgiadol, nac yn cynnig cymorth i geisio sicrhau y bydd carcharor, pan ddaw allan i'r gymdeithas wedi cwblhau ei ddedfryd, yn well person ac yn fwy cymwys i gyfrannu'n werthfawr i'r gymdeithas honno. Oherwydd toriadau trymion a chyson, roedd yr elfen bwysig hon bron wedi mynd ar goll mewn llawer o garchardai.

Yn naturiol, bydd hyn yn gwneud gwaith y Swyddog Prawf yn un anodd iawn, wrth iddo geisio cydweithio efo cyn-garcharor nad oedd nemor neb wedi ceisio ei gynorthwyo na'i adfer tra bu o dan glo.

Cyflwynodd Chris Grayling syniad mewn papur trafod ym Mai 2013. Honnir yn y papur hwnnw bod angen llawer mwy o gymorth ar y carcharorion i adfer eu bywydau ac i sicrhau na fyddent yn aildroseddu. Roedd y gwasanaeth yn mynd i gael ei breifateiddio yn rhannol gan arbed £2 biliwn erbyn 2014-15. Y bwriad oedd agor y maes i gwmnïau preifat oruchwylio a chydweithio gyda throseddwyr a chadw hanner y Swyddogion Prawf profiadol i oruchwylio'r achosion mwyaf difrifol.

Roedd llawer ohonon ni'n methu â deall pam bod angen newidiadau mor sylfaenol a phellgyrhaeddol ar wasanaeth a lwyddodd i ennill clod mawr flwyddyn neu ddwy ynghynt. Yr ateb oedd yr angen i 'arbed' £2 biliwn, mae gen i ofn. Yn hytrach na rhoi rhagor o adnoddau i mewn yn y gwasanaeth, preifateiddio oedd yr ateb.

Roedd y Pwyllgor Dethol Cyfiawnder yn gweld problemau ac yn bur feirniadol. Roeddwn yn Is-Gadeirydd y pwyllgor ar y pryd ac un o'n hofnau oedd y brys enfawr i newid pethau, heb sôn am ofyn y cwestiwn pam bod angen newid, beth bynnag.

Roedd pum bwriad clir yn y mesur a ddaeth gerbron:

i. Sicrhau bod pob carcharor a fu dan glo am ddwy flynedd neu lai yn cael cysylltiad efo swyddog o'r cwmnïau preifat, o leiaf am gyfnod o 12 mis.

ii. Sefydlu 70 o garchardai 'ail gartrefu' ar draws Cymru a Lloegr.

iii. Gwahodd y cwmnïau preifat a chyrff gwirfoddol i gynnig am y gwaith.

iv. Câi'r cyrff yma eu talu am y canlyniadau roeddent wedi eu sicrhau, megis dangos bod lleihad mewn aildroseddu.

v. Rhoddi enw arall ar y Swyddogion Prawf cymwys a'i alw'n Wasanaeth Profiant Cenedlaethol i ddelio â'r troseddwyr mwyaf problemus a'r rhai o risg uchaf.

Bu bonllef o wrthwynebiad i'r cynlluniau yma. Dywedodd y Gymdeithas Profiannaeth a hefyd Cymdeithas y Prif Swyddogion Prawf y bydde llawer o broblemau efo'r cynlluniau hyn, gan gynnwys:

- Darnio'r gwasanaeth.
- Comisiynu'r cwmnïau ar ddull 'cenedlaethol' a hynny'n groes i ddatganoli.
- Nid oedd digon o brawf bod sustem tâl am ganlyniadau yn gweithio.
- Angen priodi sustemau cyfrifiadurol y Gwasanaeth Prawf Cenedlaethol efo'r sustemau preifat.
- Y brys.

Un ddadl amlwg i mi oedd pan fydd cwmnïau yn ceisio gwneud elw, bydd temtasiwn i 'dorri corneli' er sicrhau elw uwch. Daeth hyn yn wir o fewn dim o dro efo troseddwr yn gweld swyddog preifat am ddeng munud unwaith yr wythnos a hyd yn oed yn cynnal sgwrs am bum munud dros y ffôn unwaith yr wythnos. Sut gallai hynny fod o les i'r unigolyn, tybed?

Yn ychwanegol, dwi ddim yn credu bod y cwmnïau preifat yn sylweddoli y gall perygl neu risg y carcharor amrywio o bryd i'w gilydd ac nad oedden nhw'n asesu hynny'n ddigon gofalus. Roedd hyn yn wendid difrifol ac amlwg yn y cynlluniau hyn.

Bûm yn gwrthwynebu'r newidiadau hyn yn chwyrn gan nad oeddwn yn meddwl bod y cynlluniau yn ymarferol. Credwn hefyd fod y cynlluniau yn debygol o greu perygl i'r cyhoedd, na fyddent yn cynorthwyo'r troseddwyr ac yn gyffredinol yn gam gwag drudfawr, na fydde yn y pen draw yn arbed nemor ddim arian i'r Trysorlys.

Roedd Grayling yn benderfynol o barhau â'r cynlluniau ac mi ruthrodd yn gibddall gan gyflwyno y Mesur Ailsefydlu Troseddwyr yn Nhachwedd 2013 ac fe'm siomwyd yn fawr wrth i'r Blaid Lafur Seneddol dderbyn ei newidiadau. Cofiaf gael cyfarfod efo Sadiq Khan A.S., Maer Llundain heddiw, gan ddweud wrtho 'mod i wedi fy siomi'n fawr â phenderfyniad y Blaid Lafur ac y gallai peidio â gwrthwynebu'r newidiadau ffôl a pheryglus hyn fod yn embaras iddyn nhw yn y dyfodol. Ar y Pwyllgor Sefydlog mi fûm yn dadlau yn erbyn yr egwyddor am wythnosau, yn craffu ar y Mesur, linell wrth linell, ond symud ymlaen oedd rhaid yn ôl Grayling. Ni allai ef dderbyn unrhyw ddadl yn erbyn ei gynlluniau, er i'r gwelliannau ddeillio, gan amlaf, oddi wrth bobl oedd yn deall y maes yn iawn. Yn ystod cyfnod Pwyllgor y Mesur gwnaeth Grayling sefyll ei dir yn hollol ystyfnig heb ystyried bron ein dadleuon. Er gwaethaf ein hymdrechion, mynd trwodd ddaru'r Mesur a maes o law daeth yn ddeddf, sef Deddf Ailsefydlu Troseddwyr 2014.

Yn dilyn sefydlu'r gwasanaeth newydd, daeth yn amlwg mai medru siarad â chyfrifiaduron y Gwasanaeth Prawf Cenedlaethol yn unig roedd cyfrifiaduron y cwmnïau preifat. O ganlyniad, yn aml iawn ni fedrai y rhai a weithiai i'r cwmnïau preifat gysylltu â'r cyrff gwirfoddol, a wyddai holl hanes a chefndir y troseddwyr. Yn amlwg, mi roedd hynny'n wendid peryglus iawn, wrth gwrs. Ymhellach, bydde rhai unigolion o fewn y cwmnïau preifat yn ceisio gofalu am 70 neu fwy o droseddwyr o'i gymharu â'r nifer rhesymol, arferol o rhwng 20 a 25. Bu nifer o fethiannau yn naturiol ac o ganlyniad i hynny roedd perygl i'r cyhoedd. Roedd yr amodau gwaith mor wael fel y gadawodd llif o weithwyr cymdeithasol eu gwaith yn gyfan gwbl.

Cafodd ein dadleuon a'n hamheuon eu gwireddu ac mi ddywedodd y Swyddfa Archwiliadau Cenedlaethol i'r newidiadau gael eu rhuthro a bod y gost o greu'r holl lanastr wedi costio £467 miliwn yn fwy nag a ragnodwyd. Dywedodd y Gymdeithas Gymdeithasegol Brydeinig bod y drefn newydd yn 'unmitigated disaster'.

Erbyn hyn mae'r Llywodraeth bresennol wedi ailfeddwl. Mewn datganiad gan Robert Buckland C.F., yr Ysgrifennydd Cyfiawnder, dywedodd y bydde'r gwasanaeth yn cael ei ailwladoli. Biti na fuase Chris Grayling wedi gwrando, mi fuase miloedd o bobl wedi osgoi dioddefaint mawr a'r trethdalwr wedi osgoi gwariant ofer o filiynau o bunnoedd.

Yn ystod ei gyfnod mi ddaru ein Pwyllgor Dethol Cyfiawnder ei feirniadu sawl tro am iddo leihau nifer y swyddogion carchar o 23,000 yn 2012, i 18,000 yn 2015 ac felly cyfrannu at y ffaith bod nifer y marwolaethau mewn carchardai wedi codi 38%. Cafodd ei rybuddio y bydde'n gwneud 'cyfraniad sylweddol tuag at leihau diogelwch mewn carchardai'.

Chris Grayling hefyd ddaru benderfynu mai carchar o dros ddwy fil o lefydd oedd angen arnon ni yng Ngogledd a Chanolbarth Cymru. Carchar i tua 700 i 750 o lefydd oedd ei angen, ond unwaith eto penderfynodd anwybyddu'r dystiolaeth ac adeiladu'r carchar enfawr yn Wrecsam. Mae yna dystiolaeth bendant bod carchardai llai yn fwy effeithiol, yn well llefydd i ailsefydlu troseddwyr ac yn bwysig iawn yn fwy diogel i garcharorion, y gweithwyr a swyddogion y carchar.

Yn wir yn ystod 2013 bûm allan yn yr Unol Daleithiau yn cynrychioli'r Pwyllgor Cyfiawnder yn edrych ar amryw o garchardai yn Texas. Mae'r dalaith honno yn enwog am fod yn adain dde ac yn hynod o lym ar garcharorion a lle mae dienyddio yn parhau. Hyd yn oed mewn lle efo hinsawdd o'r math hwnnw, maent yn cau carchardai mawrion oherwydd nad ydyn nhw'n llwyddiannus.

Yn ystod cyfnod Cofid 19 roedd carchar y Berwyn yn Wrecsam yn ferw o'r feirws, yn rhannol oherwydd bod y rhan fwyaf o'r carcharorion yn gorfod rhannu ystafelloedd. Er bod gen i ddiddordeb mewn materion yn ymwneud â pholisi penydiol, rwyf wedi gwrthod pob gwahoddiad i fynd yno ac fel un sy'n byw yn ardal y Bala, mae gen i gywilydd bob tro y clywaf am fodolaeth carchar Berwyn.

Rhag ofn i chi feddwl 'mod i'n rhy drwm fy llach ar Grayling, dyma ddywed yr Arglwydd Pannick C.F. amdano: 'yn nodedig yn unig am ei geisiadau i dorri nôl ar achosion adolygiadau barnwrol a hawliau dynol, ei fethiannau i amddiffyn y farnwriaeth rhag beirniadaeth wleidyddol, ac i dorri ar gymorth cyfreithiol i'r lleiafswm posibl.'

Dywed Kenneth Clarke C.F. A.S., un o'i ragflaenwyr yn y swydd: 'Doedd ganddo ddim diddordeb mewn ad-drefnu'r sustem carchardai mewn cyfeiriad rhyddfrydol, na chwaith unrhyw ddiddordeb mewn ceisio lleihau ar boblogaeth carchar. Hefyd roedd ei gynigion i dorri nôl ar y sustem cymorth cyfreithiol ym myd trosedd yn drychinebus ac mi ddaru hynny ei dynnu i mewn i ffrae hir ac aflwyddiannus a fu'n bodoli drwy gydol ei gyfnod yn y swydd.' Hyn cofier gan gyd-Aelod Seneddol o'r Blaid Geidwadol.

* * *

Yn dilyn dod â'r Mesur Stelcian i fwcl ces amryw o wahoddiadau i siarad ledled Prydain ac un gwahoddiad diddorol iawn oedd rhoi darlith awr yn Cumberland Lodge ym Mharc Windsor. Unwaith y flwyddyn, bydd cynhadledd gyfreithiol yn cael ei chynnal yno ac fel rheol barnwyr o wahanol lefelau a bargyfreithwyr fydd yn ei mynychu. Siwrne gymharol fer o Lundain oedd hi i Windsor Great Park ble mae'r ganolfan. Nos Wener ym Mawrth oedd hi ac mi roeddwn yn edrych ymlaen at y digwyddiad, ond heb fod yn sicr o beth i'w ddisgwyl. Wedi cyrraedd, cafwyd swper dymunol iawn ac wedi hynny fe'm tywyswyd i'r neuadd ddarlithio lle gwelais fod rhes flaen y gynulleidfa wedi ei llenwi â barnwyr teulu, o'r Farnwriaeth Rhanbarth, Cylchdaith, Uchel Lys ac un barnwr a ymddangosai yn y Llys Apêl. Mae hi wedi bod yn arferiad gen i, mewn gwleidyddiaeth a'r gyfraith i baratoi'n drwyadl, hyd yn oed mewn maes y gwyddwn gryn dipyn amdano. Fues i erioed mor falch na'r noson honno 'mod i wedi gwneud hynny.

Mi aeth y ddarlith rhagddi ac roedd rhyw chwarter awr yn weddill i ofyn cwestiynau. Gallwch fentro mewn cynulleidfa o'r fath roedd y cwestiynu'n ddeallus a threiddgar. Gan mai fi oedd awdur y gyfraith stelcian, roeddwn yn weddol gyfforddus ac roedd y profiad yn un arall a roddai dic yn y blwch! Ond, wrth ddal y trên yn ôl i ganol Llundain dechreuais deimlo ychydig yn nerfus, o ystyried disgleirdeb fy nghynulleidfa niferus.

Ychydig wythnosau wedyn bûm yn brif siaradwr mewn cynhadledd o'r Westminster Legal Policy Forum yn traddodi darlith ar 'Cyfiawnder i Deuluoedd – y camau nesaf at ad-drefnu a moderneiddio'. Wedi hynny ces wahoddiad i annerch cynhadledd 'Cymunedau Diogelwch' fel prif siaradwr, o dan nawdd 'Inside Government'. Wedyn rali fawr, 'Pa bris Cyfiawnder yn San Steffan a'r cyffiniau?'

Daeth cynhadledd flynyddol undeb y Swyddogion Prawf i Landudno ac mi ges y fraint a'r pleser o agor y gynhadledd honno ac annerch y gynhadledd y diwrnod canlynol. Roedd hi'n bleser mawr cael cyfarfod â llawer o ffrindiau o'r undeb a hynny o fewn ychydig filltiroedd i fro fy mebyd yn Nyffryn Conwy.

Fe'm gwahoddwyd i fod yn aelod o fwrdd golygyddol yr *House Magazine,* sef cylchgrawn gogyfer â Thŷ'r Cyffredin a Thŷ'r Arglwyddi. Dros y blynyddoedd cefais gyfle i ysgrifennu erthyglau i'r cylchgrawn ac mi fuaswn yn amcangyfrif i mi ysgrifennu o leiaf ugain erthygl. Beth fydden nhw gan amlaf oedd dyddiadur wythnos i ddeng niwrnod ac roedd yn gyfle i drafod pethau o ddiddordeb. Mi roedd disgwyliad na fuase unrhyw un yn mynd yn rhy 'wleidyddol' o ran beirniadu unrhyw blaid arall ac er y gwnes groesi'r ffin honno ar fwy nag un achlysur, ches i mo'r 'sac' serch hynny.

Yn ystod cyfnod Llafur Newydd roedd rhyw ffasiwn ymysg Aelodau Seneddol i honni eu bod yn gweithio'n hollol ddi-dor. I ba ddiben dwi ddim yn gwybod. Pan fydde'r Tŷ yn torri am wyliau byr bydde yna wastad wahoddiad i mi gyfrannu, oherwydd bod Aelodau'r ddwy blaid fawr yn anfodlon cyfaddef eu bod nhw'n cymryd hoe o bryd i'w gilydd. Nonsens yn fy marn i ac rwy'n cofio ysgrifennu ambell ddarn gan gyfeirio at y ffaith bod Eleri a minnau wedi cael rhyw bum i saith niwrnod o wyliau ac mi ysgrifennwn am y gwyliau hwnnw. Cofiaf un ymweliad difyr iawn â Madrid a phan gyhoeddwyd yr erthygl rwy'n cofio i un Aelod, Rhyddfrydwraig os cofiaf yn iawn, ddweud fy mod yn ddewr iawn yn cyfaddef i mi gymeryd ychydig o ddyddiau o wyliau.

Yn yr un modd, cofiaf gael sgwrs efo Aelod Seneddol arall a dyma hi'n dweud ei bod hi'n fwriad ganddi newid ei char ym mis Gorffennaf. Dywedais 'mod innau hefyd am ei newid a gofynnodd i mi beth roeddwn am ei brynu. Roeddwn wedi archebu Mercedes Benz ac mi ddylwn nodi mai dyna oedd y modur roeddwn wastad am ei gael ymhell cyn i mi fynd yn agos at y Senedd yn Llundain. Ei hymateb oedd y bydde'n amhosib iddi hi wneud y fath beth. 'Fuase fy etholwyr byth yn derbyn y peth', meddai. Ychwanegodd ei bod hi am chwarae'n saff a phrynu modur Ford a phrysuraf i ddweud nad oes gen innau unrhyw beth yn erbyn moduron Ford! Beth bynnag, yn yr etholiad a ddaeth ddeunaw mis wedyn, collodd Liz Lynn A.S. sedd Rochdale ac mi gedwais i fy sedd Meirionnydd Nant Conwy bryd hynny, efo mwyafrif uwch, dwi'n falch o ddweud. Tydi etholwyr ddim yn bobl ddwl o bell ffordd ac mi allan nhw synhwyro ymddygiad nad yw'n taro deg. Dyma enghraifft arall, ddyliwn i.

Digwyddiad blynyddol oedd ymddangos yn y Cenotaph yn Llundain i osod torch ar Sul y Cofio. Byddwch yn sylweddoli nad oeddwn yno i glodfori rhyfela, ond teimlwn yn gryf iawn y dylwn fod yno i gofio'r rheiny fu farw yn rhyfeloedd yr ugeinfed ganrif. Roedd fy nhaid wedi dioddef o effeithiau nwy gwenwynig yn y Rhyfel Mawr. Er iddo ddod adref, ac felly yn fwy ffodus na degau o filoedd eraill, ni chafodd iechyd da wedi dychwelyd ac mi fu farw fy nhaid ychydig fisoedd cyn i mi gael fy ngeni. Teimlwn bob amser bod y ddyletswydd hon yn bwysig eithriadol a thrwy gofio am yr erchyllterau – yn arbennig y ddau Ryfel Byd – gobeithiwn y bydde'r to ifanc yn sylweddoli nad yw trais yn ateb unrhyw broblem.

Felly, rhwng y gwaith yn Nhŷ'r Cyffredin ar bwyllgorau amlbleidiol, fy ngwaith fel Is-Gadeirydd y Pwyllgor Cyfiawnder, cadeirio dau bwyllgor amlbleidiol, aelodaeth o amryw o Bwyllgorau Sefydlog yn craffu ar fesurau'n fanwl iawn, byddwch yn sylweddoli bod bywyd yn ddigon llawn. Yn ychwanegol wrth gwrs roedd yr holl waith dros yr etholwyr gartref, yn delio â phroblemau a chwynion a dyma ble roeddwn yn ffodus eithriadol. Sheila Jenkins (Williams gynt) oedd yn rheoli'r swyddfa yn Nolgellau o'r dechrau ac roedd gan Sheila'r ddawn o fedru gweld yn syth beth sy'n bosibl ei wneud a pha mor gyflym roedd angen ei wneud. Bu Sheila yn rheolwr swyddfa am rai blynyddoedd i'm rhagflaenydd Dafydd Elis Thomas ac felly roedd yn brofiadol iawn. Yn ogystal, roedd Sheila'n adnabod pentwr o bobl Meirionnydd yn dda a bu hynny o gymorth mawr i mi. Cyn dod i weithio i'r swyddfa bu'n gweithio yn HTV yng Nghaerdydd ac yn ddiweddarach gyda Farmers Marts yn Nolgellau. Yn y dyddiau rheiny mi fydde mart anifeiliaid y dref yn denu dwsinau os nad cannoedd o amaethwyr ac mae'n deg dweud bod Sheila'n adnabod y rhan fwya ohonyn nhw.

Pan fyddwn mewn cyfyng gyngor ynglŷn â rhywbeth yna gan Sheila roedd yr ateb. Mae gen i un enghraifft sydd braidd yn eithafol. Rhyw brynhawn Gwener roeddwn yn y mart yn Nolgellau gan fod amaethwyr y sir wedi cytuno i roi oen neu anifail arall i'w werthu at achos da, sef galluogi person o'r sir i fynd i'r Unol Daleithiau i gael llawfeddygaeth arbenigol iawn ar ei ymennydd. Roedd hi felly'n bwysig codi cymaint o arian ag roedd yn bosibl. Yn ystod y prynhawn roeddwn yn sefyll gyda rhai o'm cyfeillion a'm cydnabod ger corlan lle roedd tri mochyn ar werth. Oherwydd 'mod i wedi bod yn llafar yn ystod y prynhawn yn ceisio codi'r arian, mi darodd yr arwerthwr,

Dic Farmers Marts, yr anifeiliaid i lawr i mi am £80 os cofiaf yn iawn. Mae'n deg dweud 'mod i mewn sioc ac mi holais un o'm cydnabod a oedd y tri mochyn yn barod i fynd i'r lladd-dy. Atebodd yntau, 'Na wir, mae 'na ryw dri mis o orffen arnyn nhw eto.' Lle roeddwn i am gadw tri mochyn am dri mis? Dim byd arall amdani ond ffonio Sheila i'r swyddfa, hithau'n cyrraedd â'i gwynt yn ei dwrn. O fewn tri chwarter awr roedd hi wedi llwyddo i werthu'r moch i rywun arall a dim ond £10 o golled ges i. Petai hi ddim wedi llwyddo, go brin y buase dod â'r tri mochyn bach yn ôl i Glandwr, Llanuwchllyn i bori ar y lawnt o flaen y tŷ wedi gwneud llawer o les i'm perthynas efo fy ngwraig, Eleri.

Roedd gallu, brwdfrydedd a ffyddlondeb Sheila yn golygu y gallwn wneud llawer o bethau pwysig yn Llundain a thu hwnt, heb boeni'n ormodol am adra. Does gen i ddim cywilydd cyfaddef y buase wedi bod yn llawer mwy anodd, os nad yn amhosib hebddi hi. Mae'n niolch ac yn wir fy nyled iddi'n enfawr.

Yn y flwyddyn 2013 daeth etholwr ata i a disgrifio sut roedd o wedi mynd i ddyled fawr. Amaethwr oedd o yn berchen ar fferm go sylweddol ond wedi taro ar gyfnod caled a thrwy hynny wedi cael llawer o golledion. Wrth i mi wrando ar yr hyn roedd ganddo i'w ddweud, gwelwn ei fod o mewn sefyllfa hunllefus. Er mwyn ceisio dod allan o'r twll, ceisiodd forgeisio'r fferm a'r holl diroedd o'r newydd ac er mwyn gwneud hynny daeth i gysylltiad â brocer morgeisi, rhyw Mr Phillipps oedd â'i swyddfa yng Ngwlad yr Haf. Daeth o i Eifionydd i gyfarfod â'm hetholwr a'i wraig ac mi ddywedodd y gallasai ddod o hyd i forgais addas iddo, gan ei fod yn arbenigo mewn busnes morgeisi amaethyddol. Cwmni'r Phillipps yma oedd Acorn Finance ac yn y man daeth Mr Phillipps yn ôl yn cynnig morgais dros dro iddyn nhw, cyn dod o hyd i gwmni morgais arall i fenthyca dros hirdymor a chynnig morgais rhatach. Ond, parhaodd i dalu cyfradd llogau uchel iawn am fisoedd a phob rhyw bedwar i bum mis bydde gofyn iddyn nhw 'adnewyddu'r' benthyciad dros dro a phob tro bydde Phillipps a'i gwmni'n codi ffioedd o £4 mil am wneud hynny, gan ychwanegu at y benthyciad, wrth gwrs. Roedd y benthyciadau dros dro i Acorn Finance wedi golygu bod y fferm wedi ei morgeisio i'r cwmni. Ar y pryd, roedd yr etholwr wedi cael gwarant gan Phillipps y bydde'n dod o hyd i fenthyciad hirdymor rhatach, yn unol â chyfraddau arferol. Ni ddigwyddodd hynny.

Er mwyn derbyn y morgais daeth prisiwr, wedi ei gyfarwyddo gan Acorn Finance (Phillipps), i brisio'r fferm ac mi roed pris o £2.2 miliwn arni – prisiad oedd yn afresymol o uchel, ond yn ddigon uchel i sicrhau morgais mawr. Roedd angen rhyw £650,000 o fenthyciad arnyn nhw i glirio'r holl ddyledion gwreiddiol. Toedd dim sôn am fenthyciad hirdymor rhatach erbyn hyn a daeth yn amlwg ymhen hir a hwyr na allent fforddio talu'r morgais. Gwnaeth y cwmni adfeddiannu'r eiddo, y tŷ a'r fferm ac nid oedd gan yr etholwr obaith aros yn y lle a fu'n gartref teuluol iddo ers cenedlaethau. Yn y ddwy flynedd ers iddyn nhw ddod i gysylltiad â chwmni Acorn Finance, roedd eu dyled wedi mwy na dyblu o £550,000 i gyfanswm o £1.2 miliwn.

Roedd y cyfreithiwr a weithredai dros yr etholwr wedi ei gyfarwyddo ar eu rhan gan Acorn Finance ac roedd yr unigolyn hwnnw, hefyd o Wlad yr Haf, yn gyfaill i Phillipps, fel roedd y prisiwr. Roedd cyfradd y benthyciadau dros dro yn 22% yn afresymol o uchel – hawdd gweld felly sut aeth yr hwch drwy'r siop. Derbyniodd y cyfreithiwr £48 mil o bunnoedd am nemor ddim gwaith ac mi aeth £148 mil o bunnoedd i Phillipps. Y cam nesaf oedd cael prisiwr yn ei ôl a'r tro hwn £1.8 miliwn oedd gwerth yr eiddo.

Aed â'r cartref, y fferm a'r tiroedd oll oddi arnynt ac mi wnaed y teulu yn ddigartref heb unrhyw fodd o ennill bywoliaeth. Symudodd y teulu bach truenus yma i dŷ cyngor mewn etholaeth arall. Ymhen ychydig bu'r ffermwr farw ac yntau yn ddyn cymharol ifanc a chryf, fel mae amaethwyr.

Ces gyfle i roi'r holl fanylion gwarthus o flaen y Senedd yn

San Steffan gan i mi gael dadl lawn ar y mater ac i'r darllenydd sydd â diddordeb yn y twyll hwn cyfeiriaf eich sylw at Hansard, 11eg Tachwedd 2014. Yn dilyn y ddadl honno, roeddwn yn feirniadol tu hwnt o'r holl bobl a oedd â chysylltiad â'r hanesyn hwn – Phillipps, Acorn Finance, y cyfreithwyr a'r priswyr. Chlywais i ddim gair ganddynt, er i mi wneud cyhuddiadau difrifol tu hwnt yn eu herbyn yn y Tŷ.

Un peth a welwyd yn sgil y ddadl hon oedd bod y patrwm hwn o weithredu wedi cael ei ddefnyddio mewn nifcrocdd o enghreifftiau eraill ac mi ges lythyrau gan ddwsinau eraill a hefyd gan Aelodau Seneddol oedd yn eu cynrychioli. Awgryma hyn yn gryf iawn mai cynllwyn bwriadol oedd yr holl achos ac er i mi geisio fy ngorau i gael heddlu Avon a Somerset a hefyd yr adran dwyll arbennig o Heddlu Dinas Westminster i ystyried y mater, ofer fu fy ymdrechion.

Roedd y cyfreithiwr yn y potes yma, un Peter Williams o'r ffyrm Burges Salmon yn y pictiwr ym mhob un bron o'r achosion hyn. Roedd Burges Salmon yn ffyrm o gyfreithwyr ac enw da iawn iddyn nhw. Roeddent yn arbenigo mewn cyfraith amaethyddol a rhai blynyddoedd yn ôl mi ysgrifennodd un o'r partneriaid, Andrew Densham, lyfr ar gyfraith amaethyddol sy'n cael ei gydnabod fel y beibl yn y maes hwnnw. Tydw i ddim am hanner eiliad yn honni bod y ffyrm yn rhan o'r cynllwyn, ond yn sicr roedd gan un aelod ar y pryd, sef Williams ran yn y prosesau ffiaidd hyn.

Diddorol, serch hynny, oedd i mi gael ymateb llugoer a di-fudd gan heddlu Avon and Somerset a dyna weld bod Prif Weithredwr awdurdod yr heddlu – John Smith wedi bod yn bartner yn Burges Salmon ar yr un pryd â Peter Williams ac i Awdurdod yr Heddlu ddisgrifio'i hun ar eu gwefan 'fel cleient hirdymor Burges Salmon'.

Er gwneud pob ymdrech i sicrhau iawndal i'r teulu yma ni lwyddais a hyd y gwn i dyna oedd tynged y dwsinau eraill o unigolion gafodd eu dal yn y rhwyd ddieflig hon. Ond, mae yna obaith erbyn hyn. Collodd cyn-Aelod Seneddol o'm cydnabod ei sedd ac mi ddaeth Ross Cranston yn farnwr Uchel Lys da iawn. Wedi iddo ymddeol o'r Fainc derbyniodd wahoddiad i arwain ymchwiliad yn ymwneud â'r ymddygiad hwn ac yn ddiweddar iawn mi lansiwyd cynllun iawndal i ddigolledu pobl a gollodd bopeth drwy'r sgandal yma. Mawr obeithiaf, o'r diwedd, y bydd yn bosib cynnig cyfiawnder i'r bobl hyn. Gwn hefyd fod yna achos llys yn yr arfaeth a bod llawer yn edrych yn awr ar ddiffygion heddlu Avon and Somerset wrth beidio â gweithredu ar y materion hyn. Yr ymateb a ges i gan adran arbenigol twyll Heddlu Dinas Westminster oedd nad oeddent yn ymyrryd mewn achosion os nad oeddent yn ymwneud â cholledion o filiynau. Rwyf yn ymwybodol bod yna rhwng 45 a 50 o achosion tebyg i achos f'etholwyr i, ac yn sicr mae'r cyfanswm yn ddwsinau o filiynau os nad cannoedd o filiynau o bunnoedd. Yn 2014 ces gyfweliad hir gan newyddiadurwr profiadol o'r *Financial Times* ac mi gyhoeddwyd erthygl wych ar y mater yn dod i'r un casgliadau â minnau, sef bod angen gweithredu a bod angen digolledu'r trueiniaid hyn. Gan obeithio y gwelwn symudiad go gadarnhaol yn y misoedd nesaf ar ôl hir ymaros.

Pennod 13

YN NECHRAU'R FLWYDDYN 2014 roedd Harry Fletcher, Delyth Jewell a minnau yn ystyried gweithredu i newid y gyfraith yn ymwneud â thrais yn y cartref. Y pwnc dan sylw oedd y cwestiwn o wneud rheolaeth gymhellol, *coercive control*, yn drosedd. Math go annifyr o gamdriniaeth yw hyn sef un partner yn tra-arglwyddiaethu dros y llall ac yn gor-reoli bywyd y partner arall gymaint nes bod yr ymddygiad yn niweidiol i'r person hwnnw, yn achosi problemau meddyliol ac yn difetha ansawdd bywyd yr unigolyn. Dyma gychwyn ar ymchwilio i'r mater ac rwy'n sicr bod y darllenydd yn meddwl am orthrwm o'r fath fel gorthrwm gŵr ar ddynes. Un ffaith syfrdanol y deuthum ar ei thraws oedd bod yna ganran helaeth o bartneriaethau lle mae ymddygiad gorthrymus gan ddynes ar ei gŵr, neu bartner a bod yna ystadegau ac ymchwil yn dangos bod hyn yn fwy cyffredin mewn ffermydd. Rhaid i mi gyfaddef rŵan hyn, er fy mod wedi byw y rhan fwyaf o'm hoes mewn cymdeithas amaethyddol, ni welais i dystiolaeth uniongyrchol erioed, ond dyna'r broblem mewn gwirionedd, ymddygiad cudd yw ymddygiad yn y cartref, rhan amlaf.

Yn y rhan yma cymerwch bod y benywaidd a'r gwrywaidd yn un. Gall rheolaeth gymhellol fod yn un o'r elfennau canlynol, neu ddau neu dri ohonyn nhw:
- Ceisio rhwystro partner rhag cael cysylltiad â'i theulu a'i chydnabod – y rhai sydd yn 'gefn' iddi.
- Ceisio cadw golwg ar symudiadau'r partner trwy gydol y dydd.

- Peidio â rhoi unrhyw ryddid i'r partner, ei rhwystro rhag teithio, rhag mynd i'r gwaith, a chymryd ei ffôn symudol.
- Gwneud i'r partner gredu mai hi sy'n anghywir bob tro nes effeithio ar hunanhyder ac yn y pen draw effeithio ar iechyd yr unigolyn.
- Galw enwau ffiaidd ar y partner, ei bwlio.
- Rhwystro'r partner rhag cael arian digonol drwy ei rhwystro rhag cael mynediad i gyfrif banc, cerdyn credyd a chadw llygad barcud ar unrhyw wariant.
- Troi'r plant yn erbyn y partner. Gwneud honiadau yn seiliedig ar agwedd genfigennus. Bygwth y plant ac yn y blaen.

Hawdd iawn dychmygu bod llawer o'r uchod yn lled gyffredin, ond wrth gwrs, nid yw hynny'n eu gwneud yn iawn nac yn dderbyniol. Unwaith eto, roeddwn yn gweld yn glir bod angen creu trosedd o'r fath ac yn gresynu i raddau, nad oedd trosedd yn bodoli.

O edrych ar wledydd eraill, nid oes enghreifftiau hyd yn hyn o droseddau yn ymwneud â rheolaeth gymhellol i'w cael. Roedd hynny mi dybiwn yn mynd i wneud y gwaith yn anoddach, nid bod llywodraethau Ynysoedd Prydain yn gwbl hapus i draflyncu cyfreithiau gwledydd tramor, hyd yn oed os ydyn nhw'n amlwg yn enghreifftiau o ymarfer da.

Ar y cychwyn wynebais dipyn o negyddiaeth o wahanol gyfeiriadau. Bydde'r dadleuon yn erbyn yn cynnwys yr haeriad, nad oedd angen newid y gyfraith. Un arall oedd mai gair un person yn erbyn y llall fydde hyn ac mi fuase hi felly yn anodd profi achos o'r fath. Roedd hyn yn anwybyddu'r ffaith bod trais yn y cartref a hefyd achosion o dreisio yn aml iawn yn dibynnu ar dystiolaeth un person yn erbyn y llall. Hefyd, roedd eraill yn dadlau y buase hi'n agored i un partner ddweud celwydd am y llall er mwyn dial.

Dadleuon gwag oedd y rhain a phetase'r gwrthwynebwyr wedi meddwl am dipyn, mi fasen nhw wedi sylweddoli mai patrwm o ymddygiad dros gyfnod sylweddol sydd yma ac felly'n lleihau unrhyw broblem ddichonadwy o fethu cael tystiolaeth. Yn wir, yn ymarferol mewn llawer achos, mae'n bosib dod o hyd i dystiolaeth annibynnol i gefnogi'r honiadau a wnaed.

Cawsom lu o gyfarfodydd efo dioddefwyr, academyddion a gwleidyddion a deuthum i'r casgliad pendant bod angen creu'r drosedd yma. Paratoais fesur byr yn creu'r drosedd a'r holl ddiffiniadau angenrheidiol ac unwaith eto'n nodi y bydde collfarn o flaen ynadon yn denu dirwy lefel 5 a gwaith cymunedol neu garchar hyd at ddeuddeg mis. Ar inditiad gerbron Llys y Goron bydde hi'n bosibl gwneud gorchymyn gwaith cymunedol, dirwy a/neu garchar hyd at 14 mlynedd. Wrth reswm, nid oeddwn yn rhagweld y bydde cyfnod hir o garchar yn addas bob tro, ond yn yr achosion tra difrifol, mae'n sicr y bydde'r llys yn ystyried cyfnod sylweddol dan glo.

Roedd y Mesur hefyd yn rhoi'r grym i'r llysoedd orchymyn bod unigolyn yn gorfod mynd ar raglen trais yn y cartref a hefyd i dderbyn cwnsela gan arbenigwr. Yn ychwanegol, roedd cymalau yn gwneud hyfforddiant yn y maes yn hanfodol i Wasanaeth Erlyn y Goron, gwasanaethau iechyd, gwasanaethau cymdeithasol, addysgiadol ac unrhyw wasanaeth cyhoeddus arall, sydd yn nhyb yr Ysgrifennydd Cartref, yn wasanaeth a ddylai dderbyn hyfforddiant.

Yng nghymal 5 gosodwyd dyletswydd ar yr Ysgrifennydd Cartref i roi adroddiad blynyddol gerbron Tŷ'r Cyffredin a Thŷ'r Arglwyddi yn delio efo effaith y gyfraith newydd ar ddioddefwyr trais yn y cartref. Bwriad hynny oedd osgoi cyfnod o lusgo traed cyn gweithredu'r ddeddf yn gywir ac yn amserol. Bu cyfnod o lobïo Gweinidogion o'r Swyddfa Gartref a hefyd Gweinidogion yn Swyddfa Cyfiawnder ac yn Awst 2014 cyhoeddodd y Llywodraeth eu bod yn cychwyn ymgynghoriad cyhoeddus ar y mater hwn.

Unwaith eto, roedd fy Mesur wedi derbyn cefnogaeth Aelodau o bob plaid wleidyddol, ac yn eu mysg Robert Buckland A.S. a aeth ymlaen i fod yn Ysgrifennydd Cyfiawnder, Caroline Lucas

A.S. o'r Blaid Werdd, Syr Bob Russell A.S. o'r Rhyddfrydwyr, John McDonnell A.S. a Jeremy Corbyn A.S. o'r Blaid Lafur, Hywel Williams A.S. o Blaid Cymru a Margaret Ritchie o'r SDLP.

Wedi clywed am yr ymgynghoriad ymatebais yn syth gan groesawu'r cam hwnnw a nodais fy mod wedi llunio'r Mesur ers Chwefror 2014 ac yn edrych ymlaen at gydweithio ar y mater gyda'r Swyddfa Gartref, Cymorth i Ferched, Sefydliad Sara Charlton, Paladin ac eraill. Nodais fod y cam hwn gan y Llywodraeth yn un rhesymegol, o ystyried bod diffiniad trais yn y cartref wedi cael ei newid ym Mawrth 2013 i gynnwys camdriniaeth seicolegol, emosiynol ac ariannol a bod fy Mesur yn llenwi'r bwlch yn y gyfraith gyfredol gan fod y bwlch hwnnw wedi golygu bod dioddefwyr trais yn y cartref cyn hyn wedi methu â chael ymateb na chael yr awdurdodau i weithredu mewn achosion o'r math.

Ar ôl y cyfnod ymgynghorol mi atodwyd y drosedd at gymalau'r Ddeddf Troseddau Difrifol 2015 ac mae'n cael ei chynnwys yn Adran 76 o'r ddeddf honno. Daeth y drosedd i rym yn Rhagfyr 2015, rhyw chwe i saith mis wedi i mi ymddeol o San Steffan. Mi ddaru fy olynydd, Liz Saville Roberts, sicrhau bod y Llywodraeth yn gweithredu ar y mater drwy godi'r cwestiwn yn Nhŷ'r Cyffredin ar sawl achlysur rhwng Mehefin 2015 a Rhagfyr 2015. Yn 2018 daeth yr achos cyntaf o reolaeth gymhellol gerbron Llys y Goron St Albans. Roedd ffeithiau'r achos yn dilyn y patrwm sef gor-reoli partner, ei bygwth a'i galw yn enwau ffiaidd yn ddyddiol:

- Roedd yn rhaid iddi ddweud ble roedd hi bob dydd.
- Rhwystrwyd y partner rhag cael cyfrifon cymdeithasol, na chwaith gyfrif e-bost.
- Rhwystrwyd y ddynes rhag cael ei harian ei hun.

Dedfrydwyd ef i ugain mis o garchar a gorchymyn ymddygiad troseddol. Mae'n wir bod rhai dwsinau o achosion cyn hyn, ond credir mai dyma'r achos cyntaf ble y carcharwyd unigolyn am y drosedd yma, heb gynnwys trosedd arall.

Nodwyd gan Wasanaeth Erlyn y Goron bod yna 309 o erlyniadau rhwng Mawrth 2016 a Mawrth 2017 a hynny wedi codi i 960 o erlyniadau yn y flwyddyn rhwng Mawrth 2017 a Mawrth 2018. Mae'r ffigyrau hyn yn dystiolaeth gref bod angen y drosedd hon yn y Llyfr Statud ac mae'n rhaid cofio bod pob trosedd yn golygu bod ansawdd bywyd ac yn wir, diogelwch unigolion wedi dioddef cyn yr achos Llys.

Mae yna esblygiad tra phwysig wedi digwydd yn y maes hwn hefyd. Yn achos Sally Challen, roedd hi wedi dioddef blynyddoedd lawer o fwlio ac ymddygiad gorthrymus ei gŵr tuag ati. Daeth hyn i ben ac mi drawodd ei gŵr â morthwyl a'i ladd. Fe'i cyhuddwyd o lofruddiaeth ac fe'i profwyd hi'n euog yn 2011. Mi wnaed cais i'r Llys Apêl am ddefnyddio Adran 76 o'r Ddeddf Troseddau Difrifol 2015 (sef y gyfraith rheolaeth gymhellol) a daethon nhw â thystiolaeth newydd am y blynyddoedd o gam-drin gerbron y Llys. Ar y cyntaf o Fawrth 2018 rhoddwyd caniatâd i ddod â'r dystiolaeth o gam-drin gerbron y Llys Apêl gan y Llys Apêl Troseddol.

Yn yr apêl, rhyddhawyd hi o'r dyfarniad o lofruddiaeth a daethpwyd â chollfarn o ddynladdiad yn ei herbyn a chafodd ei rhyddhau yn syth. Mae'r achos yma'n dra phwysig a bellach mae llawer mwy o ymwybyddiaeth o'r gorthrwm hwn yn y llysoedd, sy'n beth da iawn, wrth gwrs. Rhaid i mi gyfaddef pan gychwynnais ar yr ymgyrch i greu'r drosedd, nid oeddwn wedi rhagweld y datblygiad pwysig a chyfiawn hwn ac rwy'n falch ohono.

Er y bu'n rhaid aros am amser go lew i sicrhau'r deddfau yn San Steffan, ond o fewn cwta ddwy flynedd dyma lwyddo ar ddau achlysur. Mae yna hen ddywediad yn Llundain, 'da chi'n aros am hydoedd am fws ac yna'n fwya sydyn dyma ddau yn ymddangos gyda'i gilydd!

Yn ystod 2014 ac wedi hynny, daeth llawer o waith gerbron y Pwyllgor Cyfiawnder ac ar sawl achlysur mi ofynnodd y Cadeirydd, Syr Alan Beith A.S. i mi gymryd gofal o gyfarfodydd fel cadeirydd yn ei le. Un gorchwyl cofiadwy iawn oedd mynd i areithio i Athen. Y tro cyntaf i Eleri a minnau fynd dramor aethon ni am wyliau i Roeg. Roedd y gwyliau rheiny yn cynnwys aros yn Rodos (neu Rhodes), Ynys Symi a hefyd ychydig ddyddiau yn y brifddinas, Athen. Roedd hyn tua 1982 a rhoddodd y gwyliau amrywiol hwn flas gwirioneddol ar fywyd a diwylliant Groeg i ni. Roedden ni'n aros yn Athen am benwythnos cyn hedfan adref a minnau'n awyddus iawn i ymweld â Senedd Groeg yn Sgwâr Syntagma. Wedi'r cwbl, fan hyn roedd 'crud democratiaeth'. Wedi mynd â'n heiddo i'r gwesty, euthum draw i'r sgwâr i gael mynediad i'r Senedd-dy. Dychmygwch fy siom o gyrraedd yno, tua pedwar o'r gloch yn y prynhawn, a gweld bod yr adeilad ar gau tan ddydd Llun ac na fuase hi'n bosib felly cael mynediad iddo yn ystod gweddill ein dyddiau yn Athen.

Ychydig feddyliais i ar y pryd y byddwn rhyw ddiwrnod yn codi ym mhrif siambr y Senedd i areithio ar ran un o bwyllgorau mwyaf dylanwadol y Senedd yn Llundain. Roedd y profiad yn un gwefreiddiol a'r pwnc dan sylw oedd barn Pwyllgor Cyfiawnder Llundain ar sut gamau y dylid eu cymeryd i leihau digwyddiadau terfysgol. Allwn i ddim peidio â meddwl amdanaf, 38 mlynedd cynt, yn methu â chael mynediad a'r tro yma'n cael croeso twymgalon gan gynrychiolwyr o Lywodraeth Groeg. Mi ddeil y profiad hwnnw gyda mi am byth.

Ychydig wythnosau wedyn, fe'm gwahoddwyd i gynrychioli'r Pwyllgor yn y Senedd Ewropeaidd yn Strasbourg a bûm yn areithio ar destun arall yn y fan honno wrth gynrychioli Pwyllgor Cyfiawnder Senedd Llundain.

Yn y cyfnod hwnnw bûm yn annerch amrywiol gynadleddau a chyfarfodydd: cynhadledd Cymru'r Gyfraith yng Nghaerdydd, rali Swyddogion Carchardai yn Llundain, cyfarfod cyhoeddus yn gwrthwynebu codi carchar Wrecsam, rali NAPO yn gwrthwynebu'r preifateiddio, Cynhadledd ar Gyfraith Stelcian yn Swyddfa Heddlu Wood Green yn Llundain, annerch Pwyllgor Gwaith Undeb y PCS, annerch Cyfarfod Blynyddol Ffederasiwn yr Heddlu, annerch cyfarfod prif farnwyr Lagos, ac annerch torf yn Fflandrys adeg dadorchuddio'r gofeb i'r milwyr Cymreig yn Langemarc. Roedd yr ymweliad â Fflandrys yn llawn emosiwn a fedrwn i ddim peidio â meddwl am fy nhaid, o ochr fy mam, yno yn yr uffern honno ar y ddaear – yn y Rhyfel Mawr, lle cafodd ei wenwyno. O leiaf, mi ddaeth adref, yn wahanol i'r cannoedd o filoedd o bobl ifanc sydd wedi eu claddu yn Fflandrys.

Bûm ym Mhrifysgol Caerwrangon yn areithio ar y Mesur Rheolaeth Gymhellol ac ar *Any Questions* unwaith neu ddwy a dau neu dri ymddangosiad ar *Question Time,* ac ar *Pawb a'i Farn.* Rwy'n cofio un ymddangosiad ar *Any Questions* yn glir iawn. Yn Churt, Gwlad yr Haf, roedd y recordiad ac ar ôl cwblhau'r darllediad ac yn ôl eu harfer dyma dacsi yn galw amdanaf i'm gyrru'r holl ffordd adref i Lanuwchllyn. Bydde dyn tacsi yn gwneud hyn yn rheolaidd o ble bynnag bydde'r rhaglen yn cael ei darlledu. Roedd y creadur yma wedi dechrau'i ddiwrnod yn Llundain, wedi gyrru i Churt ac yna i Ogledd Cymru cyn troi'n ôl am Lundain. Am ddiwrnod gwaith ofnadwy! Ar ôl tua awr a hanner o deithio dyma gyrraedd cyrion Pont Hafren a dywedodd y cyfaill, 'O dyma hi'r bont, fyddwn ni ddim yn hir rŵan.' Pan ddywedais wrtho ei bod yn dair awr a hanner dda o daith o'r bont i Feirionnydd, bu ond y dim i'r creadur druan lewygu ac roedd fy nghalon yn gwaedu drosto.

Noson dwi'n gofio'n dda yn y cyfnod hwn hefyd oedd un a gynhaliwyd yn Lletty Gray (Gray's Inn) ble rwyf yn aelod. Cynhaliwyd noson i lansio llyfr o draethodau ar fywyd Emlyn Hooson. Derec Llwyd Morgan a olygodd y llyfr a chyfrol ddifyr iawn ydi hi hefyd. Mae'n dysteb deilwng i ddyn mor arbennig.

Digwyddiad cofiadwy arall oedd noson gwobrwyo ymchwilwyr. Fel mae pawb yn sylweddoli mae'n siŵr, mae gan bob Aelod Seneddol a'r rhan helaethaf o Aelodau Tŷ'r Arglwyddi ymchwilydd neu ddau yn gweithio iddyn nhw. Mae'r bobl hyn yn bobl ddeallus iawn ac egnïol. Pobl ifanc ydyn nhw ran fwyaf ac yn tueddu i aros yn y swydd am rhwng dwy a phum mlynedd. Tydi swydd ymchwilydd ddim y fath o swydd y gellid ei disgrifio fel swydd am oes, ond yn ddi-os mae'n garreg filltir bwysig yn natblygiad unigolyn ac yn beth da i'w gael ar CV. Cyfeiriais eisoes at y ffaith i Delyth Jewell fod yn ymchwilydd i mi. I Delyth a Harri Fletcher mae'r rhan fwyaf o'r clod am gael y Mesur Stelcian a'r Mesur Rheolaeth Gymhellol i fwcl. Roedd Delyth yn un o'r bobl hynny sydd yn hapus i gerdded y filltir ychwanegol a mwy bob amser. Os oedd Delyth yn dweud ei bod am wneud rhywbeth, roeddech yn gwybod y câi'r dasg honno ei chwblhau o fewn ychydig amser. Mae Delyth yn prysur ennill ei phlwy bellach fel Aelod o Senedd Cymru ble mae'n disgleirio'n rheolaidd.

Fodd bynnag, bob blwyddyn dan nawdd Cwmni Dodds, sydd yn argraffu deunydd gwleidyddol ac â phresenoldeb amlwg yn Llundain, bydd Noson Gwobrwyo Ymchwilwyr. Dim syndod i mi bod Delyth wedi ei henwebu i fod yn Ymchwilydd y Flwyddyn ymhlith y pleidiau llai. Yn aml, y pleidiau mawr fydd yn cipio'r prif wobrwyon, ond roedd y dosbarth hwn wedi ei gyfyngu.

Daeth Delyth i'r brig ac wedyn deallais ei bod wedi cael ei henwebu yn ogystal am y brif wobr, sef Ymchwilydd y Flwyddyn i'r holl bartïon. Bydd canran o wleidyddion yn gweithredu fel beirniaid ac roeddwn yn teimlo ei bod hi'n dasg bron yn amhosibl i rywun o'r 'pleidiau llai' ennill yr anrhydedd. Roedd Dafydd Wigley gyda mi yn y seremoni, a dyna oedd ei farn yntau yn ogystal.

Maes o law cyhoeddwyd mai Delyth oedd wedi cipio'r brif wobr hefyd! Daeth i'r brig allan o gannoedd os nad miloedd o ymchwilwyr, clod mawr iddi hi ac yn un haeddiannol hefyd. Ymhellach, roedd hyn yn fraint fawr i Blaid Cymru a'n tîm Seneddol. Camp anhygoel yn wir.

Yn ystod y cyfnod hwn trefnwyd i'r Pwyllgor Dethol Cyfiawnder fynd i ymweld â charchardai yn yr Almaen, Copenhagen yn Denmarc a hefyd Norwy. Ar yr ymweliadau hyn bydd rhyw wyth i naw awr o ymweliadau a chyfweliadau yn ystod y dydd a gweithio dros swper i ddilyn. Roedd yna gyfnodau o bleser hefyd felly. Wedi gorffen ein gwaith yn Copenhagen cymerwyd llong dros nos i Norwy. Fel roedd hi'n gwawrio roedden ni'n teithio i fyny'r fiords tuag at Oslo ac roedd y profiad yn un bythgofiadwy. Mynyddoedd serth yn disgyn yn syth i'r môr heb nemor ddim traethau a phentrefi bychain ac ambell i borthladd bach yma ac acw. Mae fy nghyfeillion sydd wedi bod yn Seland Newydd yn dweud wrtha i bod rhannau o'r wlad honno yn ymdebygu i hyn hefyd. Hoffwn ymweld rhyw ddiwrnod â Seland Newydd a bydde cael cyfle i weld golygfeydd tebyg i hyn yn rheswm ychwanegol.

Dyma gyrraedd prifddinas Norwy, Oslo, tua 7.30 yn y bore a thrafaelio i'n cyfarfodydd cyntaf. Wedi cael braslun o sustem y carchardai yn y wlad gan uwch-swyddog y Llywodraeth, ymwelson ni â charchar i ddynion yn Oslo. Y peth cyntaf a wnaeth daro rhywun oedd mai uned fechan oedd hon yn dal ychydig o gannoedd o garcharorion. Eisoes, rwyf wedi cyfeirio at y ffaith bod pob ymchwil yn dangos bod carchardai llai yn fwy llwyddiannus na'r rhai mawrion yn y dasg o adfer neu ailsefydlu troseddwyr i'w paratoi at ddod allan yn ôl i'r gymdeithas i chwarae eu rhan werthfawr. Yn ail, yn ddi-os mae lefelau aildroseddu yn llawer iawn is a hefyd maent yn llefydd diogel i'r unigolion ac i'r staff sy'n gweithio yno.

A minnau wedi bod mewn llawer o garchardai dros y blynyddoedd y peth cyntaf a'm trawodd oedd yr awyrgylch – teimlad diogel a rhyw ymdeimlad bod y carcharorion a gweithwyr y carchar yn parchu ei gilydd. Gormodiaith efallai ydi dweud bod yna deimlad cartrefol, ond mi roedd yn wahanol i unrhyw beth a welswn i cyn hynny. Roedd y gweithwyr a swyddogion y carchar oll yn dweud mai yno i gynorthwyo'r carcharorion roedden nhw ac nid i wneud bywyd yn anos iddynt. Wedi'r cwbl, meddent, roedd bod dan glo am gyfnod sylweddol yn ddigon o gosb heb ychwanegu ato. Peth arall a greodd argraff ffafriol arnaf oedd bod y swyddogion yn mynegi eu hunain yn eithriadol o dda ac yn medru dweud yn sicr beth oedd eu swyddogaeth a'r hyn roedden nhw'n anelu i'w gyflawni yn eu gwaith. Toedden nhw byth yn disgwyl gweld y troseddwr yn dychwelyd yno dan glo ar ôl iddo ymadael, a chanran isel iawn fydde'n gwneud hynny. Pan ddigwyddai, yna teimlent eu bod wedi methu. Mewn geiriau eraill, roedden nhw'n cymeryd balchder yn eu gwaith ac yn sicr nid swydd o naw tan bump heb unrhyw gyfrifoldeb wedi hynny oedd hon.

Yn ystod ein sgyrsiau efo'r troseddwyr, y thema amlwg oedd nad oedden nhw wrth gwrs eisiau bod dan glo, ond os oedd rhaid bod yn rhywle, dyma oedd y lle i fod. Roedd y carchar mewn unedau o tua dwsin i bymtheg o bobl gyda'i gilydd a phenderfyniadau dyddiol yn cael eu gwneud ar y cyd. Yn ddios roedd y gyfundrefn yn un ryddfrydol iawn ac i'w gweld yn llwyddiannus hefyd.

Pan holais rai o'r swyddogion darganfûm fod hyfforddiant swyddog carchar yn cymeryd rhyw dair blynedd a bod y swyddogion, wrth ddilyn y cwrs yn cyrraedd safon gradd mewn coleg. Wrth gymharu hyn efo'r hyfforddiant o ryw dair wythnos a gaiff swyddogion carchar yn y sector breifat ym Mhrydain, mae'n hawdd gweld pam bod ein carchardai mewn cymaint o lanast ac yn methu ar gost aruthrol i'r trethdalwr a'r gymdeithas yn fwy eang. Rhaid cofio cost y cyfartaledd uchel o aildroseddu sy'n bodoli yn ein carchardai ni. Onid gwell fydde buddsoddi mewn hyfforddiant da i'r swyddogion a phwysleisio'r angen i gynnig addysg a hyfforddiant i'r troseddwyr i'w gwneud yn bobl well ar ôl gadael y sustem? Mae'r ateb yn amlwg ac mae'n ddrwg gen i ddweud, yn ystod bron i chwarter canrif yn San Steffan, beth welais i oedd newid cyfeiriad strategol rhwng pob etholiad bron ac amharodrwydd i fuddsoddi'n iawn. Llawer gwell codi anghenfil o le fel carchar Wrecsam. Polisïau cibddall sy'n cael eu rheoli gan y papurau newydd tabloid. Wiw i'r Torïaid na Llafur gael eu gweld yn ymddwyn yn rhesymol tuag at garcharorion ac mae hyn yn dallu gwneuthurwyr y polisïau'n llwyr. Traddodais araith lawn ar hyn ar wahoddiad y Royal Society yng Nghaeredin rai blynyddoedd yn ôl, ac er bod yna amryw o bobl o bob lliw gwleidyddol, a llu o academyddion hefyd yn y gynulleidfa, ni wnaeth yr un ohonyn nhw gwestiynu fy nadansoddiad o'r sefyllfa.

Fodd bynnag, yn ôl i Norwy. Wedi bore addysgiadol a difyr iawn yn y carchar euthum i ganol Oslo i gyfarfod â Phwyllgor Cyfiawnder Senedd Norwy ac mi gafwyd trafodaethau eithriadol o fuddiol a difyr gyda'r aelodau. Ar ôl pwyllgora am ychydig oriau dyma wahoddiad i gael cinio gyda'r pwyllgor a phrif glerc y pwyllgor. Euthum i'r ystafell fwyta yn y Senedd-dy ac eisteddodd y Prif Glerc wrth fy ymyl a chawsom sgyrsiau difyr iawn. Roedd hi'n amlwg â diddordeb mawr mewn cyfraith trosedd yn gyffredinol ac mewn cyfraith llofruddiaeth a dynladdiad yn benodol. Dywedodd wrthyf ei bod hi wedi darllen CV pob un ohonon ni ac wedi gweld fy mod i wedi bod yn gyfreithiwr a bargyfreithiwr yn ymwneud â throsedd a chyfraith teulu. Holodd fi a oeddwn wedi bod yn ymwneud ag achosion o lofruddiaeth ac atebais fy mod wedi bod yn ymwneud mewn tri neu bedwar achos. Gwyddai am y Ddeddf Dynladdiad 1957. Mae un o gymalau'r ddeddf honno yn dweud fel a ganlyn:

A.2(1) Ble mae person yn lladd neu yn rhan o'r weithred o ladd un arall, ni ddylid ei ddyfarnu yn euog os oedd o yn dioddef o annormaledd meddwl (boed yn gyflwr diffyg datblygiad meddwl neu'n gyflwr a gafwyd drwy effaith haint neu ddamwain) a fyddai'n golygu bod hyn wedi cyfyngu ar ei atebolrwydd ymenyddol dros ei weithredoedd neu anwaith neu i fod yn rhan o'r weithred o ladd.

Yn yr achos hwnnw, os profir hyn, mae'n agored i'r rheithgor ei gael yn ddieuog o lofruddio ond yn euog o ddynladdiad. Roedd gan y ddynes ddiddordeb mawr yn y maes hwn ac mae'n siŵr ein bod wedi sgwrsio am ryw hanner awr. Wedi codi oddi wrth y bwrdd i fynd i'n cyfarfod nesaf dywedais wrth gadeirydd y pwyllgor bod gan y Clerc ddiddordeb dwfn yn y maes hwnnw. 'Dwi ddim yn synnu,' meddai'r cadeirydd wrthyf, 'mae hi'n briod â'r barnwr yn achos Anders Brevik' ac mi roedd yr achos yn digwydd ar y pryd nepell o ble'r oedden ni'n cyfarfod.

Byddwch yn cofio, mae'n siŵr, i Anders Brevik, eithafwr adain dde â thueddiadau Natsïaidd, ladd 77 o fyfyrwyr ifanc oedd wedi ymgasglu mewn cynhadledd ar un o'r ynysoedd bychain ger Oslo. Bu cryn ddyfalu am stad feddyliol y dyn hwnnw yn y cylchoedd meddygol a chyfreithiol. Ar un ystyr, bydde pawb yn meddwl bod rhywun sy'n cyflawni'r fath gyflafan yn sicr o fod yn orffwyll, ond mae yna brofion i'w gwneud i geisio darganfod a oedd yn dioddef o nam meddyliol sylweddol, neu ei fod yn ddyn diawledig a drwg. Yn y diwedd yn Awst 2012 cafwyd ef yn euog ac anfonwyd ef i 21 mlynedd o garchar ataliol efo lleiafswm o 10 mlynedd.

Wrth i ni adael adeiladau'r Senedd mi aeth y tacsi â ni drwy sgwâr cyfagos lle roedd tua hanner cant o newyddiadurwyr a dwsinau o ddynion camera yn aros. Roedd treial Brevik yn ei anterth.

Pennod 14

Y<small>N YCHWANEGOL AT</small> yr amrywiol ac amryfal bwyllgorau daeth gorchwyl gwaith newydd i'm rhan trwy ymuno â gweithgor i geisio penderfynu ar feysydd i'w cynnwys mewn mesur a oedd i ddyfnhau datganoli i Gymru. Daeth y gwahoddiad gan Stephen Crabb A.S. Ysgrifennydd Gwladol Cymru. Y ddau arall ar y gweithgor oedd Owen Smith A.S. i'r Blaid Lafur a Roger Williams A.S. o'r Rhyddfrydwyr. Bydden ni'n cyfarfod yn gyson, o leiaf unwaith yr wythnos ac yn amlach na pheidio ddwy waith yr wythnos am ryw ddwy awr y dydd. Y maes llafur oedd mynd trwy holl adrannau llywodraethiant gan San Steffan a gweld beth y gallem ni ei ddatganoli ymhellach i Gaerdydd.

Cefndir hyn oedd bod Llywodraeth Cymru wedi rhoi sialens i Lywodraeth y Deyrnas Gyfunol mewn tri achos ac wedi llwyddo mewn dau ohonyn nhw yn y Goruchaf Lys. Swm a sylwedd un ohonynt oedd ble yn union roedd ffiniau cyfrifoldeb Llywodraeth Cymru ym maes amaethyddiaeth. Un o'r problemau mwyaf yn y 'setliad' fel y'i gelwid, yw bod rhannau o gyfrifoldeb mewn llawer maes o lywodraethu yn parhau i orwedd yn San Steffan. Y tebygolrwydd oedd pe na fuasai rhywbeth yn newid yna mi fuasai Llywodraeth Cymru yn wynebu Llywodraeth y Deyrnas Gyfunol yn rheolaidd yn y Goruchaf Lys, sef y llys sydd â'r gair olaf ar ddehongli materion cyfansoddiadol. Mae'n siŵr bod llwyddiannau Llywodraeth Cymru wedi creu peth embaras yn San Steffan ac ymdrech i osgoi rhagor o embaras ac i unioni pethau oedd y gwir reswm am sefydlu'r gweithgor hwn yn fy marn i.

181

Roedd un o'r achosion yn deillio o'r ffaith bod San Steffan wedi diddymu'r Bwrdd Cyflogau Amaethyddol yn 2013. Bu cryn ddadlau am hyn, ond mi roedd y Torïaid yn benderfynol o ddiddymu'r Bwrdd ac o ganlyniad diddymu isafswm cyflogau a hyn, yn eu tyb hwy, i roi rhagor o hyblygrwydd, neu roi rhwydd hynt i'r ffermwyr mawr dalu llai i'r gweithwyr. Dyna ystyr 'hyblygrwydd y farchnad' mewn gwirionedd. Yn naturiol, toedd Llywodraeth Cymru ddim yn hapus ac yn dadlau nad oedd hyn yn gyfansoddiadol gywir. Dyfarnwyd o'u plaid gan y Goruchaf Lys. Mi gostiodd yr achos hwn ac un sialens arall gan Lywodraeth Cymru £160,000 i Lywodraeth y D.G. Ie, embaras a hefyd embaras costus. Mae'n debyg hefyd bod Llywodraeth y D.G. yn gandryll ar ôl cael cnoc ar ôl cnoc yn y fath fodd.

Rheswm arall dros greu'r pwyllgor oedd bod patrwm datganoli Cymru yn un lobscows rhyfedd ac roedd gwir angen symleiddio pethau. Mae'n od meddwl bod pecyn datganoli'r Alban yn dra gwahanol a hefyd Gogledd Iwerddon. Gair y gwleidyddion yw *assymetrical*, ond mae'n well gen i'r gair 'lobscows'.

Sylweddolwyd mwyfwy bod y cymhlethdodau hyn yn llesteirio'r ymdrechion i gael sustem o lywodraethu addas i Gymru ac felly bu galw cynyddol am sicrhau rhagor o drylwyredd a'r ffordd amlwg o wneud hynny oedd edrych eto ar y meysydd gwahanol oedd yn parhau yn gyfrifoldeb i San Steffan, a'r rheiny a oedd 'hanner a hanner', yn gyfrifoldeb i'r ddwy lywodraeth.

Cyn pob cyfarfod o'r gweithgor hwn, bydden ni'n cael rhestr o feysydd i edrych arnynt a chyfle i baratoi ymateb ar ran ein gwahanol bleidiau. Yr argraff a ges gan yr Ysgrifennydd Cymreig oedd ei fod yn dra awyddus i symud ymlaen gyda'r broses hon a hefyd ei fod, i raddau helaeth â meddwl agored ar gynigion i ddatganoli rhagor o feysydd. Roedd Roger Williams yntau yn gefnogol i ddatganoli llawer mwy, fel y buasech yn disgwyl gan Ryddfrydwr. Gŵr hawddgar a dymunol oedd Roger i weithio gydag ef. Yn dawel o ran natur, ac yn cuddio ei alluoedd i raddau, ond eto yn barod ei farn mewn sgyrsiau o'r fath. Fel llawer i Aelod Seneddol arall, yn arbennig o Gymru, roedd gen i barch tuag ato. Y pedwerydd oedd Owen Smith A.S., un o adain Blair o'r Blaid Lafur ac unigolyn a feddai ar hynny liciwch chi o hunanhyder. Yr argraff ges i ohono yn y cyfarfodydd hyn oedd nad oedd ei galon ynddyn nhw, a'r unig reswm dros ddod i'r cyfarfodydd oedd bod yn rhaid iddo fod yno. O'r dechrau, rhoes yr argraff ei fod yn haeddu 'gwell' na chysgodi Ysgrifennydd Cymru ac mai tamaid i aros pryd oedd y swydd honno. Rai misoedd wedi'r broses yma cynigiodd ei hun i arwain y Blaid Lafur drwy sefyll yn erbyn Jeremy Corbyn A.S. Wedi dweud hyn, cytunais â'i alwad yn ddiweddarach am ail refferendwm ar Brexit, er mi gostiodd hynny'n ddrud iddo, gan i Corbyn derfynu ei swydd fel Cysgod Weinidog dros Ogledd Iwerddon.

Yn ystod ein pwyllgorau, yn anffodus ces yr argraff ei fod yn negyddol tu hwnt ac yn gwrthwynebu datganoli mwy o rym i Gaerdydd ar aml i fater. Bu'n gefnogol i gynnwys rhagor o feysydd gogyfer â Chaerdydd, wrth gwrs, ond mi safai'n gryf yn erbyn newid ar sawl cwestiwn allweddol. Yn wir, roedd hi'n haws perswadio Gweinidog o Dori nag oedd hi i berswadio Smith ar ran y Blaid Lafur. Mewn un pwyllgor dadleuais yn gryf o blaid datganoli'r holl rymoedd yn ymwneud â phorthladdoedd i Gymru. Dan sylw gen i oedd y ffaith bod y dydd yn dod pan fydde gan ein Senedd yng Nghaerdydd yr hawl dros godi trethi a thollau ac mi fydde polisïau yn ymwneud â phorthladdoedd a meysydd awyr yn dod yn fwyfwy pwysig yn y dyfodol. Wnes i ddim sôn am drethiant yn y sgyrsiau hynny gan fy mod yn awyddus i greu undod rhwng y tri ohonom i geisio cael y maen i'r wal efo'r Gweinidog. Pan ddaeth cyfle Owen Smith i roi ei farn, er syndod i mi, gwrthododd y syniad o ddatganoli cyfrifoldebau porthladdoedd oherwydd yn ei dyb ef, bod bygythiad o derfysg yn elfen barhaus ac felly yn creu ansicrwydd ac o bosib yn beryglus. Roedd y tri arall ohonon ni'n gegagored ac atebais ei ddadl drwy wneud y pwynt bod porthladdoedd Caergybi ac Abergwaun wedi hen arfer plismona mewn amgylchiadau terfysgol pan oedd y gwrthryfela yn Iwerddon yn ei anterth. Ar ôl peth trafod pellach, gwelwn nad oedd hi'n bosib newid ei farn ar y mater. Yn y pen draw, fodd bynnag, mi dderbyniwyd y syniad o ddatganoli'r cyfrifoldebau hyn i Gymru ac mi gawsant eu cynnwys yn Neddf Llywodraethu Cymru 2017, adrannau 29 i 38 os ydych yn berson sy'n hoffi'r 'glo mân'.

Ceisiais berswadio'r pwyllgor am yr angen i ddatganoli'r Gwasanaeth Cyfiawnder i Gymru. Mae yna sustem gyfreithiol gogyfer â'r Alban a Gogledd Iwerddon ond yr hyn sydd yna yng Nghymru yw un ar gyfer Cymru a Lloegr. Mae'n sefyllfa od ac yn golygu bod gan Gymru ei Llywodraeth ddatganoledig a'r gallu i ddeddfwriaethu, ond dim awdurdodaeth gyfreithiol Gymreig i gyfateb. Credaf mai Cymru yw'r unig wlad o'r bron sydd yn y sefyllfa unigryw ac anffodus hon. Wrth gwrs, mi fuasech yn disgwyl i mi fel cenedlaetholwr ddadlau o blaid hyn ond ystyriwch y ffaith hefyd bod cyfreithiau Cymru yn wahanol mewn llawer maes i gyfreithiau Lloegr. Yn fy mhriod faes i, ni allwch weithredu fel cyfreithiwr neu fargyfreithiwr mewn Cyfraith Teulu os nad ydych yn wybyddus â'r cyfreithiau Cymreig a'r rhai Seisnig, gan fod newidiadau a gwahaniaethau sylweddol mewn rhannau ohonynt. Ond nid yn unig mewn Cyfraith Teulu, mae'n wir dweud hefyd bod cyfraith trosedd i raddau yn wahanol, cyfreithiau amgylcheddol, cyfreithiau gweinyddol ac yn y blaen. Aiff y gwahaniaethau'n ddwysach bob mis a chredaf mai nid 'os' bydd angen awdurdodaeth gyfreithiol ar Gymru ond 'pryd' yw'r cwestiwn. Bûm yn dadlau'n gyson am hyn ers pymtheng mlynedd a mwy ac mi roddais dystiolaeth i sawl pwyllgor, yn cynnwys y pwyllgor priodol yn y Cynulliad (fel ag yr oedd). Daeth y pwyllgor hwnnw i'r casgliad bod angen symud ar hyn, ond am ryw reswm od, 'ddim am saith neu wyth mlynedd'.

Ers hynny wrth gwrs, mae adroddiad Comisiwn wedi ymddangos o dan gadeiryddiaeth medrus ac abl yr Arglwydd Thomas o Gwmgïedd, sef y cyn-Brif Ustus dros Lloegr a

Chymru sydd erbyn hyn yn Ganghellor Prifysgol Aberystwyth. Adroddwyd yn glir ac yn groyw bod angen awdurdodaeth ac yn y cyfamser dywedodd yr adroddiad a gyhoeddwyd yn Hydref 2019, 'Dylai cyfiawnder gael ei ddatganoli'n ddeddfwriaethol. Dylid tynnu'r cyfyngiadau a'r darpariaethau cadw sy'n llywodraethu pŵer y Cynulliad i ddeddfu ar bob math o gyfiawnder, gan gynnwys plismona, a rheoli ac adsefydlu troseddwyr, er mwyn cyfateb yn agosach i sefyllfa Cynulliad Gogledd Iwerddon a Senedd yr Alban.' Y sialens, yn awr, ydi sicrhau bod Llywodraeth Cymru yn dwyn digon o bwysau ar Lywodraeth Llundain er mwyn symud ymlaen yn amserol.

Wedi i mi roi'r cefndir, byddwch yn sylweddoli pa mor angerddol roeddwn yn teimlo ynglŷn â'r mater hwn. Yn anffodus, nid oedd Stephen Crabb, Ysgrifennydd Cymru, yn cytuno am eiliad, gwaetha'r modd.

Ynglŷn â datganoli gwasanaeth yr heddlu, mae'r farn o fewn rhengoedd y pedwar awdurdod heddlu wedi newid yn sylweddol iawn dros yr ugain mlynedd diwethaf. Yn y nawdegau hwyr prin bod yna unrhyw gefnogaeth i'r alwad am ddatganoli'r heddlu, ond yn raddol mae'r sefyllfa wedi newid yn llwyr. Ar hyn o bryd, rhaid i'r heddluoedd yng Nghymru lobïo'r Swyddfa Gartref yn Llundain a hefyd Llywodraeth Cymru yng Nghaerdydd am arian blynyddol gogyfer â'u cyllidebau. Caiff cyfarfodydd yn Llundain ac yng Nghaerdydd eu hailadrodd ac mae rhai uwch-swyddogion yn credu bod y dyblygu hwn yn wastraffus o ran amser yr heddlu a hefyd yn gostus, yn ogystal â'i fod yn creu ansicrwydd yn aml.

Trwy fy ngwaith dros Ffederasiwn yr Heddlu gwelais fod y farn yn newid ac erbyn 2008-9 roedd rhan helaethaf o uwch-swyddogion heddluoedd Cymru wedi newid eu barn ac yn cefnogi datganoli'r heddlu. Eto fyth, fel roeddwn i'n gweld pethau, os oes gennych gyfreithiau unigryw i Gymru mae hi'n briodol i chi gael heddlu sy'n atebol i'r Cynulliad (Senedd). Yn ogystal â gweithredu cyfreithiau Lloegr a Chymru, mae yna gorff o gyfreithiau Cymreig yn datblygu hefyd, felly mater o synnwyr cyffredin ac ymarferoldeb ydyw. Roeddwn felly yn teimlo'n weddol hyderus y gellid perswadio Ysgrifennydd Cymru ar hyn. Llugoer, ond nid yn llwyr wrthwynebus oedd ei ymateb. Cawsom yr hen ddadl bod angen cydweithio'n drawsffiniol rhwng Cymru a Lloegr ar faterion megis terfysgaeth a throseddau trwm, fel criwiau yn mewnforio cyffuriau a hefyd arfau. I unrhyw un sydd yn cymryd diddordeb yn y mater hwn nid oedd y dadleuon yma'n dal dŵr, gan fod Heddlu Gogledd Cymru yn gweithredu'n agos efo Heddlu Swydd Caer a Glannau Merswy hefyd. Yn yr un modd mae Dyfed Powys a West Mercia a heddluoedd De Cymru a Gwent hwythau yn hen lawiau ar gydweithio'n drawsffiniol.

Y siom fwyaf ges i oedd bod Owen Smith yn erbyn datganoli'r heddlu, a hynny heb unrhyw ddadl nac esgus o gyfiawnhad dros ei wrthwynebiad. Defnyddiais y gair siom oherwydd i mi gael ar ddeall bod y Blaid Lafur yng Nghymru yn fodlon datganoli heddlua. Methwyd felly â sicrhau llwyddiant.

Cafwyd nifer fawr o gyfarfodydd ac mi roedd y broses wedi parhau am rai misoedd. Wrth i'r drafodaeth rhyngon ni ddod i ben mi gafwyd cyfarfod yn Llundain gydag arweinwyr y Torïaid Cymreig, Llafur Cymru, Plaid Cymru a'r Rhyddfrydwyr. Pwrpas y cyfarfod oedd i'r gweithgor adrodd yn ôl a rhoi cyfle i'n cyfeillion o Gaerdydd ein holi ac i drafod yr holl fater. Cofiaf yn glir i Carwyn Jones, arweinydd y Blaid Lafur, ddangos cryn siom pan welodd nad oedd heddlua am gael ei ddatganoli. Ymatebais drwy ddweud bod Owen Smith A.S. a gynrychiolai'r Blaid Lafur yn ein trafodaethau, wedi gwrthod cefnogi'r alwad. Gwelais yn syth fod drwgdeimlad gwirioneddol rhwng y ddau ohonynt ar hyn ac efallai ar amryw o destunau eraill hefyd a drafodwyd gynnon ni. Leanne Wood A.S. oedd Arweinydd Plaid Cymru ar y pryd ac er ei bod hi'n siomedig na fu'n bosib sicrhau mwy i Gaerdydd, gwyddai i mi wneud fy ngorau trwy gydol y trafodaethau.

Rhaid cyfaddef bod yna sawl cam ymlaen yn y ddeddf a ddaeth yn sgil y trafodaethau, sef Deddf Llywodraethu Cymru

2017. Rhoed i Gymru y cyfrifoldeb dros y porthladdoedd, dros y Tribiwnlysoedd, hawliau trethiant a thollau, hawliau benthyca, a hefyd symud i'r model galluoedd neilltuedig, sef datganiad clir yn y Ddeddf, gyda San Steffan yn cadw hawliau'r deddfu fel ag yn yr Alban, fod unrhyw beth nad oedd yn Atodlenni'r Ddeddf, yn ddatganoledig. Roedd hyn yn symleiddio pethau ac wrth gwrs, yn arbed rhagor o embaras i Lywodraeth Llundain o orfod mynd i'r Goruchaf Lys i gael ei chwipio a thalu am y fraint!

Wedi croesawu'r model galluoedd neilltuedig roedd yna ambell i fater o gryn boendod i mi ac i'r Blaid oddi mewn i'r Ddeddf. Rhof ddwy esiampl i chi: adran 50, lle mae Llywodraeth San Steffan yn sicrhau protocol parthed dŵr Cymru ac yn adran 1 (a) mae'n dweud bod angen sicrhau nad yw gweithrediadau na diffyg gweithredu ar ran Gweinidogion Cymru, na chyrff cyhoeddus yng Nghymru <u>i gael unrhyw effaith negyddol ar adnoddau dŵr yn Lloegr, na chwaith ar gyflenwadau dŵr i Loegr, na chwaith ansawdd dŵr i Loegr.</u> (Fy nhanlinelliad i.)

Petai Cymru rhyw ddydd yn penderfynu codi cost rhesymol ar gyflenwi dŵr i Loegr mi fuase'r cymal yma'n gwneud pethau bron yn amhosib, ddyliwn i. A beth petai yna fwriad i foddi rhagor o dir yng Nghymru? Mae yma fecanwaith i geisio datrys unrhyw anghydfod cydrhwng Llundain a Chaerdydd ond mae'n ddrwg gen i ddweud mai gan Llundain fuase'r pen praffa.

Mae'n ddiddorol bod yr un math o eiriau wedi eu cynnwys mewn deddf arall, sef Deddf Llywodraeth Cymru 2006 ac rwy'n cofio codi'r pwynt y pryd hynny, a'r Is-Weinidog yn y Swyddfa Gymreig yn ateb drwy ddweud mai 'damcaniaethol yn unig oedd fy mhryderon'. Gobeithio'n wir.

Wedyn mae'r Ddeddf yn sôn am hawliau cynllunio ac yn dweud bod gan Lywodraeth Cymru'r hawliau i ddelio â phob cais cynllunio i greu trydan, os yw'r gofyniad yn llai na 350 megawatt, ond yng nghymal 39 (4) dywed mai Llundain fydde'n cael y gair olaf ar gais dros 350 megawatt. Beth am bwerdai niwclear y dyfodol? Siawns ei bod hi'n bwysig iawn yn enw unrhyw fath o ddemocratiaeth i Senedd Caerdydd gael y cyfrifoldebau ar hyn?

* * *

Tua diwedd 2014 ces y fraint o ennill gwobr HTV/Blwyddlyfr Cymru sef 'Aelod Seneddol y Flwyddyn'. Ces wobr debyg yn 2010, sef 'Ymgyrchwr y Flwyddyn' yn benodol fel cydnabyddiaeth am y gwaith a wnes dros gyn-filwyr a'u teuluoedd. Ar y nawfed o Ragfyr, 2014 roedd y seremoni yn digwydd yn Neuadd y Ddinas Caerdydd. Achlysur ysblennydd ac mi ges y wobr am fy ymdrechion llwyddiannus i sicrhau bod trosedd Stelcian ar y Llyfr Statud a'm gwaith ar yr ymgyrch gyfatebol i greu'r drosedd o reolaeth gymhellol. Teimlwn yn falch iawn o'r anrhydedd ac mi roedd yr achlysur yn fwy arbennig gan fod y wobr yn cael ei chyflwyno i mi gan y Fns Gwenllian Griffiths, Ymgynghorydd Materion Cyhoeddus ar y pryd, ond a fu'n Swyddog y Wasg anhygoel o effeithiol a phroffesiynol i mi yn Llundain o Ionawr 2003 hyd at fis Medi 2005. I mi roedd gweld Gwenllian eto'n coroni noson wych.

Un arall a fu'n allweddol yn y tîm yn Llundain oedd Alun Shurmer. Daeth Alun ataf ar brofiad gwaith o'r coleg yn Aberystwyth am gyfnod o ryw saith wythnos. Buan iawn sylweddolais fod ganddo alluoedd gwych fel ymchwilydd ac fel swyddog y wasg. Aeth Alun yn ei ôl i Aberystwyth i gwblhau ei addysg a maes o law roeddwn mewn sefyllfa i gynnig swydd iddo. Cyflawnodd y swydd yn ardderchog ac mi fuom yn cydweithio'n dda am rai blynyddoedd. Symudodd i weithio gyda Transport for London fel uwch-swyddog y wasg. Ei olynydd yn y swydd oedd Gwenllian ac mi ges y fraint o ddarllen yn eu priodas. Mae'r ddau bellach yn byw yng Nghaerdydd ac yn rhieni i ddwy ferch arbennig iawn.

Pennod 15

YN NECHRAU 2015 cyhoeddais fy mod yn ymadael â'r swydd o fod yn Aelod Seneddol Dwyfor Meirionnydd. Byddwn yn dweud celwydd pe bawn yn gwadu nad profiad hynod o chwerw felys ydoedd ymadael. Roeddwn wedi cael dros dair blynedd ar hugain o fyw hanner y flwyddyn yn Llanuwchllyn a'r hanner arall yn Llundain. Bob nos Sul byddwn yn pacio dillad gogyfer â'r siwrne fore Llun i lawr i San Steffan a dychwelyd rhywbryd nos Iau, fel arfer. Yn ychwanegol at hynny, roedd yr holl deithio i wledydd tramor ac ar hyd a lled Ynysoedd Prydain. Mae'n siŵr mai adrenalin oedd yn fy nghadw ar fynd oherwydd bob tro y byddwn yn cael saib neu ychydig o wyliau, byddwn yn mynd yn sâl, yn dioddef rhyw afiechyd gwahanol bob tro nes i mi ddechrau ystyried a oedd hi'n ddoeth cymryd hoe o bryd i'w gilydd neu beidio. Ond, yr hyn sy'n aros yn y cof ydi'r holl bobl ddifyr a diddorol y ces y fraint o'u hadnabod ar draws y byd.

O fewn San Steffan, roedd gen i sawl cyfaill da o bron pob plaid ac mi allaf ddweud, yn ôl fy mhrofiad i, fod y rhan fwyaf yno am y rhesymau cywir i wella safon byw eu hetholwyr. Mae edrych ar San Steffan heddiw fel edrych ar fyd arall. Mae'r Blaid Dorïaidd yn gwneud eithaf llanastr o bethau ac mae Gweinidogion yn parhau yn eu swyddi er gwaethaf eu hymddygiad amheus. Pan gychwynnais yn 1992, ni fydde hi wedi bod yn bosib i lawer o'r Gweinidogion Torïaidd presennol oroesi oherwydd eu sgandalau a'u hymddygiad annerbyniol. Rhaid gofyn heddiw, beth fydde'n achosi i Weinidog San Steffan 'ystyried ei sefyllfa' ynglŷn ag ymddiswyddo neu beidio.

Mae tair blynedd ar hugain yn gyfnod hir i'w dreulio mewn swydd, a honno oddi cartref. Bu'n rhaid i Eleri fod yn fam ac yn dad i Catrin a Rhodri, nid bod y plant yn blant drwg o bell ffordd, ond mi roedd yn rhaid i Eleri ysgwyddo'r baich yn llwyr yn aml ac rwyf yn ddiolchgar y tu hwnt iddi am hynny a'r holl gefnogaeth a ges ar hyd y siwrne.

Cofiaf ddweud wrth y Pwyllgor Rhanbarth ei bod hi'n fwriad gen i beidio â sefyll yn Etholiad Cyffredinol 2015 ac rwy'n cyfaddef i mi gwffio'r dagrau wrth wneud hynny. Daeth amryw o fewn rhengoedd Plaid Cymru ac oddi allan i geisio rhoi pwysau arnaf i newid fy meddwl. Dydw i ddim yn meddwl y buase Dafydd Wigley yn teimlo'n ddig petawn yn dweud iddo erfyn arna i ar sawl achlysur i barhau am dymor arall. Er bod Dafydd yn eiriolwr o fri ac yn berswadiwr wrth reddf, aflwyddiannus fu ei ymgais y tro hwn. Rhaid dweud fy mod yn teimlo'n annifyr yn ei wrthod ef o bawb, o ystyried yr amynedd a'r amser a roddodd i'm rhoi ar ben ffordd yn ôl yn 1992.

Roeddwn hefyd wedi gwneud ffrindiau efo aelodau o staff Tŷ'r Cyffredin ac yn gwybod y buaswn yn hiraethu amdanynt. Roedd yna un *chef* yn yr adran arlwyo yn Portcullis House, San Steffan yn berson mawr, cyhyrog. Y tro cyntaf i mi siarad ag o, mi aeth hi bron iawn yn ffrae rhyngom. Mae o'n gefnogwr brwd i dîm rygbi Lloegr ac roedd yn feirniadol iawn o dîm Cymru ar y pryd. Mewn tipyn o beth deuthum i ddechrau deall ei hiwmor ac wedi hynny byddwn yn edrych ymlaen at gael sgwrs gydag o. Yn Ionawr 2020 mi deithiais i Lundain i ddraddodi teyrnged yn angladd fy nghyfaill Harry Fletcher oedd wedi gwneud cymaint o waith da yn ein swyddfa yn Llundain ac i mi'n bersonol ar faterion yn ymwneud â chartref ac â chyfiawnder. Coffa da amdano a diolch iddo am ei holl waith a'i gyfeillgarwch triw a diffuant. Daeth Eleri gyda mi ac mi arhoson ni am noson neu ddwy. Gelwais heibio i Portcullis House, a dyma'r creadur o *chef* yn gollwng popeth a dod ar draws y neuadd i'm cofleidio.

Os ydych am wybod beth sydd yn digwydd yn y Senedd

yn Llundain a pha bryd y byddem yn debygol o orffen gwaith gyda'r nos, gofynnwch i'r rheiny sy'n gwisgo siwtiau du, crysau gwyn a thei bow gwyn – y *badge carriers* fel roedden nhw'n cael eu galw. Roedd gen i sawl ffrind da yn eu mysg yn cynnwys Ken Davies, yn wreiddiol o Gastellnewydd Emlyn, Calvin Thomas a oedd yn hanu o ynysoedd y Môr Tawel ac amryw eraill hefyd.

Y Mesur olaf i mi weithredu ar Bwyllgor Sefydlog arno ocdd Deddf Troseddau Difrifol 2015 a phan oedd y pwyllgor yn dirwyn i ben, roedd hi'n amser fel arfer i dalu'r diolchiadau i'r cadeiryddion a'r swyddogion. Y person oedd yn arwain dros y Blaid Lafur oedd Jack Dromey A.S., gŵr Harriett Harman A.S., a dyma oedd ganddo i'w ddweud, ac mae'n ymddangos yn Hansard: 'On that point, it is right to record that there are many champions on the Committee. For example, on the Opposition side sit my hon. Friends the Members for Stockport and for Rotherham, who have done great work, often in difficult circumstances, on the issue of child exploitation and abuse. However, one of the finest champions that the House has seen in a long time, of the causes that he has espoused and the progress made in the Bill, is the Right Honourable for Dwyfor Meirionnydd ['Hear, hear'.]' Doeddwn i ddim yn disgwyl geiriau mor dwymgalon a'r unig beth a ddywedais yn ôl oedd: 'On that note, what can I say. It is time to saddle the horse.'

Mi ddaeth yn hysbys fy mod i am ymddeol o fewn ychydig o wythnosau ac mi roedd pobl yn garedig iawn, yn enwedig gan fy mod wedi cnoi ambell un ar y ffordd, ond mae perthynas Aelodau Seneddol yn un od iawn. Pan oedd Tony Blair A.S. yn Brif Weinidog a Jack Straw A.S. yn Ysgrifennydd Tramor byddwn yn croesi cleddyfau yn ddyddiol bron a gwn fod Blair yn fy nghasáu, nid bod hynny yn fy mhoeni! Jack Straw oedd yn ateb yn y ddadl fawr y soniais amdani eisoes – sef y cynnig gan Blaid Cymru a'r SNP i wneud i'r Twrnai Cyffredinol ddangos ei farn ar gyfreithlondeb y cyrch yn Irac i'r Tŷ. Ceisiodd ym mhob ffordd i'm baglu. Wedi i'r Torïaid ennill roedd y Blaid Lafur yn eistedd ar yr un ochr â ni, wrth gwrs. Arferai Jack eistedd gyferbyn â mi, rhyw lathen i ffwrdd. Bob tro roedd yna ddadl 'gyfreithiol' byddai'n dweud 'Rwyt ti'n cymryd rhan, dwi'n gobeithio, mae dy angen yn y ddadl hon.' Y peth rhyfedda oedd fy mod i, rhai misoedd wedyn, wedi gorfod cael llawdriniaeth ar fy mhen glin ac yn gorfod aros gartref am wythnos. Derbyniais lyfr Jack Straw ganddo, sef *Last Man Standing, Memoirs of a Political Survivor* a thu mewn i'r clawr roedd y geiriau yma wedi eu hysgrifennu, 'To Elfyn, with every best wish (and I hope it assists your recovery!) Best wishes Jack.' Mae yna ystrydeb mewn gwleidyddiaeth, os ydych yn ddiffuant ac yn benderfynol mae gennych siawns go lew o gael rhyw lwyddiant.

Ar wahân i ryw ddau Aelod Seneddol, ni theimlwn unrhyw atgasedd at neb arall dros y blynyddoedd ac mae'n wir dweud os byddwch â'ch cefn yn erbyn y wal neu'n mynd trwy gyfnod anodd, bydd Aelodau'r Tŷ yn closio atoch ac mae hynny'n od i lawer ei glywed, yn enwedig o edrych ar y gweiddi a'r rhythu sy'n digwydd yng nghwestiynau'r Prif Weinidog.

Fel arfer, oherwydd fy mod yn Arweinydd Seneddol ac wedi bod yn arweinydd ers 19 mlynedd, sy'n record yn San Steffan, roedd gen i gyfle i ofyn cwestiwn i'r Prif Weinidog bob tair neu bedair wythnos. Gwyddwn pa bryd y bydde fy nhro i'n dod ac mi roedd hynny'n rhoi cyfle i mi baratoi cwestiwn bachog ac amserol fel rheol. Y rheol i mi bob amser oedd cadw'r cwestiwn mor fyr â phosib er mwyn rhwystro'r Prif Weinidog rhag cael llawer o amser i feddwl am ateb. Bydde Blair yn mynd yn wallgo!

Gyda David Cameron rwy'n cofio gofyn iddo ganol Chwefror 2011 a fydde fo yn rhoi gwarant i bawb a oedd yn gwrando na fydde'r bancwyr, a oedd ar fai am y tranc ariannol, yn cael eu gwneud yn farchogion neu yn Aelodau o Dŷ'r Arglwyddi. Atebodd gyda gwên ar ei wyneb – roeddwn wedi cael fy nyrchafu i'r Cyfrin Gyngor rhyw dair wythnos cynt. Meddai, cyn i mi ofyn y cwestiwn yn llawn, 'Ga i longyfarch yr Aelod

Gwir Anrhydeddus ar ei ddyrchafiad?' Dechreuais i chwerthin a chwerthin ddaru o hefyd ac mi barhaodd y chwerthin am yn hir. Byd rhyfedd ydi gwleidyddiaeth, ynte?

Yn fy sesiwn cwestiynu'r Prif Weinidog cyn etholiad 2015 ar y 25ain Mawrth 2015 ces y cyfle olaf i'w holi yn y Siambr. Gan fy mod yn ymddeol o fewn dyddiau, penderfynais ofyn cwestiwn gogleisiol iddo:

> This is, in fact, my last Prime Minister's questions after 23 years in this place, but I hope that my very good friend, the former Member for Banff and Buchan, (sef Alex Salmond), will be rejoining this place in May. Can the Prime Minister please tell us which causes him more anguish: his imminent return or my imminent departure?

Atebodd David Cameron fel a ganlyn: 'I'm quite looking forward to missing the two of you,' ond wedyn ychwanegodd, 'I have sat in this House for 14 years and all the time that the Right Honourable Gentleman has been a Member of Parliament, I remember some very passionate speeches, not least on the Iraq war. I remember some very passionate speeches about civil liberties in our country and making sure that we respond in the right way to terror. He has always stood up for his constituents, he cares passionately about Wales, he cares passionately about rugby, and he will be missed by everyone.'

Tysteb ganmoliaethus iawn yn wir ac achlysur go anarferol. Mae'n werth nodi na cheisiodd y Prif Weinidog wneud yr un peth i bawb a oedd ar fin ymddeol.

Mi roedd Caplan y Llefarydd yn ddynes hyfryd iawn. Derbyniais lythyr ganddi, sef y Parchedig Rose Hudson-Wilkin, ac meddai: 'Dear Mr Llwyd, Please accept this note in the spirit of which it is intended: to say how sorry I am that you will not be with us in the next Parliament. Every blessing in all your future endeavours. I will continue to hold you in my thoughts and prayers. With best wishes, Rose.' Mae hi erbyn hyn yn Esgob Dover.

Ces y cyfle i wahodd y teulu a ffrindiau am noson neu ddwy i San Steffan i gael gweld y lle a chael cinio yn y Senedd. Wrth gwrs, roedd Catrin a Rhodri wedi bod yno droeon dros y blynyddoedd ond mi roedd hwn yn gyfle i'r wyresau gael golwg ar y lle hefyd a rhyw obeithio roeddwn i na fydden nhw'n dweud bod Taid, mewn gwth o oedran, yn malu awyr wrth hel atgofion am ei gyfnod fel Aelod Seneddol yn Llundain!

Cawsom barti ymddeol ysblennydd yn y Jubilee Room yn San Steffan. Roedd un o'm hwyresau, Anni Wyn, wedi paratoi cerdyn gwahoddiad hyfryd, efo llun y Ddraig Goch arno, a hithau ond yn bum mlwydd oed. Yn bresennol roedd Ken Clarke A.S., Paul Murphy A.S., Paul Flynn A.S., a rhyw ugain o Aelodau Seneddol eraill o wahanol bleidiau. Hefyd roedd yr Arglwydd Thomas o Gwmgïedd, Prif Ustus Cymru a Lloegr yno, llu o newyddiadurwyr o bob cwr o Ynysoedd Prydain a phleser oedd gweld Dewi Llwyd yn eu plith. Yno hefyd roedd llu o Gymry Llundain ac roedd mintai o Feirionnydd, yn cynnwys Sheila fy ysgrifenyddes ffyddlon, Menna Jones o'r swyddfa yn Nolgellau a hefyd Owen Jones, Arwel Lloyd Jones fy nghynorthwyydd egnïol a thriw yn ogystal ag Irwyn Meirion Jones, Dei Charles Jones, Robin Glyn Jones ac Alwyn Evans Jones o Lanuwchllyn. Mi oedd y criw olaf wedi teithio i lawr i Lundain mewn fan fawr a cherbyd arall i'm helpu i symud dodrefn o gartref i'm fflat yn Camberwell, De Llundain ym mis Chwefror 1993. Roedd yna rywbeth bron yn farddonllyd neu ramantus yn hyn i gyd i mi, gan eu bod yn awr yn dod i'm hebrwng adref yn ôl.

Canodd Eleri ddwy gân yn y parti ac mi syfrdanwyd pawb gan ei datganiad o'r gân hyfryd honno, 'O Gymru'. Clywsom gan y gynulleidfa encore neu ddau, ac mae'n rhaid i mi ddweud bod y gân wedi fy nghyffwrdd i. Bu'n rhaid cwffio rhag y dagrau ar y pryd.

Sylwais fod gwroniaid Llanuwchllyn mewn dim o beth yn llawiau mawr efo Ken Clarke A.S. ac o'i adnabod o, doedd hyn ddim yn syndod mawr. O ran cwrteisi, roeddwn wedi rhoi gwahoddiad i'r llefarydd, John Bercow A.S. a chan wybod pa mor brysur ydoedd, nid oeddwn yn disgwyl ei weld, ond eto dod ddaru o. Mynnodd yntau ddweud gair ac mi roedd ei eiriau yn hyfryd, er yn or-ganmoliaethus. Un o'i themâu oedd y buasai'n rhaid i 'Parliamentarian o'n safon i' orfod mynd i Dŷ'r Arglwyddi, er nad oedd yn credu y buaswn yn cymryd sedd yno. Eironig yn wir yw'r ffaith ei fod o'n cael ei rwystro rhag mynd yn Aelod o Dŷ'r Arglwyddi, er ei bod yn gonfensiwn canrifoedd i gyn-Lefarwyr Tŷ'r Cyffredin fynd yno.

Wrth ddod â'r atgofion yma i ben, rhaid cyfaddef y gallaswn fod wedi cynnwys llawer mwy o straeon sydd yn aros yn y cof ond toes wybod na welant olau dydd rhyw ddiwrnod arall. Gan fy mod yn gweld yr Arglwydd Thomas o Gwmgïedd yn weddol rheolaidd trwy fy ngwaith fel Is-Gadeirydd Cyngor Prifysgol Aberystwyth ac yntau'n Ganghellor mi ofynnodd i mi ychydig yn ôl beth roeddwn yn ei wneud ar y pryd. Atebais 'mod i'n ysgrifennu nodyn o'r atgofion 'y gallaf eu hailadrodd' am fy nghyfnod yn Llundain. Gwenodd a gofyn 'Pa bryd fydd y lleill yn cael eu cyhoeddi – y llyfrau trymion!'

Mae pobl yn gofyn i mi a wnes i fwynhau'r profiad a fy ateb bob tro yw, er fy mod ar blyciau wedi bod trwy ddŵr a thân, buaswn, mi fuaswn yn ei wneud i gyd eto a gobeithiaf fod fy nghyfraniad bach wedi bod yn rhyw hwb bychan i adeiladu'r Gymru newydd yr ydym i gyd yn dyheu amdani. Cwestiwn arall cyffredin ydi 'Ydych chi'n gweld eich hun yn chware rhan yn y Senedd yng Nghaerdydd?' Fy ateb yw 'Pwy a ŵyr?'

Ar fy ymddeoliad ces yr englynion hyn gan fy ffrind da a chyn-asiant seneddol, y Prifardd Elwyn Edwards o'r Bala. Rwy'n eu trysori'n fawr.

I Elfyn Llwyd
(ar ei ymddeoliad fel Aelod Seneddol Dwyfor Meirionnydd)

O rengoedd hon yr angen – y rhoist lef
    Dros dy wlad yn amgen;
  Cofleidio rhaglaw awen
  Aberffraw y Walia Wen.

Ar ôl dy anfarwoli – yn unol,
    Y Senedd roes iti
Wobr wych sydd yn llawn bri
A'i haeddiant yn sgleinio drwyddi.

Y Prifardd Elwyn Edwards
Mai 2015

Diolchiadau

Hoffwn ddiolch yn ddiffuant i'r canlynol:

I Sheila Jenkins (Williams gynt) am redeg swyddfa Dolgellau fel cloc a bod yn gefn i mi bob amser.

Y diweddar Mair Jones am ei chynhorthwy parod a rhadlon yn y swyddfa.

Menna Jones am yr holl gymorth a ges ganddi.

Sioned Haf Roberts am ei chymorth parod.

Arwel Lloyd Jones a fydde'n barod i droi ei law at bob dim gyda gwên a chyfeillgarwch.

Yr holl bobl ifanc a'r myfyrwyr ddaeth i gynorthwyo dros dro yn ystod yr hafau.

I'r diweddar Myrfyn Huws, cyfaill ac asiant etholiadol ffyddlon mewn tair etholiad.

I'm ffrind bore oes, y Prifardd Elwyn Edwards, am ei gymorth cyson ac am weithredu fel asiant etholiadol yn fy nwy etholiad olaf, wedi i Myrfyn ein gadael mor ddisymwth.

I Elfed Roberts, Penrhyndeudraeth am flynyddoedd o gymorth a chefnogaeth fel trefnydd.

I Rhian Medi Roberts am redeg Swyddfa Seneddol Plaid Cymru dros yr holl gyfnod y bûm yn Llundain.

I Gwenllian Griffiths am fod yn Swyddog y Wasg mor effeithiol a rhadlon.

I Elin Haf Thomas am weithredu'n gadarn a gwych fel Swyddog y Wasg.

I Elin Angharad Roberts am waith eithriadol fel Swyddog y Wasg.

I Heledd Fychan am ei gwaith ardderchog.

I Meinir Jones am ei gwaith da yn yr un maes.

I Alun Shurmer am ei waith clodwiw yn ymchwilio ar fy rhan a hefyd yn rhannol fel Swyddog y Wasg.

I'r Dr Ian Johnson am ei waith eithriadol fel ymchwilydd.

I Delyth Jewell A.S. am ei gwaith anhygoel fel ymchwilydd eithriadol ar fy rhan.

I'r diweddar Harry Fletcher am ei waith ar fy rhan a'i gynghorion da bob amser.

Heb yr uchod ni fuaswn wedi cyflawni unrhyw beth yn debyg i'r hyn y bûm yn ffodus i'w wneud.

I bobl Meirionnydd Nant Conwy a Dwyfor am eu cefnogaeth ddiwyro a'u teyrngarwch.

I Wasg y Lolfa ac yn arbennig i Alun Jones am rannu ei brofiad a chynnig cynghorion doeth i mi ac i Vaughan Hughes am gytuno i ysgrifennu rhagair.

Atodiad

Dyma rai o'r Mesurau/deddfau y bûm yn craffu arnynt mewn pwyllgor sy'n aros yn fy nghof:

Mesur yr Iaith Gymraeg
Mesurau Llywodraeth Cymru
Mesur Tenantiaethau Amaethyddol
Mesur yr hawl i grwydro tiroedd
Mesur Tir Comin
Mesur Cymru, Mesur Plant a Mabwysiadu
Mesur Cymorth Cyfreithiol ac Erlyn Troseddau
Mesur Cynllunio,
Mesurau Amgylcheddol
Mesur Gwrth Derfysgaeth
Mesur Argyfwng Sifil ac eraill

Hefyd o'r Lolfa:

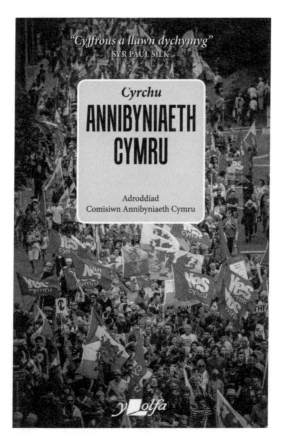

£9.99

GWLADGARWR
GWENT
SON OF GWENT
COFIO STEFFAN LEWIS

£9.99

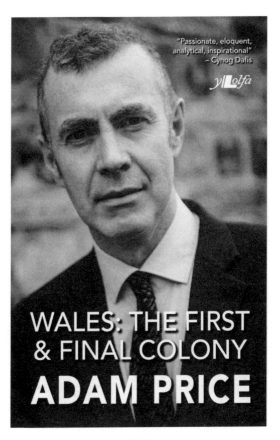

"Passionate, eloquent, analytical, inspirational"
– Cynog Dafis

y Lolfa

WALES: THE FIRST
& FINAL COLONY
ADAM PRICE

£9.99

£12.99

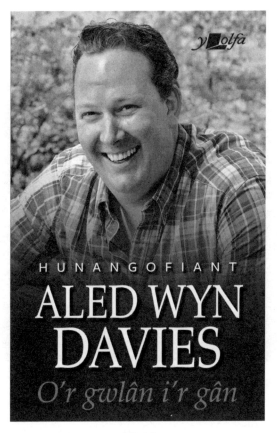

HUNANGOFIANT

ALED WYN DAVIES

O'r gwlân i'r gân

£12.99

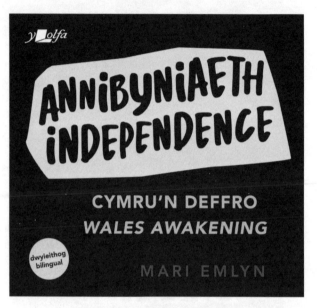

£7.99

Holwch am bris argraffu!
www.ylolfa.com